ERMANNO CALDERA

El teatro español
en la época romántica

EDITORIAL CASTALIA

Copyright © Editorial Castalia, S.A., 2001
Zurbano, 39 - 28010 Madrid - Tel. 91 319 58 57 - Fax 91 310 24 42
Página web: http://www.castalia.es

Impreso en España - Printed in Spain

I.S.B.N.: 84-7039-888-1
Depósito Legal: M. 11.900-2001

T

100 3008021

EL TEATRO ESPAÑOL EN LA ÉPOCA ROMÁNTICA

LITERATURA  Y SOCIEDAD

DIRECTOR
ANDRÉS AMORÓS

Colaboradores de los volúmenes publicados:

ÍNDICE

INTRODUCCIÓN

Con la conciencia de los problemas que afectan a cualquier forma de periodización literaria, que siempre tiene algo de arbitrario y subjetivo, he escogido para esta historia del teatro en la época romántica las décadas 1830-1849, pareciéndome el período más idóneo para describir el nacimiento, el florecimiento y la decadencia del teatro romántico español.

En parte ha influido en la elección la existencia de al menos dos antecedentes de cierta importancia: los dos volúmenes de la *Cartelera teatral madrileña*, editados en Madrid, 1961 y 1963, en la colección de los Cuadernos bibliográficos del CSIC, que abarcan respectivamente las décadas 1830-1839 y 1840-1849, y *El teatro romántico español (1830-1850). Autores, obras, bibliografía* (ed. P. Menarini y otros), Bologna, Atesa, 1982.

Sobre todo la primera obra, a pesar de sus inexactitudes,[1] es para este trabajo un punto de referencia ineludible, ya que en ella me fundo para establecer el nivel de la recepción de las piezas que se representaron en esa época, y para seleccionar las obras que se analizan en esta historia: de hecho, me limito a las piezas realmente representadas en los teatros públicos de Madrid. Claro está que, de esta forma, el panorama puede manifestar sus límites, que habría que salvar extendiendo la investigación a todas las provincias españolas, como sugiere acertadamente Romero Tobar;[2] pero de momento, a pesar de haberse últimamente multiplicado los estudios dirigidos a examinar la vida teatral fuera de Madrid, falta el material para una investigación exhaustiva. Por otro lado, una visión más «nacional» podría incrementar o modificar nuestros conocimientos acerca de algunos datos relativos a la recepción, quizás también, en

---

[1] Véase L. ROMERO TOBAR, *Panorama crítico del romanticismo español*, Madrid, Castalia, 1994, p. 252, donde se refiere también a las observaciones de Adams, Andioc y Peers.

[2] *Ibídem*, p. 243.

algunos casos, al montaje, pero no determinaría variaciones sustanciales en la valoración de las piezas que, no se olvide, se estrenaron casi todas en la capital.

En cuanto al período elegido, es indiscutible que es en él cuando se produce cabalmente el pleno florecimiento romántico, con el inicio del drama en 1834 (*La conjuración de Venecia*) y de la comedia en 1831 (*Marcela*) y una conclusión que es más difícil colocar cronológicamente pero que es bastante corriente poner a mediados de los años cuarenta, esencialmente por el estreno, en 1844, del *Don Juan Tenorio*, cuyo carácter de síntesis de los temas y problemas del romanticismo español es generalmente reconocido. Por lo tanto, el lustro siguiente se justifica como el momento en que drama y comedia, sin renunciar totalmente a sus caracteres fundamentales, se van desarrollando hacia formas nuevas con las cuales en parte ya conviven.

Naturalmente todo esto supone también la aceptación prejudicial de ciertos parámetros que conciernen a la duración del romanticismo en España y en Europa y la definición previa de lo que se entiende por movimiento romántico. Problemas que dejo a un lado, ya que nos alejarían demasiado del asunto y que impondrían la intervención en un debate que se remonta a los propios hermanos Schlegel y que quizás no alcance nunca una solución completa. Me limitaré a considerar románticas las obras que presenten aspectos estructurales (la violación de las reglas aristotélicas, por ejemplo) y/o de contenido (la exaltación del sentimiento, el subjetivismo, el culto de la tradición, el historicismo, la angustia espacio-temporal, el ansia de comunicar, etc.) que en general se reconocen como motivos propios del movimiento.

En cuanto a las fechas, la elección del período indicado es por sí misma testigo de la aceptación de un marco cronológico generalmente reconocido.

Por último, tengo que precisar que he limitado la investigación al teatro que solemos definir *de verso*, con exclusión por tanto del teatro musical —que exigiría por sí mismo un tratado aparte— y de otras manifestaciones teatrales o parateatrales como el teatro de títeres, de sombras, etc., o las representaciones circenses.

Y otra precisión final. En muchos casos he reproducido (recuadrándolos para evidenciarlos, de manera que no se confundan con el texto ni con citas de otra clase) trozos de reseñas, citando solamente las que salieron de inmediato, al margen del estreno, a pesar de haberse escrito, en algún caso, reseñas apreciables de las reposiciones: pero es evidente que, al querer incluir también éstas, habría salido una larguísima, interminable historia de la crítica.

Deseo concluir este breve apartado dándole las gracias a la profesora Antonella Cancellier, que con inteligencia y atención revisó este trabajo.

I. LA RECEPCIÓN

Un análisis de las frecuencias de las reposiciones a lo largo de las dos décadas románticas nos brinda datos seguramente sorprendentes, ya que resulta claro que la mayoría de las obras que salían a la escena no eran las que comúnmente llamamos románticas; en cambio (dejando a un lado el teatro musical, que todo lo domina con las triunfadoras óperas italianas) se trataba de piezas que o pertenecían al ya trillado repertorio del teatro sentimental —con sus clásicos ingredientes de situaciones lacrimosas, de malvados perseguidores y de víctimas inocentes, no sin la consoladora anagnórisis final— o repetían al infinito, con todas las posibles variaciones, el estereotipo —tan antiguo como el mundo teatral— de la comedia de equívocos, con su secuela de trucos, burlas, disfraces, sustituciones de personas.

Si examinamos los datos que nos proporciona la *Cartelera teatral madrileña*, notamos que la obra que indiscutiblemente obtuvo el mayor número de reposiciones (con exclusión, como se ha dicho, de las óperas), fue la aplaudidísima comedia de magia titulada *La pata de cabra* (más de 160 representaciones en el período examinado),[1] seguida a mucha distancia (entre 70 y 80 puestas en escena, o sea, la mitad de las de *La pata,* pero, hay que agregar, por un período inferior de años, habiéndose estrenado más tarde) por los dramas románticos de más éxito, *El trovador* y *La conjuración de Venecia,* que sin embargo van acompañados por los dramas sentimentales *La huérfana de Bruselas* y *La expiación,* además de una comedia ligera titulada *Los primeros amores* y de la imperecedera farsa barroca de *El diablo predicador.*

---

[1] Deduzco el número de las representaciones (que hay que considerar aproximado) de la *Cartelera teatral madrileña.* De aquí en adelante, cuando indico el número de las representaciones, me refiero a las décadas 1830-1849 o al período que intercorre entre la fecha del estreno y 1849.

Entre 50 y 70 representaciones se colocan el *Don Álvaro* y *Marcela*, pero también la comedia sentimental *El pilluelo de París* y muchas típicas comedias de equívocos, como *Mi tío el jorobado, No más muchachos, Retascón, barbero y comadrón, Las capas* y *Las citas*.

Alrededor de 30 representaciones conocen *Los amantes de Teruel, Carlos II el hechizado, Doña Mencía, Macías* y *Muérete ¡y verás!*; pero otras tantas o más (aproximadamente entre 30 y 50) son las reposiciones de obras de varia clase, desde las sentimentales o melodramáticas (*El leñador escocés, Miguel y Cristina, El compositor y la extranjera, El Tasso, Treinta años o La vida de un jugador, Los hijos de Eduardo, El Jocó o el orangutang, El castillo de San Alberto*) a muchas comedias de equívocos, entre las cuales descuellan las de Gorostiza (*El amigo íntimo, Contigo pan y cebolla*), al lado de las traducidas del francés, la mayoría del popularísimo Scribe (*El día más feliz de la vida, El secretario y el cocinero, No más mostrador, El legado, Un paseo a Bedlam, Buen maestro es el amor, El amante prestado, El gastrónomo sin dinero*), de algunas de la tradición barroca o tardobarroca, más bien de acusado carácter cómico (*El hechizado por fuerza, El desdén con el desdén*), además de ciertos clásicos como *El sí de las niñas, Juana la Rabicortona, Edipo* (de Martínez de la Rosa), *El médico a palos, Coquetismo y presunción*; o, en fin, piezas de circunstancia, como *Quiero ser cómico*, o simplemente farsescas (*El hombre gordo*).

Si, por último, analizamos las piezas que alcanzaron entre 20 y 30 representaciones, sólo encontramos un drama romántico español (*Doña María de Molina*) y tres franceses (*Ángelo, Margarita de Borgoña* y *Lucrecia Borgia*), en tanto que abundan las comedias de equívocos como *Amantes y celosos todos son locos, Marido joven y mujer vieja, El marido de mi mujer, El pobre pretendiente, Desconfianza y travesura, El amante jorobado, Acertar errando o El cambio de diligencia*, al lado de las consabidas piezas lacrimosas —traducidas por supuesto— *Felipe, La cabeza de bronce, La máscara reconciliadora*; hay que agregar la comedia de magia *El diablo verde*, dos piezas de Bretón (*A Madrid me vuelvo* y *Me voy de Madrid*), *La niña en casa y la madre en la máscara* de Martínez de la Rosa, y el molieresco *Enfermo de aprensión*.

Creo que no vale la pena, en este apartado dedicado esencialmente a la recepción, detenerse en las obras que, a lo largo de los veinte años que tomamos en consideración, no alcanzaron un mínimo de 20 representaciones. Pero sí importa subrayar el reducido número de representaciones de algunos dramas históricos, que por otro lado no carecen de interés para el crítico de hoy y que por tanto se analizarán con cierta atención a su tiempo. *Hernani* (el drama de Hugo, no la ópera, que en cambio conoció muchísimas reposiciones) fue llevado a la escena 14 veces; *Don Fernando el emplazado*, 11; *Fray Luis de León* y *El rey monje*, 10; *El astrólogo de Valladolid* e *Incertidumbre y amor*, 8; *El paje*, 7; *Bárbara Blomberg*, 6; *Antonio Pérez y Felipe II*, 5; *La corte del Buen Retiro, Felipe II, Adolfo* y *Vellido Dolfos*, 4; *Alfredo, Jaime el Conquistador* y *El conde don Julián*, 3; en tanto que *Elvira de Albornoz, Adel el Zegrí* y *Las hijas de Gracián Ramírez* no conocieron más que el estreno y una reposición.

Esta somera y desde luego incompleta reseña nos delata la persistencia, en el público y posiblemente en las compañías, de gustos bastante triviales que determinan la preferente orientación hacia obras de escaso valor pero impregnadas de ciertos efectismos patéticos o cómicos; lo cual por otro lado no excluye cierta capacidad de seleccionar, entre el repertorio propiamente romántico, algunas obras de reconocido valor artístico (a pesar de ciertas exclusiones no muy justificadas) o de apreciar unas producciones que ya habían alcanzado el renombre de clásicas.

Va a ser, pues, oportuno un examen de un buen número de las obras de cartel a las cuales se ha aludido anteriormente, dejando a un lado, naturalmente, las que encontrarán un análisis más detallado en los apartados siguientes, y limitándonos, en este capítulo, a las que se estrenaron en la década 1830-1839 o anteriormente.

Empezando por las piezas de carácter sentimental (o melodramático, o lacrimoso, o llorón, etc.), lo que notamos en seguida es la repetición de los estereotipos que habían decretado ya su gran éxito a finales del siglo XVIII y a principios del XIX.

De los dos «dramones» que encabezan la lista de las obras más representadas, seguramente el que consiguió más fama fue *La huérfana de Bruselas*, más propiamente titulado *El abate L'Épée y el asesino o La huérfana de Bruselas*, traducido por Juan de Grimaldi del original de Ducange *Thérèse ou l'orpheline de Genève*, y estrenado el 6 de julio de 1825. El secreto de tanto éxito reside ciertamente en la acumulación de motivos patéticos y de complicadas peripecias, «una interesante mezcla —como afirma Gies—[2] de pasión, misterio, *pathos*, espectáculo y sentimentalismo», que conmovía al público, haciéndolo «reír y llorar, trasladarse a sitios extraños y maravillosos, y envolverse en historias de amor, intrigas, peligros y suspensión». Lo cual era típico de todas las obras de esta clase, aunque en ésta, quizás por la figura conmovedora de la protagonista (una huérfana desamparada y perseguida por un malvado impenitente), además, desde luego, de la hábil contextura, lograba efectos particularmente intensos.

Para sustraerse tanto a la condena por falsaria que le ha sido impuesta a causa de las intrigas de los parientes de su protectora la marquesa de Ling (en realidad, como se verá más tarde, su madre ilegítima), que la había nombrado su heredera, como a las persecuciones amorosas del perverso abogado Valter, Cristina —cambiado su nombre en el de Enriqueta—, huida de Bruselas, se ha refugiado en Francia, en casa de la marquesa de Belvil, de cuyo hijo, Carlos, se enamora. En el momento en que los dos jóvenes están a punto de casarse, llega Valter, que consigue romper la amistad entre Cristina y la familia que la hospeda. Aconsejada por su protector el abate L'Épée, se refugia en una casa de labradores, donde sin embargo la alcanzan la marquesa, su hijo y Valter. Éste, al verse nuevamente rechazado, intenta apuñalarla, pero, sin darse cuenta, mata en

---

[2] D. T. GIES, *Theatre and Politics in nineteen century Spain: Juan de Grimaldi as impresario and governement agent*, Cambridge, New York, etc., Cambridge University Press, 1988, p. 56.

cambio a la marquesa, en tanto que un incendio va quemando la casa. Acusada de la muerte de su benefactora, Cristina se salva gracias a la astucia del buen abate, quien la hace comparecer de improviso delante de Valter, el cual, creyéndola un fantasma, confiesa aterrorizado su culpa. Después de tantas desgracias, Cristina y Carlos pueden por fin realizar su sueño de amor.

No faltaba, pues, ninguno de los ingredientes propios del teatro sentimental, incluso naturalmente el triunfo final de los buenos y el castigo de los malvados, que siempre ha sido acogido positivamente por los espectadores de todos los tiempos. Sobre todo, la obra rebosaba de golpes de teatro, de sorpresas, como el error de persona cometido por Valter, y de efectos escénicos, como el incendio.

Los mismos recursos, casi se podría decir los mismos personajes, caracterizaban *La expiación*, que, a pesar de ser menos famosa, alcanzó sin embargo un número de reposiciones superior a las de *La huérfana*. Se trataba también de una traducción, esta vez del infatigable Ventura de la Vega, de un original francés hoy desconocido,[3] que fue estrenada en el Teatro del Príncipe el 10 de febrero de 1831, conociendo luego, en las dos décadas románticas, unas 80 reposiciones.

Herido en una refriega, Fernando es hospedado en el castillo del conde Torrelli, donde le asiste la sobrina de éste, Julia, que reconoce en el joven un antiguo enamorado suyo. El sobrino del conde, el malvado Morazzi, sospechando con razón que Fernando sea hijo ilegítimo de su tío y que por tanto pueda sustraerle el puesto de heredero que él ocupa actualmente, intenta envenenarle y luego matarle haciéndole desaparecer con su cama, que puede hundirse gracias al truco de un resorte. Pero Fernando, avisado por Julia, arroja a Morazzi a la cama, que se hunde con él. Superado en fin el riesgo de la fusilación del conde, acusado injustamente del atentado a la vida de Fernando, éste, reconocido como hijo suyo, puede casarse con Julia.

Nuevamente, hay que atribuir el éxito de la pieza a la presencia de los elementos patéticos tradicionales, sobre todo la anagnórisis del hijo perdido y del enamorado desaparecido, y de las constantes asechanzas del malvado que quiere matar al bueno; debió también de gustar mucho la hábil conducta del protagonista, que sabe liberarse de las trampas que le prepara su adversario. Y, por supuesto, el aplauso final debió de despertarlo el *happy ending* que llega a última hora, en el momento de caer el telón, cuando ya todo dejaba suponer una conclusión trágica.

Hay que añadir por fin el atractivo ejercido por una escenografía que, conforme a una larga tradición del género, era, por lo que podemos deducir de las acotaciones, muy varia y cuidada, de gusto ya romántico: desde «*un interior de molino construido sobre barcas*», con su «*puente rústico que conduce a la orilla*»,

---

[3] Los datos relativos a las fuentes francesas que aparecen en este apartado están sacados casi exclusivamente de F. LAFARGA, *Las traducciones españolas del teatro francés (1700-1835)*, I, Barcelona, Universitat, 1983.

hasta ese «*palacio gótico*» que tanta fortuna gozará en los dramas históricos, y a un también romántico «*sitio pintoresco*», con «*un gran arco de piedra algo carcomido*».

A pesar de haber conseguido un número inferior de representaciones, habría que colocar entre las obras más representadas *El castillo de San Alberto*, que se estrenó más tarde (el 14 de agosto de 1839, en el Príncipe) y que sin embargo se repuso unas 40 veces en un decenio. Obra también traducida del francés por Pedro Baranda de Carrión, se funda sobre una peripecia extremadamente complicada, con continuos equívocos y sustituciones de personas, aunque no falte, desde luego, el componente patético del marido malvado y libertino que al fin se arrepiente e intenta rescatarse.

El conde Guillermo de Flavy intenta raptar del convento a la hermosa María, protegida por su mujer y otras personas. Por una serie de equívocos, la joven cae realmente en las manos del conde, quien ordena su muerte y la de la condesa. Pero se descubre que es la hija que la propia condesa parió, antes de casarse, a consecuencia de un estupro y que el estuprador había sido nada menos que el que ahora es su marido. Tanta es la vergüenza que siente el conde, que irá a buscar la muerte en el campo de batalla.

Tal vez afectase bastante al público el tema inusitado del estupro, que sin embargo se liberaba parcialmente de los aspectos más escandalosos por estar el culpable casado con la misma mujer a la que había violado.

La escenografía era, como en la obra anterior, de gusto romántico, por otro lado ya habitual en 1839. Bastaría leer la acotación del acto IV: «*Salón gótico: en el foro una gran puerta con reja de hierro, por entre cuyas barras se ve una torre con su puertecilla y un águila esculpida encima...*» Y el influjo del romanticismo entonces ya en plena auge se deja ver también en la presencia, entre los personajes, de un trovador, figura muy de época.

> No es fácil enumerar en un artículo de periódico todos los incidentes de interés que tiene este drama justamente aplaudido por el público; pero no podemos menos de mencionar especialmente la escena del tercer acto en que la madre reconoce a su hija (*Eco del Comercio*, 16-VIII-1839).

Huelga añadir otras consideraciones en torno a las demás obras sentimentales de éxito, ya que éstas no presentan más que una repetición de los temas, motivos y personajes que hemos encontrado en las anteriores. Bastarán por tanto algunos rápidos resúmenes de su contenido para confirmar la presencia de ciertos componentes muy típicos del género:

El arte de conspirar, arreglado por Larra de un original de Scribe, estrenado en el Cruz el 17 de enero de 1835 (45 representaciones).

En Copenhague, en 1772, el tendero Burkenstaff y su hijo Eduardo dirigen un levantamiento contra el prepotente privado del débil rey Cristiano. El ambiguo Rantzau, al darse cuenta de que los revolucionarios conseguirán la victoria, se pone al lado de ellos, es nombrado primer ministro y obtiene los aplausos del pueblo, en tanto que Burkenstaff es totalmente ignorado y aprende la amarga lección de que los humildes siempre acaban perdiendo.

la independiente verdad y filosofía del pensamiento, y la perfección con que está desenvuelto, han cautivado desde la primera noche de tal manera al público de Madrid, que pronosticamos a esta comedia una completa aclimatación en nuestra escena (*Revista Española*, 23-I-1835).

Los hijos de Eduardo, traducido por Bretón de los Herreros de un original de Delavigne, estrenado en el Príncipe el 7 de octubre de 1835 (36 representaciones).

En la corte de Inglaterra, los dos hijos de la reina, Ricardo y Eduardo, son perseguidos por su tío Glocester. A pesar de la habilidad con que el niño Ricardo se opone a sus mañas, Glocester consigue encerrarlos en la torre y asesinarlos.

El leñador escocés, traducido del francés (se desconoce el original) por C.P.M.S., estrenado en 1819 (30 representaciones).

El duque de Brebalden, perseguido por la condesa de Ribersdale, que quiere casarse con él, se salva gracias a un casual cambio de vestidos con el leñador Dik; siguen equívocos continuos, en general más cómicos que patéticos, que hasta llevan al pobre plebeo al pie de la horca; pero todo se aclara, el leñador se salva, el duque se apacigua con la condesa y se casa con la sobrina de ella.

El hombre de la selva negra, traducido del francés (de un original de E. Cantiran de Boirie y Frédéric) por B.G. (Bernardo Gil), estrenado en 1815 (31 representaciones).

El conde Gerardo, emigrado para evitar una condena injusta, vuelve clandestinamente al Palatinado (estamos en el año 1600), y con la ayuda del proscrito Zimeraf, que merodea en los alrededores y es apodado «el hombre de la selva negra», salva al elector Rodolfo de los sicarios comprados por el ministro Herman. Julio, que se descubre hijo de Geraldo, consigue a su padre el perdón del elector, el cual le concede la mano de su hija.

La cabeza de bronce o El desertor húngaro, traducción de un original de A. Hapdé, estrenado en 1817 (22 representaciones).

Federico, secretamente casado con Floresca, para impedir las bodas de ésta con el ignaro príncipe Adolfo de Presburgo, abandona su regimiento y vuelve al castillo, donde se esconde en un subterráneo al cual se accede gracias a una llave puesta en la boca de una cabeza de bronce. Descubierto, huye y, en una horrorosa noche de tempestad, después de tirarse inútilmente al Danubio, es capturado y tiene que ser fusilado. Pero Adolfo, al enterarse de que en realidad Federico es hijo suyo, suspende la ejecución; a pesar de oírse una descarga de fusilería, el joven reaparece salvo, ya que el oficial encargado del ajusticiamento había ordenado disparar al aire.

Al lado de estos dramas de fondo histórico y caracterizados, en general, por las numerosas aventuras, se colocan otros, situados en la época contemporánea y con un fondo burgués: mantienen los mismos recursos patéticos, pero su trama se desarrolla con menor dinamismo. Son las piezas que con más derecho pueden aspirar a la definición de *comedias lacrimosas*.

Al recurso fundamental de la anagnórisis, aquí doble, apela *Felipe*, que Larra tradujo de un original de Scribe, Mélesville y Bayard, y que alcanzó 22 representaciones, después de estrenarse el 25 de febrero de 1832 en el Teatro del Príncipe.

Federico, joven abogado de origen desconocido, goza del apoyo del mayordomo Felipe, que le consigue de su protectora Isabel el perdón de sus calaveradas, hasta que se averigua que Federico es hijo de los dos, con lo cual se recompone la familia y el chico se casa con su prima Matilde.

Posiblemente afectó de manera positiva al público la recomposición de la unidad familiar, cuya ruptura fue en cambio el punto de fuerza para arrancar las lágrimas en la célebre pieza titulada **Treinta años o La vida de un jugador**, también conocida como **Beverly**. Traducida del original de Ducange por Nicasio Gallego (que usó el seudónimo de José Ulanga y Alcocín y, en una segunda edición, de Zelmiro) y estrenada en 1828, encerraba momentos de patetismo empalagoso y de moralismo explícito que contribuyeron seguramente a su éxito (35 representaciones) y que, por otro lado, sugirieron a Larra una sátira despiadada.[4]

Jorge Germaní, jugador empedernido, mal aconsejado por el pérfido Várner, no duda en jugarse todo lo que posee y hasta la dote de su mujer Amelia, llevando así a la extrema indigencia a su familia, en tanto que Várner insidia a su esposa haciendo recaer la culpa en cierto Rodulfo, a quien Jorge asesina. Muere en fin en el incendio de una posada, del cual ha sacado a su hijo y en el cual ha intentado arrastrar a Várner. Dirige al hijo sus últimas palabras: «¡hijo mío!... detesta el juego... ya ves sus furores y sus crímenes».

Sin embargo, el punto más alto del lloriqueo lo habría alcanzado tal vez la comedia en un acto **El compositor y la extranjera**, que, traducida por Juan del Peral y estrenada en el Príncipe el 25 de abril de 1837 en el momento apoteósico del romanticismo, alcanzó, en solos 14 años, 30 representaciones.

---

[4] En *El duende satírico del día* del 31 de marzo de 1828 (ahora en BAE CXXVII, pp. 16-22).

La joven Amelia se instala en Marsella en la casa del pérfido Bernardo, que persigue a otro huésped, el pobre compositor Jacobo, amenazándole con embargarle todos los muebles, incluso el piano, si no le entrega una ópera lírica que está componiendo. Socorre a Jacobo el amigo Marcelo, que reconoce en Amelia a una joven de la cual se había enamorado, en tanto que ésta a su vez reconoce en Jacobo a su padre. Felicidad de los buenos y oprobio del malvado.

> las situaciones, ya que no nuevas, por lo menos hábilmente preparadas, la hacen acreedora al aplauso de cualquier público. [...] Todos los caracteres están perfectamente delineados (*Gaceta de Madrid*, 28-IV-1837).

Un tono en cambio inusitadamente alegre, aunque no falten matices patéticos, domina la exitosa (más de 60 puestas en escena a partir del 17 de noviembre de 1836, fecha del estreno en el Teatro del Príncipe) comedia en dos actos titulada *El pilluelo de París*, traducida del original francés de Bayard y Danderburch por Juan Lombía. Comparecía en ella un personaje de gran efecto sobre todos los públicos de todos los tiempos: el golfillo de mente despejada y corazón generoso que se mueve con soltura en el mundo de los mayores y, con su iniciativa, arregla los asuntos más complicados.

El pilluelo José, al darse cuenta de los inconvenientes que se oponen a las bodas entre su hermana Elisa y el pintor Amadeo por la diferencia de clase, intercede por ellos con el padre de Amadeo, el general Morin, del cual consigue el consentimiento para los dos enamorados, en tanto que para sí no pide nada más que un abrazo.

> Domina en esta comedia [...] la lucha suscitada en el siglo XVIII por la filosofía enciclopédica entre el pueblo y la nobleza. [...] El autor [...] pone en contraste la pobre honradez de la familia plebeya, artesana y trabajadora [...] con el orgullo, el ocio y el vicio de la familia rica y decorada (LARRA, *El Español*, 15-XI-1836).[5]

Un caso muy peculiar es el de *El Jocó o el orangutang*, traducido del francés por Bretón y estrenado el 3 de julio de 1831 (Teatro de la Cruz), que alcanzó 28 representaciones gracias al genial invento de poner como protagonista un mono que se porta como un ser inteligente y astuto al defenderse de los cazadores, y además como un buen filántropo, salvando un náufrago, y que sin embargo acaba muerto por un tiro. Cierra la representación el comentario patético de su dueño, en tanto que el mono *«le dirige su última mirada»*: «¡y recibe la muerte por premio de tantos servicios!».

Desde el απροσδόκητον de los antiguos hasta las más recientes *performances* del teatro contemporáneo de vanguardia, la sorpresa ha jugado un papel

---

[5] Las citas de las reseñas de Larra están sacadas, en general, de los tomos CXXVII y CXXVIII de la BAE.

fundamental en el teatro: un ejemplo nos lo ha proporcionado la breve reseña de las piezas sentimentales más aplaudidas en el período de que nos estamos ocupando; sin embargo, si en dichas piezas aparecía como uno de tantos ingredientes, adquiere en cambio un papel fundamental en las obras cómicas de cartel, con la diferencia sustancial de que en los dramas la sorpresa cogía impreparados tanto a los personajes de la ficción como a los espectadores, mientras que en las comedias el espectador conoce de antemano las situaciones que sorprenderán a los personajes.

Es el perenne, abusadísimo juego de los equívocos que sin embargo ahora adquiere en su gran mayoría el aspecto de la sustitución de persona, acompañado casi siempre por un disfraz (aunque a menudo se trate solamente de un cambio de traje) y alguna vez por una verdadera máscara. Se trataba del recurso más típicamente teatral en su vertiente carnavalesca, una suerte de fuga de espejos en que el actor interpreta a un personaje que a su vez interpreta a otro, en algún caso a otros: una triplicación en lugar del acostumbrado desdoblamiento actor/personaje, que tanto interés ha despertado entre los estudiosos. Un recurso, además, que contaba en España con antecedentes ilustres (quizás el más magistral fuera el tirsiano *Don Gil de las calzas verdes*) y que por lo tanto correspondía bastante al horizonte de expectativa del público, con la consecuencia de un éxito fácilmente previsible. Muchas de las obras de esta clase eran piezas en un acto, lo que favoreció naturalmente la frecuencia de las reposiciones, por la relativa facilidad del montaje y la posibilidad de llevarlas a la escena en apoyo de otras obras de más extensión, a la manera de sainetes, con los cuales por otro lado estaban bastante emparentadas.

De un solo acto constaba *Los primeros amores,* que alcanzó casi 80 representaciones a partir del 15 de mayo de 1831[6] y que Bretón había traducido, por supuesto del francés, y naturalmente de Scribe.

Carlota no quiere casarse con Eduardo por estar enamorada todavía de su primo Gaspar, al que no ve desde cuando tenía 11 años. Eduardo, joven hábil y refinado, presentándose como Gaspar, consigue el amor de Carlota, en tanto que Gaspar, hombre rudo y calavera, que ha sido convencido a presentarse como Eduardo, es rechazado. Carlota, que había «tomado lo pasado por lo presente», tiene que reconocer que la «decantada solidez» de los primeros amores «sólo existe en las novelas».

Quizás esta moraleja final haya contribuido al éxito de la obra en el ambiente burgués amante del buen sentido y del justo medio, pero la fuente principal de la aprobación consistió evidentemente en el doble cambio de persona, con todos los equívocos consecuentes.

Con los mismos ingredientes otra pieza en un acto, *El amante jorobado,* «imitada del francés» por Gorostiza y estrenada en 1823, alcanzó casi 50 reposiciones.

---

6 En el Príncipe, pero se había estrenado en Sevilla el año anterior.

Leoncio, añadiéndose una joroba, se presenta a Luisa como su prometido Enrique y la conquista. «Adoptar una joroba a los veinte años, y sobre todo en un joven a la moda [...] es una prueba sensible de amor», es el comentario de los padres de la chica.

La joroba era evidentemente un tema de buen efecto cómico sobre un público ciertamente no muy refinado, si lo encontramos por segunda vez, y nuevamente sin ninguna motivación plausible, en el acto único **Mi tío el jorobado**, traducido del francés (se desconoce la fuente) por Bretón, que, desde el 1 de octubre de 1831 (Cruz), fue repuesto más de 50 veces: una historia bastante sosa de amor y de celos que ve como protagonista y organizador de trucos a buen fin a cierto jorobado, Tomás, que al final, para brindarle a la pieza algún sentido, se compara ventajosamente con aquellos que la joroba «la tienen en la conciencia».

La risa fácil y vulgar que brota delante de defectos físicos inspiró también a Bretón el acto único **El hombre gordo**, que, estrenado en el Príncipe el 6 de enero de 1835, conoció 35 reposiciones hasta 1839, para desaparecer luego de los escenarios.

Rosita y Luis, que se han casado secretamente contra la voluntad del tío Jerónimo, el gordo, organizan un truco para que dicho tío no pueda conseguir los dos asientos contiguos indispensables para sus dimensiones en la diligencia en que viajan ellos y cierto Alberto al que Jerónimo había escogido como esposo de Rosita.

> *El hombre gordo* está sembrado de chistes y agudezas (*Revista Española*, 9-I-1835).

Este recurso de la comicidad fundada en los defectos físicos era tan antiguo como la misma historia del teatro universal, al punto que justamente el personaje jorobado y el gordo tenían antecedentes muy precisos respectivamente en el *Dossennus* y el *Maccus* de las atelanas romanas.

El tema del disfraz, que excepcionalmente no aparecía en la última obra citada, resulta en cambio subrayado en el propio título de **La máscara reconciliadora**, otra comedia en un acto, «arreglada» por Ventura de la Vega quizás de un original de Croizette, y estrenada en el Príncipe el 26 de agosto de 1831 (26 representaciones), en la cual las sustituciones de persona se entrecruzan mezclándose, para más placer del público, con las anagnórisis.

Carlos, que se ha enamorado de Luisa durante un baile de máscaras, se presenta en casa de ella bajo el nombre de Fernando de Aguilar, despertando los celos del novio de Luisa, Enrique, que se descubre antiguo amigo de Carlos. Pero Luisa obliga a este último a fingir que la persona que ha conocido en el baile sea su prima Isabel, que por añadidura tiene un pleito con él. Al final, Carlos e Isabel se enamoran en serio y se casarán, poniendo fin de esta manera al pleito.

Desconfianza y travesura, o A la zorra candilazos, «traducida libremente del francés» (de Dieulafoy) por Bretón y estrenada el 27 de mayo de 1831 (Príncipe), otra pieza en un acto, representada 27 veces, complica ulteriormente los disfraces.

Mariano, pretendiente de la prima Adela, se presenta disfrazado de mayordomo, luego con su verdadera personalidad, luego disfrazado de viejo, en tanto que la prima, oportunamente avisada, se disfraza a su vez de vieja. Acabarán casándose.

Tal vez el punto de más alto nivel teatral del tema de la sustitución de persona se logre con *El gastrónomo sin dinero o Un día en Vista Alegre* (arreglada por Ventura de la Vega de Scribe y Brulay y estrenada en 1829 [47 representaciones]), donde aparece mucho más motivado y funcional, con efectos cómicos ya no tan burdos como en tantas de las obras anteriores.

Don Cleofás, en el intento de comer de mogollón, se presenta ahora como el jefe de una comisión edilicia, ahora como un poeta, luego como el dueño de una fábrica, pero siempre le descubren y se queda sin almuerzo. No tiene más remedio que dirigirse al público pidiendo una invitación.

Motivos muy parecidos caracterizan otro éxito de la pareja Scribe-Bretón, *Un paseo a Bedlam*, comedia en un acto estrenada en 1828 y representada unas 37 veces en la época de que nos ocupamos.

En el palacio que el barón de Saint-Elme finge ser una elegante casa de locos, Alfredo de Roseval encuentra a su mujer Amelia, a la que había abandonado y que se finge loca. Fingiéndose loco a su vez, logra reconquistarla.

Al gusto por los equívocos que nacen del sutil juego de amor velado por una locura fingida se añade, para más comicidad, la presencia de Crescendo, afectado por un «furor filarmónico» muy de época, que por supuesto se expresa en italiano macarrónico.

Entre las comedias de mayor extensión los mismos equívocos reaparecen de manera bastante elemental, hasta en el propio título, en *El marido de mi mujer*, traducida de Rosier por Ventura de la Vega y estrenada en el Cruz el 6 de noviembre de 1835, alcanzando unas 22 representaciones.

A casa de Andrés y Luisa, donde vive también Eugenio, llega el tío de este último, el cual cree que su sobrino está casado con Luisa. Equívocos complicados por la presencia del hijo de la pareja y que se resuelven con la confesión final de Eugenio.

Sobre un tema parecido, pero con tonalidades todavía más farsescas (que evidentemente proporcionaron más éxito), se teje la trama del acto único *No más muchachos o El solterón y la niña*, traducido por Bretón de Scribe y Delavigne y estrenado en el Príncipe el 15 de febrero de 1833, que fue representado unas 50 veces.

Para no desilusionar al tío Alejo que le cree viudo con diez hijos, Miguel improvisa una ficción que tiene su intérprete en su hija de 13 años, Anita, que se disfraza primero de pilluelo violento, luego de regordete glotón, para presentarse en fin al natural. La verdad triunfa al final de la pieza.

> La traducción está hecha por mano ejercitada y feliz; el público, en fin, aplaudió mucho, no sólo el fondo de la pieza, sino también su acertado desempeño (LARRA, *Revista Española*, 19-II-1833).

Si las sustituciones de persona que hemos visto hasta ahora nacen de una deliberada voluntad de engañar, en otras piezas son fortuitas, como resultas de un enredo imprevisto, y desde luego cómico, de circunstancias.

Un buen éxito (58 representaciones a partir del estreno en el Cruz, el 28 de octubre de 1834), en este grupo, lo consiguió la comedia en un acto, traducida, como de costumbre, de Scribe por Ventura de la Vega, que en la versión española lleva el título sainetesco de *Retascón, barbero y comadrón*.

El joven Felipe Gallardet es creído hijo de cierto huésped de la casa de Retascón («un hombre enciclopédico, peluquero, barbero, comadrón y fondista», le define Larra), por lo cual éste le concede la mano de su hija que antes le había negado por juzgarle un expósito; pero luego parece que sea hijo ilegítimo de la mujer del propio Retascón, por lo cual se le niega el matrimonio ya concertado. Después de varios consecuentes equívocos, la situación no se aclara, pero uno de los huéspedes asegura que los dos jóvenes pueden casarse.

La obra presentaba una curiosa mezcla de ingredientes típicos de la comedia lacrimosa, con sus historias de hijos perdidos y nuevamente hallados y de recursos cómicos, lo cual posiblemente constituyó un importante aliciente.

> El desenlace de la pieza, y ciertos vislumbres de inmoralidad que nuestro delicado público notó en varias escenas, hubieron de producir un desagradable chicheo que se mezcló en el final con algunos aplausos, de suerte que no nos atrevemos a decir que *Retascón* haya gustado. De todos modos, verde o no verde, la comedia es ingeniosa y salpicada de chistes (LARRA, *El Observador*, 30-X-1834).
>
> Inverosímil hasta no más, no por eso deja de tener gracia (*Revista Española*, 30-X-1834).

Sin embargo, el éxito más clamoroso lo alcanzaron *Las citas* y *Las capas*, que se acercaron a las 70 representaciones.

La primera, también en un acto, traducción anónima de un original francés de Hofman, se remontaba al decenio anterior, lo que hace suponer unos treinta años de puesta en escena, a pesar de lo elemental de su trama.

Don Anselmo va a Madrid para concertar las bodas de su hija Inés y su sobrina Antonia. Pero éstas aprovechan su ausencia para encontrarse con sus novios Luis y Carlos, con varias peripecias y equívocos, interrumpidos por el regreso improviso de don Anselmo, quien revela que los prometidos son cabalmente Luis y Carlos.

Quizás lo que más gustó fueran las escenas farsescas en que los enamorados se encuentran encerrados en una habitación y se cree que son ladrones, en tanto que el criado Félix se esconde debajo de una mesa, de donde sale haciendo caer el tapete, que va a cubrir a los dos jóvenes, etc.

Repetidos equívocos caracterizan *Las capas*, otra traducción de Scribe por Vega (en dos actos, estrenada en el Príncipe el 7 de septiembre de 1833).

Un sastre, Blum, por vestir una capa idéntica a otras doce que llevan unos conjurados, es creído partícipe en la conjuración, con varios equívocos tragicómicos, complicados por los celos de su novia y de un amigo suyo. Se salva gracias a un papel que casualmente había puesto en el bolsillo del frack del conde de Rinsberg, contra quien tramaban los conjurados.

> Tal es la mayor parte de las composiciones de Scribe: una idea, que otros despreciarían por frívola, le basta para levantar sobre ella sus castillos de naipes (LARRA, *Revista Española*, 10-IX-1833).

Para concluir, se podría citar todavía *El pobre pretendiente* (en un acto, arreglada por Carnerero sobre un original de Scribe y estrenada en el Cruz el 30 de mayo de 1830), que llegó a 25 representaciones, comedia con bastantes toques costumbristas, en la que un memorial que llega por circunstancias fortuitas al escritorio de un funcionario determina la fortuna del protagonista; o *El día más feliz de la vida* (en un acto, traducción de Scribe por Gil y Zárate, estrenada el 30 de mayo de 1832 —Príncipe—, que alcanzó 33 representaciones), en la que Federico, después de interrumpir unas bodas por ciertos derechos que cree tener sobre la novia, se da cuenta de que la persona que ama es en realidad la hermana de ella.

Parcialmente fuera de los esquemas que se han ido trazando se sitúa *El amigo íntimo*, comedia en 3 actos de Gorostiza, que —a pesar de no tratarse de una novedad, habiendo sido estrenada el 3 de marzo de 1821— fue repuesta unas treinta veces.

El «indiano» don Cómodo, declarándose amigo del dueño y en ausencia de éste, se apodera de la casa de don Vicente, almorzando a su mesa, bebiendo sus botellas, durmiendo en su cama y hasta disponiendo, contra la voluntad del padre que quería casarla con el rico don Frutos, las bodas entre la hija de don Vicente, Juanita, y su enamorado Teodoro. Al llegar a su casa, el dueño se enfada, pero al fin se tranquiliza cuando conoce que don Cómodo ha dispuesto una donación de 50.000 duros y ha nombrado herederos a los novios.

El punto de mayor atracción de la pieza era naturalmente el desenfado, unido a la generosidad, de don Cómodo, figurón suavizado en dirección burguesa, y el triunfo del amor desinteresado de los jóvenes contra la codicia y la injusta autoridad de los padres: un tema de origen moratiniano, que sin embargo mantenía su valor de actualidad, acercándose a las tonalidades del romanticismo.

Es superfluo añadir otras obras que o repiten hasta el infinito los motivos que se han reseñado o introducen variantes de pequeña entidad, atribuyendo los equívocos a ciertos trucos organizados por algún personaje *(El amante prestado)*, o que tratan en forma cómica los problemas del amor y el matrimonio que habían encontrado su fortuna en el teatro moratiniano *(Marido joven y mujer vieja, El casamiento por convicción, El legado o El amante singular)*.

Sin embargo, entre tantos traductores y adaptadores o, en casos muy contados, autores originales, a cual más ingenuo y tampoco exento de cierta vulgaridad, descuellan algunos raros ingenios que, aunque sea sin alcanzar valores artísticos o teatrales muy peculiares, supieron acercarse a los modelos usuales y tratar los temas tan trillados con cierta mayor originalidad.

Casi brillante (o tal vez solamente menos sosa) resulta *La segunda dama duende*, que Vega «arregló» e hispanizó hasta en el título, añadiendo un sabor calderoniano al modelo *Le domino noir* de Scribe y ambientándola en el Madrid barroco.

Luis ama a una misteriosa Leonor que, como la Cenicienta, tiene que alejarse apresuradamente al toque de la medianoche; que, escondida detrás de una mascarilla, es creída la mujer de cierto marqués; que luego se finge la prima de una criada del conde de Orgaz; que crea ulterior confusión con una pulsera que pertenece a la reina, y que se descubre al fin como la hija del Conde-Duque de Olivares; está a punto de profesar en el convento de las Descalzas, pero renuncia al hábito por amor de Luis.

Seguramente el gran éxito (alcanzó 65 representaciones, a pesar de haber sido estrenada el 24 de diciembre de 1838 —Príncipe—: un porcentaje, pues, bastante elevado) fue debido a la unión del siempre apetecido juego de los equívocos con una ambientación que recordaba la de ciertos dramas románticos, sobre todo de *La corte del Buen Retiro* que Patricio de la Escosura había puesto en escena el año anterior.

También Larra se alza del nivel común con sus 5 actos de *No más mostrador*, elaborados con cierta originalidad sobre modelos de Scribe, sobre todo, y, parcialmente, de Dieulafoy, que consiguieron un buen éxito inmediato aunque no duradero: estrenada la obra en el Cruz el 29 de abril de 1831, fue repuesta 32 veces a lo largo de los 5 años siguientes y luego una sola vez en 1843.

Bernardo, hijo de un tapicero, para conseguir la mano de Julia, hija del mercader don Deogracias, se presenta disfrazado como el conde del Verde Saúco, a quien la madre de la chica quisiera como yerno. El conde, descubierto el truco, se finge a su vez Bernardo. Deogracias, para dárselas, a los ojos de su vanidosa mujer, de hombre a la moda, se finge arruinado por el juego. Al final todo se aclara y los dos jóvenes se casan.

Más allá de lo trivial de la historia, lo que interesa poner de relieve es la postura liberal de Larra, que, en la línea indígena de *Los menestrales* de Trigueros, muestra aprecio a los buenos burgueses y se mofa de la altivez de los nobles pobretones, frente a una visión más conservadora de Scribe, que postulaba una rígida división estamental. Hay que pensar que esta puesta al día ideológica contribuyera al éxito de la pieza. Pero pudo también influir la ambientación típicamente española, «costumbrista», en la cual se ha destacado un aspecto importante de la originalidad de Larra respecto a sus modelos.[7]

> *No más mostrador* se titula, y más mostrador quisiera yo en ella. Desde el acto tercero hasta el quinto progresa la intriga en muchas escenas con demasiada independencia de la idea capital. [...] agudezas en que abunda el diálogo [...] situaciones sumamente graciosas, y *verdaderamente* cómicas (BRETÓN, *Correo Literario*, 2-V-1831).
>
> se encuentran rasgos de mucha originalidad, caracteres bien delineados, escenas realmente ingeniosas (CARNERERO, *Cartas Españolas*, 11-V-1831).

Lo que a estas alturas se impone son algunas consideraciones acerca de esta abundante producción, casi exclusivamente de origen francés y, como es fácil deducir de lo expuesto, de valor literario prácticamente nulo.

En primer lugar, no hay que extrañarse de que las preferencias de los espectadores se dirigieran hacia un teatro que no imponía particulares esfuerzos de atención y concentración y que los deleitaba acariciando sus sentimientos más elementales y despertando reacciones tan sencillas como las que están ligadas a las manifestaciones del llanto o de la risa, por decirlo así, al estado primordial. Se trataba en el fondo de piezas que desarrollaban temas destinados a conseguir la participación de los públicos más sencillos de todas las épocas.

Tampoco hay que extrañar el fondo de conservadurismo que estas obras suponen, ya que se insertaban en una tradición que en muchos casos se remontaba a varios años anteriores, no raramente al siglo XVIII, y que por tanto revelaba un consistente retraso cultural. En realidad, todo público es instintivamente conservador, por esa pereza que le caracteriza siempre y le impulsa a dirigirse hacia producciones que correspondan sustancialmente a su horizonte de expectación, evitándole demasiados esfuerzos interpretativos.

---

[7] Para G. TORRES NEBRERA «la verdadera dosis de originalidad de Larra consiste en haber adaptado a un medio costumbrista y sociológico español (el mundo de los comerciantes madrileños) lo que era una trama ambientada en el mundo francés»: véase Introducción a M. J. DE LARRA, *Teatro*, Badajoz, Universidad de Extremadura, 1990, p. 59.

Por otro lado, no se puede negar que las obras que hemos examinado, aunque no se puedan definir como románticas, presentan también rasgos que seguramente no desentonan en el panorama cultural de la época.

Este aspecto salta fácilmente a la vista sobre todo en las piezas que a vario título podemos clasificar como «sentimentales», donde se hace a menudo hincapié en ciertos motivos que caracterizan notablemente los dramas románticos: el amor, la lucha entre oprimidos y opresores, la predilección por las situaciones intensamente «sublimes» y/o intensamente «patéticas». Cierto, los que predominan son los afectos familiares que el romanticismo prefería sustituir por el amor prematrimonial, pero no faltaban casos en que era justamente este tipo de amor el que dominaba, como en *La huérfana de Bruselas*, que quizás sea en parte deudora de su gran éxito a este componente.

Además, lo que más acercaba las piezas sentimentales a las románticas era el uso intenso y minuciosamente cuidado de la escenografía, la cual a menudo adquiría esa semantización, ese valor simbólico que la caracterizan en los dramas románticos más acertados: bastaría pensar en las escenas de naturaleza agitada, de fuego, de subterráneos, cada una de las cuales intenta sugerir una atmósfera o subrayar una situación.

No sería por tanto muy arriesgado juzgar que en esta clase de teatro al menos una parte del público encontrase a un nivel más popular, es decir, más elemental y novelístico, las mismas emociones que, de forma más culta y controlada, proporcionaban los dramas históricos contemporáneos. Lo que sin embargo diferenciaba netamente los dos géneros, y era seguramente motivo de la predilección por el sentimental, era el final, comúnmente feliz en éste y trágico en el romántico, al menos por lo que se refiere a las obras que salieron a escena en los primeros años. Luego, los dramaturgos románticos se dieron cuenta de las ventajas, en términos de éxito, de un *happy ending*, y más a menudo optaron por una solución alegre, y, como veremos, hasta recuperaron parcialmente los tonos del teatro sentimental, demostrando así todavía más el vínculo que unía a los dos géneros.

Más difícil es buscarle un arraigo cultural a las piezas cómicas que hemos reseñado, ya que su nivel es generalmente muy bajo y a menudo revelan más improvisación que meditación. Sobre todo, a ellas les falta siempre ese interés escenográfico que se reconoce en cambio en el teatro sentimental: *sala, habitación, casa de campo* son las acotaciones muy escuetas que aparecen al principio de cada una. Quizás en estas obras se daba más relieve a la actuación de los actores y por tanto lo único que podía interesar de los aspectos extraverbales fuera el vestuario, que les proporcionaba los apetecidos disfraces.

Mucho más comprometidas y densas de motivos eran las comedias románticas y sin embargo no es imposible encontrar alguna afinidad entre ellas y estas parientas pobres. Es verdad que el teatro romántico también en su vertiente cómica cuidaba bastante, pero sin exceso, la ambientación, particularmente en la dirección costumbrista; sin embargo, tenía en la debida cuenta el vestuario (piénsese en el papel que juegan los trajes en *El pelo de la dehesa*) y no desdeñaba el disfraz, sea como tal (en *Muérete y ¡verás!*, por ejemplo), sea, de forma más profunda, como ostentación de una personalidad diferente de la propia.

Para concluir con este aspecto de las preferencias del público, hay que añadir algunas breves notas sobre la vivencia del teatro clásico, que a menudo competía con las más exitosas piezas del género patético o del cómico. A este propósito, Nicholson B. Adams[8] nos proporciona unos datos interesantes, de los cuales deducimos que las «comedias» del Siglo de Oro seguían logrando la simpatía del público, aunque en realidad se tratase de refundiciones que a menudo se separaban de manera consistente de sus modelos lejanos. Apoyándonos en los prospectos de Adams, notamos en seguida que la obra de más éxito fue, como se aludía anteriormente, *El mayor contrario amigo o El diablo predicador* de Belmonte Bermúdez, que se representó (no sabemos si en el original o refundida) más de 80 veces, seguida, con más de 40 representaciones, por *Buen maestro es el amor o La niña boba* de Lope, refundida por Dionisio Solís, y *García del Castañar*, de Rojas Zorrilla, también refundida por Dionisio Solís.[9] Entre 20 y 32 son en cambio las puestas en escena de las comedias siguientes que se elencan según el orden de las frecuencias: *La vida es sueño* de Calderón, refundida, *Amantes y celosos todos son locos* (refundición de Diego Solís de la lopesca *Quien ama no haga fieros*), *Si no vieran las mujeres* de Lope, refundida por Bretón, *El desdén con el desdén* de Moreto, *Rey valiente y justiciero y ricohombre de Alcalá*, del mismo autor, refundida por Dionisio Solís, *Mari-Hernández la gallega* de Tirso, refundida por Martí, *Lo que son mujeres* de Rojas Zorrilla, refundida por Gorostiza, y, en fin, *Lo cierto por lo dudoso* de Lope, refundida por Rodríguez de Arellano.

No es difícil deducir de la lista las predilecciones de los espectadores por los temas cómicos, con particular referencia a los «figurones», como resulta de las dos primeras obras citadas, y por las situaciones en las que la arrogancia de un poderoso sale humillada; además naturalmente de la obra maestra de Calderón, venerada desde hacía tiempo por varias generaciones españolas y extranjeras, y por supuesto de los habituales casos de equívocos, siempre agradecidos.

Hay obras, en esta perspectiva, que no se distinguen sustancialmente de tantas comedias de cartel como hemos examinado en el apartado anterior. Valga el caso ejemplar de **Amantes y celosos todos son locos**, donde disfraces y sustituciones de personas son los ingredientes fundamentales.

Por amor de Ana, Félix se finge montañés y tiene que luchar contra un marqués y cierto Lisardo, todos enamorados de Ana, en tanto que Juana, hermana de ésta, se enamora de él; para despistar, Félix declara su amor a Flora, madre de su enamorada, etc., etc.

La semejanza que se nota entre estas piezas antiguas y las contemporáneas se debe en parte a la perennidad de ciertos temas y en parte al hecho de que se

---

8 N. B. ADAMS, «Siglo de Oro Plays in Madrid, 1820-1850», *Hispanic Review*, IV (1936), pp. 342-357. Véase también J. de JOSÉ PRADES, «El teatro de Lope de Vega en los años románticos», *Revista de Literatura*, XVIII (1960), pp. 235-248.

9 Es lo que resulta en el ensayo de Adams; por otro lado, conozco una refundición de José Fernández Guerra con el subtítulo de *La niña tonta*. Posiblemente hubo dos refundiciones.

trataba de refundiciones, cuyo intento principal era hacer el teatro clásico asequible a un público moderno.

Todas estas obras salían, pues, a las tablas constantemente refundidas o arregladas (lo que en fin era la misma cosa) por escritores que a menudo no dudaban en entrar a saco en ellas, alguna vez hasta desfigurarlas.[10] Por otro lado, desde la Real Cédula de 1763, y de otras que le habían seguido, se había instaurado la costumbre, regularmente respetada, de refundir las comedias barrocas como *conditio sine qua non* para llevarlas a la escena.

A pesar de las protestas escandalizadas de muchos literatos (Alcalá Galiano, Larra y hasta Guillermo Schlegel), las refundiciones habían cumplido con la importante función de mantener el contacto entre el público dieciochesco y decimonónico y el enorme caudal del teatro clásico. Además, en su labor de reducción de las piezas a las normas del clasicismo, los refundidores podaban las expresiones culteranas acercando el lenguaje a esos tonos coloquiales o líricos que serán los preferidos por los románticos, así como en su afán por las unidades limitaban forzosamente la acción concentrándose más intensamente en la caracterización de los personajes; en tanto que el deseo de mayor racionalidad los inducía a eliminar los convencionalismos de la conducta (sobre todo amorosa) de los personajes, sustituyéndolos por más rigurosas motivaciones psicológicas.[11]

Se habían, pues, convertido las refundiciones en un importante eslabón de la cadena que, dentro de ciertos límites, vinculaba el teatro romántico al barroco; dicho con otras palabras, habían favorecido un gradual desarrollo del teatro español hacia el advenimiento y la hispanización del romanticismo. Por eso, no las desdeñaron literatos ilustres ya completamente adeptos a los nuevos ámbitos culturales, como Bretón o Hartzenbusch, ni se puede olvidar que, en 1844, el postrero, en el ápice de su carrera de dramaturgo, realizó una nueva puesta al día, mucho más matizada en sentido romántico, de la lopesca *Estrella de Sevilla,* que ya había conocido una refundición, totalmente neoclásica, de parte del infatigable Dionisio Solís.

Podemos, pues, nuevamente concluir con consideraciones parecidas a las de los apartados antecedentes: el teatro clásico que se representó con éxito en los años románticos no sólo no contrastaba con las obras inspiradas en el nuevo movimiento sino que presentaba rasgos y matices que le acercaban al teatro romántico. Lo cual se verificaba a todos los niveles, también los más popularmente cómicos, como parece demostrar el hecho de que los mismos espectadores que con tanta fuerza aplaudían al travieso fraile de Belmonte se deleitaban con las réplicas chabacanas del fray Melitón del *Don Álvaro,* que se presentaba como el legítimo descendiente del personaje barroco.[12]

[10] Véase E. CALDERA, «Calderón desfigurado», *Anales de Literatura Española,* Universidad de Alicante, 2 (1983), pp. 57-81.

[11] Véase E. CALDERA, *Il dramma romantico in Spagna,* Pisa, Università, 1974, pp. 9-57.

[12] Véase sobre los temas debatidos en este capítulo J. ÁLVAREZ BARRIENTOS, «Traducciones, adaptaciones y refundiciones», en V. GARCÍA DE LA CONCHA (ed.), *Historia de la literatura española, 8, Siglo XIX (I)* (coord. G. CARNERO), Madrid, Espasa-Calpe, 1997, pp. 267-275.

II. PRIMEROS ATISBOS ROMÁNTICOS: LA COMEDIA

1. LA COMICIDAD ROMÁNTICA

Muchos críticos se resisten a aceptar la existencia de una comicidad románti-ca, persuadidos de que el romanticismo no puede tratar más que temas tristes y apasionados, ya que juzgan que solamente el llanto le convenga y que la risa le sea totalmente ajena. Naturalmente, como siempre ocurre toda vez que nos ponemos a interpretar o, peor, a definir un movimiento literario, topamos con opiniones a menudo discordantes y por otro lado igualmente respetables. Sin embargo, limi-tar el romanticismo a un solo aspecto aunque sea entre los más típicos de la psico-logía humana podría al fin privar al movimiento de una característica suya fun-damental que tal vez comparta solamente con el renacimiento: la universalidad.

Un movimiento que posee un tan fuerte arrebato que le empuja a apode-rarse de todas las expresiones de la sensibilidad humana, desde la literatura a la filosofía, al arte, a la música, parece imposible que no conozca la risa, una de las manifestaciones más típicas del hombre. Sobre todo de ese hombre nuevo que se presenta como dueño del tiempo y el espacio, que reivindica su autono-mía en el plano moral y que justamente el romanticismo aspira a representar en su totalidad.

Cierto es que el drama, con sus colores encendidos, con sus golpes de teatro que sorprenden y asustan al espectador, hace más visibles sus componentes románticos; pero la comedia atestigua igualmente su presencia a través de la representación de una sociedad contemporánea en la cual los motivos de la nue-va escuela se han hecho moneda corriente y cotidiana.[1]

El clasicismo dieciochesco había recuperado la distinción aristotélica entre comedia y tragedia, que el Siglo de Oro había descuidado en obsequio al célebre

---

[1] Sobre el tema se pueden consultar las Actas del V Congreso sobre el romanticismo hispánico, *La sonrisa romántica (sobre lo lúdico en el Romanticismo hispánico)*, *Romanticismo 5*, Roma, Bulzoni, 1995.

principio de «lo trágico y lo cómico mezclado» que Lope de Vega sustentara en su *Arte nuevo*.

La separación —que se refería tanto al final alegre o triste como a la colocación social de los personajes, a la época (presente o pasada), al lenguaje, a la prosa o al verso y, en general, a las tonalidades dominantes— se mantuvo también durante el romanticismo, siendo muy evidente sobre todo en la primera década, en tanto que en la segunda empieza un camino de acercamiento entre los dos géneros que tiende a menudo a salvar los límites de demarcación.

Desde el principio (esto es, desde la segunda mitad del XVIII, cuando salen a escena los primeros experimentos de Nicolás Moratín, la tragedia *Hormesinda* y la comedia *La petimetra*) se nota la presencia de Aristóteles en la mayor atención con que se mira a la tragedia, apreciada como el género «noble» y literariamente más comprometido, mientras que la comedia sigue considerándose el «pariente pobre», dirigido más bien al pasatiempo que a una auténtica manifestación de cultura; quizás, por decirlo mejor, como expresión de una cultura mediana, sometida sí a las leyes del «buen gusto», pero de manera no tan perentoria.

Tal vez este relativo arrinconamiento y la presencia de una personalidad tan excepcional como la de Leandro Moratín hayan proporcionado a la comedia clasicista una existencia relativamente tranquila que le permitió una continuidad constante y un lento desarrollo hasta el momento del florecimiento romántico que más bien parece como una etapa de este desarrollo que como una verdadera revolución. Hay que agregar que la comedia romántica lo es más por los motivos que la animan que por ciertas innovaciones estructurales que en cambio serán uno de los aspectos más característicos del drama histórico respecto a la tragedia: aludo esencialmente al tema de las unidades de tiempo y lugar que los comediógrafos habitualmente respetan, tanto que en la publicística de la misma época romántica es corriente considerar la comedia como un producto del género clásico.

Además, sobre la comedia de las primeras décadas del XIX se extiende naturalmente la sombra de don Leandro, cuya obra maestra, *El sí de las niñas*, estrenada en 1806, sigue siendo un punto de referencia imprescindible; lo cual por supuesto contribuye no poco a brindarle la continuidad a que se aludía. La transición del clasicismo al romanticismo se producirá por tanto cuando Bretón, que había empezado moratiniano, componga una obra, la celebérrima *Marcela*, en la cual los críticos contemporáneos verán justamente el pasaje de una comedia moratiniana a una bretoniana. *Marcela* se estrenará en 1831, de manera que la conversión de la comedia al romanticismo se adelantará en unos tres años al advenimiento del primer drama histórico.

2. UNA PRECURSORA: *LA PATA DE CABRA*

Sin embargo, un notable empuje hacia la introducción de nuevos módulos cómicos vino de una «inocente estupidez»,[2] es decir, de esa comedia de magia

---

[2] La definición es de Zorrilla, quien en sus *Recuerdos del tiempo viejo* comenta: «El teatro renacía

titulada *Todo lo vence amor o La pata de cabra* que, a pesar de haberse estrenado en 1829,[3] es imposible no reseñar en una historia del teatro romántico, tanto por su función de apertura hacia la nueva sensibilidad como por el éxito asombroso que siguió logrando a lo largo de las dos décadas, hasta el punto de resultar, como hemos visto, la obra más representada.[4]

Era una traducción-adaptación bastante libre de la obra francesa de Martainville y Ribié titulada *Le pied de mouton*,[5] que ya había sido traducida con el título de *La pata de carnero* y transcrita en un cartapacio que el autor de la nueva obra, Juan de Grimaldi, había tenido en sus manos y tal vez había aprovechado.

Lo novedoso de *La pata de cabra* era que no se situaba en la estela de tantas comedias de magia como se iban representando con mucho éxito popular, sino que era al mismo tiempo más divertida y más comprometida. En efecto, muy poco tenía que ver, si no es en lo aparatoso del «gran espectáculo», con esas *Marta la Romarantina* o *Juana la Rabicortona* que, según nos informa Mesonero Romanos, seguían siendo el pasatiempo preferido de tantos espectadores madrileños;[6] ni mucho menos con ese imperecedero *Mágico de Salerno* que con sus innumerables partes ocupaba la escena madrileña desde hacía más de un siglo.[7]

Por otro lado, el argumento, en sus líneas esenciales (una historia de amor contrastado que la magia ayuda a resolver positivamente), no era una novedad absoluta, pero sí lo era la naturaleza de los personajes, la forma de intervención de la magia y, desde luego, el tratamiento general del tema.

I. El joven Juan, desesperado por la imposibilidad de conseguir a su amada Leonor (que el tutor, don Lope, ha prometido a un noble ridículo y cobarde, don Simplicio Bobadilla Majaderano y Cabeza de Buey) intenta pegarse un tiro, pero se lo impide Cupido, quien le proporciona como talismán una pata de cabra, que le ayudará a realizar su sueño de amor. Gracias a algunas apariciones y desapariciones obradas ocultamente por la pata, Juan y Leonor asustan y burlan a don Simplicio, quien sin embargo consigue hacerlos prender y encerrar en dos torreones. Pero al final los torreones se hunden y don Simplicio en cambio acaba enjaulado.

II. Los dos jóvenes se han refugiado en la casa de don Gonzalo, primo de Leonor. Se les acercan don Lope, don Simplicio y alguaciles. Simplicio asiste impotente, desde un árbol en que se ha escondido, al almuerzo de los dos. Cuando intenta también comer, comida y bebida huyen de sus manos. Cuando él y los alguaciles intentan subir al balcón

---

y se regeneraba en manos de un extranjero, Grimaldi, y con una casi inocente estupidez: *La pata de cabra*». Cf. J. ZORRILLA, *Obras Completas*, Valladolid, Santarén, 1943, II, p. 2004.

[3] El 18 de febrero: véase J. DE GRIMALDI, *La pata de cabra* (edición e introducción de D. T. GIES), Roma, Bulzoni, 1986, pp. 26-27 de la Introducción.

[4] GIES, *ibídem*, p. 29, recuerda que «tuvo más de doscientas setenta y siete representaciones entre 1829 y 1850 y todavía estaba en el repertorio de algunas compañías a fines de siglo».

[5] Había sido estrenada en París en 1806. Véase GIES, *ibídem*, p. 26.

[6] Véase R. DE MESONERO ROMANOS, *Memorias de un setentón* (ed. J. ESCOBAR-J. ÁLVAREZ BARRIENTOS), Madrid, Castalia, 1984, p. 179.

[7] Entre otros, también alude a la continuidad de su éxito MESONERO, *ibídem*, p. 240.

en que están los enamorados, quedan agarrados a las rejas de las ventanas. Sin embargo, consiguen por fin prenderlos, pero Juan es liberado en seguida por Cupido, en tanto que Leonor es encerrada en casa de don Lope. Con mucho miedo, don Simplicio le monta la guardia, en medio de retratos que toman vida y le asustan. Cuando por fin logra dormirse, su gorro se hincha convirtiéndose en un globo que le lleva por el aire.

III. Don Simplicio aterriza en los Pirineos, después de haber estado en la luna, que describe como un país utópico donde todo está al revés de la tierra, o sea, todo es positivo. No bien lo están socorriendo, se hunde y reaparece en la cueva de Vulcano, que le envía a la búsqueda de Juan y Leonor acompañado por ocho Cíclopes que capturan y atan a los dos chicos. Pero Cupido hace salir unas ninfas que adormecen a los Cíclopes y apresta un barco en el cual Juan y Leonor se alejan. Por último, Simplicio pide ayuda a un mago, pero éste tiene que confesarle que nada puede la magia contra el amor. Apoteosis final en el palacio aéreo de Cupido, donde se celebran las bodas de los dos protagonistas con la asistencia también de don Lope y don Simplicio, que se han rendido a la fuerza del amor.

A lo largo de tantas reposiciones (durante las cuales el texto fue a veces modificado y la escenografía a menudo reemplazada) que se produjeron en el curso de notables cambios sociales y políticos, pudieron ciertamente diferenciarse las motivaciones del éxito, aunque la obra contenga aspectos destinados a afectar al espectador de diversas épocas: una oportuna mezcla de música y partes habladas, unos trucos escénicos interesantes (en los cuales sin embargo no se separaba profundamente de las demás comedias de magia), y sobre todo una comicidad indudable que en la época encontró un intérprete magistral en el actor Antonio Guzmán y que provoca la sonrisa aun al lector de hoy.

Pero lo que seguramente despertó la gran participación popular durante los primeros años (que, no se olvide, eran los de las postrimerías del reinado de Fernando VII, cuya tiranía se había tal vez reducido pero seguía bien presente, como demuestra el ajusticiamiento de Mariana Pineda, que se produjo todavía en 1831) fue el poder asistir al triunfo de dos hijos de vecino sobre un noble y sus acólitos y, además, poder reírse a carcajadas de ese mismo aristócrata, presentado como un trasunto de los defectos más ridículos.

Si los espectadores más humildes del siglo anterior apreciaban en ciertas comedias de magia, como *El anillo de Giges* o *El mágico de Salerno*, el ascenso del protagonista hacia los niveles más altos de la sociedad, lo cual les permitía soñar con un rescate social, los de *La pata de cabra* soñaban con la supresión de las supercherías y la victoria de las capas más humildes o burguesas. Y lo que más pudo afectarlos era que los protagonistas vencían, en el fondo, por su propia fuerza, ya que la ayuda de Cupido y de la pata-talismán no eran nada más que la objetivación del amor, casi una extensión metonímica del sentimiento de Juan, que por tanto ya se presenta como el hombre nuevo, post-kantiano, que actúa empujado por el resorte de su «razón práctica».

Víctor Hugo había sentenciado que el romanticismo era el liberalismo en literatura y la identificación entre románticos y liberales era corriente en toda

Europa para mayor desesperación de los gobiernos absolutistas; pues bien, Grimaldi les brindaba a los madrileños una obra ejemplar totalmente empapada de espíritu liberal: una obra que, en 1829, era profundamente revolucionaria, a pesar de que la censura, siempre miope, no se dio cuenta de ello.

Una comedia, pues, en la cual dominaban el amor y el liberalismo, en la que los vuelos de la fantasía se conjugaban con una visión moralista pero sonriente de la realidad, no era otra cosa que una obra romántica.

Quizás la primera comedia romántica.

3. EL ESTRENO DEL ROMANTICISMO CÓMICO

Si por un lado *La pata de cabra* puede considerarse la precursora de la comedia romántica, por el otro el género peculiar al cual pertenece, el teatro de magia, la separa parcialmente de la historia de la comedia tradicional, la que encuentra sus antecedentes inmediatos en Moratín y en sus secuaces, es decir, por lo que atañe a las décadas de los años diez y veinte, Cagigal, Javier de Burgos, Gorostiza y otros de menor importancia.

Me refiero a esa comedia que Leandro Moratín define:

imitación en diálogo (escrito en prosa o verso) de un suceso ocurrido en un lugar y en pocas horas entre personas particulares,[8]

agregando:

La comedia pinta a los hombres como son, imita las costumbres nacionales y existentes, los vicios y errores comunes, los incidentes de la vida doméstica.[9]

Invita por fin al poeta cómico a buscar «en la clase media de la sociedad los argumentos, los personajes, los caracteres, las pasiones, y el estilo en que debe expresarlas».[10]

A esas normas fundamentales se atuvieron regularmente los comediógrafos de los años diez y veinte, que justamente se tildan de moratinianos. Y moratinianos fueron también, en este sentido, los comediógrafos de principios de los treinta, aunque ya se vayan manifestando señales de impaciencia y deseos de encontrar un camino al menos parcialmente nuevo.

Un primer serio intento de independización se encuentra en Francisco de Flores y Arenas, que el 7 de mayo de 1831 estrenó en el Teatro de la Cruz la exitosa comedia en tres actos y en verso titulada **Coquetismo y presunción**. Una

---

[8] *Obras de Don Leandro Fernández de Moratín dadas a luz por la Real Academia de la Historia*, II, 1, Madrid, Aguado, 1830, p. XLIII.

[9] *Ibídem*, p. XLV.

[10] *Ibídem*, p. L.

pieza que encontró el favor del público y que fue repuesta más de 30 veces durante las dos décadas románticas.

Tradicional en sus líneas fundamentales (con su ya tan gastada sustitución de persona y su burla pedagógica de abolengo gorostizano), participaba en el clima nuevo instaurado por el romanticismo con la sátira de los estereotipos y de los convencionalismos.

Los protagonistas son Antonio, un presumido que juzga que todas las mujeres tienen que caer rendidas a sus pies, y su prometida Adela, que a su vez no duda de que los hombres se dejen infaliblemente seducir por sus coqueterías. Aprovechando el hecho de no ser conocido, el primero se hospeda, con el falso nombre de Fermín, en casa de la segunda, con el intento de hacerla enamorar con la sola fuerza de su personal bizarría. Le agua la fiesta la llegada de su primo Luis, que, para escarmiento de los dos, enamora a Adela recurriendo al lenguaje suspiroso de gusto seudorromántico. La reacción de Adela al darse cuenta de haber sido burlada y de Antonio-Fermín al verse pospuesto a su primo rompen la promesa de matrimonio y la comedia termina sin bodas, con las amonestaciones de Luis, el sabio alter ego del autor.

La comedia proponía dos perspectivas existenciales opuestas, la de Fermín y Adela y la de Luis, siendo evidente que el autor consideraba positiva sólo la última. Los dos protagonistas presumen de estar muy a la moda al aceptar los convencionalismos propios de la época, en tanto que Luis propone una visión mucho más seria y comprometida de la existencia.

Ante todo, en las palabras de Fermín, Adela y la madre de ésta, doña María, se hacen frecuentes referencias a la sensibilidad, exaltada como ingrediente típico del buen tono y convertida en objeto de sátira por Flores y Arenas. A las dos mujeres que, hablando de una parienta moribunda, lamentan la excesiva sensibilidad de ella, contesta Fermín con ese toque de extranjerismo muy propio de los lechuguinos del tiempo:

> ¡Oh! Para esto de sensibles
> las francesas.

Y después de narrar una aventura erótica, en Burdeos desde luego, que atestiguaría tal sensibilidad, la subraya mayormente recordando los suicidios por amor que caracterizan a inglesas y francesas, las cuales se ahorcan o envenenan «con la frescura del mundo», de manera que

> en el Támesis y el Sena
> se encuentran cada momento
> cadáveres a montones (I, 6).

Sin embargo, detrás de esta ostentación de sensibilidad está en cambio la ausencia total de sentimientos verdaderos. Para los dos protagonistas, el amor no es más que un juego. Si para Adela es normal «mudar de amor como de camisa», Fermín juzga que un amor serio y profundo como el que Luis afirma profesar hacia su novia es una manifestación de vulgaridad:

> ¿No ves, Luis,
> que ya estás a vulgo oliendo?
> ¡Cuánta falta te está haciendo
> un bañito de París!

Y para que resulte más evidente todavía su aristocraticismo cursi, el autor le hace agregar:

> ¿Y entonces qué diferencia
> hay de ti a un zapatero? (I, 5).

A la sátira del conformismo a la moda se asociaba así la exaltación indirecta del liberalismo democrático, como ya ocurría en *La pata de cabra*. Era natural, pues, que el público burgués y liberal de esas postrimerías del reinado de Fernando VII se entusiasmase al ver al fin burlados a quienes interpretaban concepciones opuestas.

Por otro lado es lógico que el amor no penetre en individuos que no saben comunicarse entre ellos, encerrados como están en su visión egocéntrica que, por ejemplo, les lleva a tomar por una verdadera declaración de amor una caricatura del lenguaje a la moda como son las frases hinchadas que Luis le dirige a la chica:

> y este amor que eternamente
> debiera estar encerrado
> dentro de mí, ya en su furia
> rompió del deber los lazos (II, 2).

Flores y Arenas se está burlando de ese lenguaje que dentro de poco resonará en los dramas románticos pero que ya circulaba vulgarizado en el habla de los lechuguinos. Era una postura que reaparecerá a menudo en comediógrafos y costumbristas y que, a pesar de las apariencias, era una forma de adhesión al más auténtico espíritu romántico que, en su afán por la verdad y por consiguiente por la sinceridad expresiva, rechazaba tanto los artificios de los clasicistas como los manierismos de los románticos adocenados, tanto al Pastor Clasiquino como al romántico melenudo.

Y para mayor constancia de esta hostilidad contra cualquier tipo de distorsión del lenguaje, el autor añadió la figura de don Judas, que hace reír gracias al habla marinera que emplea a todo trance, embutiendo su discurso de metáforas náuticas tan risibles como «don Fermín / está tan a sotavento / de la niña», «la pobre Paulita / se está yendo a pique», «ya es hora que levemos / el ancla», etc.

Claro que en un ambiente parecido no hay lugar para el amor y tampoco para el matrimonio. Es verdad que en épocas lejanas las comedias barrocas terminaban en casamiento a pesar de las incomprensiones y complicaciones que menudeaban a lo largo de la obra; siempre había una dama que al final exclamase: «Ésta es mi mano.» Lo cual empero ya no podía ser: en esta aurora del romanticismo ya no se admiten compromisos con el amor: *On ne badine pas avec l'amour*, como afirmaba por esos mismos años el romántico De Musset.

> Puede decirse que *Coquetismo y Presunción* es una de las pocas piezas de más dotes dramáticas que ha visto la escena española de Moratín aquí (*Cartas españolas*, 24-V-1831).

Moratiniano fue también desde sus primeras obras Manuel Bretón de los Herreros, que sin embargo se fue alejando paulatinamente del modelo, sea por referirse a una sociedad diferente, más abierta y más libre, sea por insistir sobre aspectos y problemas que Moratín no había tratado o había afrontado solamente de soslayo.

Con esos toques personales, además de una capacidad innata de despertar la risa, Bretón se fue apoderando del público madrileño en la segunda mitad de los años veinte, logrando su primer gran éxito con *A Madrid me vuelvo*, estrenada en 1828, caracterizada por una inconformista alabanza de corte y desprecio de aldea.

El mismo fondo inconformista latía también en su segundo éxito, todavía más duradero (la pieza conoció más de 50 representaciones entre 1831 y 1849 contra las 30 aproximadamente de la anterior), la celebérrima ***Marcela o ¿a cuál de los tres?***, que se estrenó el 30 de diciembre de 1831 en el Príncipe, y que por varios motivos podemos considerar la primera comedia romántica.

I. Tres pretendientes rodean a la joven y desenfadada viuda Marcela, intentando seducirla cada uno conforme a su propio temperamento: Agapito, petimetre afeminado, ayudándola en sus labores de costura y ofreciéndole pastillas; el tímido poeta Amadeo, suspirando y confiando sus penas a la criada Juliana; el impetuoso capitán de artillería Martín, primo del anterior, ahogándola en un diluvio de palabras. Ella contesta garbosamente a todos, sin darse cuenta de brindar a cada uno la ilusión de ser el preferido. A su lado, Juliana juzga y comenta, interpretando el pensamiento del autor, en tanto que el tío Timoteo, algo chocho, embute sus charlas de sinónimos y, al final, invita a todos a almorzar.

II. Después del almuerzo, Juliana le manifiesta a Marcela que los que ella cree solamente amigos en realidad están profundamente enamorados de ella. Llega Agapito, que se le declara, afirmando con mucha presunción que ella no puede menos que corresponderle. Luego Amadeo le entrega una lírica de amor, pero le falta valor para manifestarle que está dedicada a ella. Por fin Martín, después de una infinidad de prolegómenos, se le va a declarar, pero es interrumpido por el anuncio de que la gata ha parido. Los dos primos Martín y Amadeo se alían contra Agapito.

III. Han salido todos y, quedando solos Marcela y don Timoteo, éste intenta convencer a su sobrina de que se case con Martín. Tres mensajeros llevan cartas de cada uno de los pretendientes, que Marcela lee y comenta acompañada por Juliana, la cual toma partido a favor de Amadeo. La carta de Agapito rebosa de vanidad; Amadeo envía un soneto humilde y desconsolado; Martín propone el enlace como un contrato ventajoso para los dos. Marcela los convoca a todos y, después de comentar con gracia las tres cartas, se niega a casarse, queriendo gozar la libertad que le conceden la viudez, las rentas y sus veinticinco años.

El autor atribuyó el gran éxito de *Marcela* a haber abierto «nuevo y más libre rumbo a su imaginación», sobre todo por abandonar el romance que hasta entonces había empleado, sustituyéndolo por una versificación más variada, introduciendo además la rima. Tal cambio se produjo, afirma Bretón, por la influencia de los dramaturgos del Siglo de Oro, en los cuales «envidiaba [...] su feliz independencia tan fecunda en primores». A causa de cierto pudor que a menudo impidió en España el uso de la palabra *romántico*, Bretón no se atreve a afirmar abiertamente que esto se producía por su adhesión al romanticismo, pero lo deja entrever con alusiones bastante explícitas. En efecto, después de reconocer que algunos poetas contemporáneos «empezaban ya a sacudir el yugo escolástico» (léase *clásico)*, agrega:

> Constante en su fe literaria, si bien no ciego sectario de una escuela exclusiva, [el autor] logró preservarse de las alteraciones lastimosas en que otros incurrían; pero hubo de entrar en cuenta consigo mismo y tantear sus fuerzas para ver si era o no posible conciliar la pintura vigorosa de afectos y caracteres, la *vis cómica* del diálogo, la naturalidad del lenguaje con una versificación más artificiosa, más variada y más galana.[11]

En otros términos, sin renunciar totalmente al rigor de su educación clasicista, se había abierto a formas expresivas más libres, siguiendo en esto las enseñanzas románticas, aunque sea en el ámbito de aquel *justo medio* que fue una instancia fundamental del movimiento en España y que a menudo se disfrazaba como eclecticismo (al cual parece aludir Bretón, al declararse «no ciego sectario de una escuela exclusiva»).

Seguramente los espectadores apreciaron la «versificación variada y galana», en parte por la viveza y la literariedad que confería al texto,[12] pero en parte también por la novedad que ello representaba y que se amoldaba bien a una obra que cabalmente sobresalía por su anticonformismo.

---

[11] Véase el prefacio a la comedia en *Obras escogidas* de M. BRETÓN DE LOS HERREROS, Paris, Garnier, s. f., pp. 54-56. La novedad de *Marcela* respecto al modelo moratiniano hasta entonces dominante ha sido puesta de relieve por Le Gentil, quien afirma: «c'est déja le genre *bretoniano*, c'est-à-dire la comédie de moeurs fondée sur l'observation de la classe moyenne». Véase G. LE GENTIL, *Le poète Manuel Bretón de los Herreros et la société espagnole de 1830 à 1860*, Paris, Hachette, 1909, p. 31.

[12] Una interesante interpretación de la función del verso en el teatro de Bretón la brinda P. GARELLI (*Bretón de los Herreros e la sua «formula comica»*, Imola, Galeati, 1983, p. 50): «Nella poesia Bretón trova un'alleata per comunicare il suo messaggio al pubblico: infatti essa possiede la capacità di rendere più gradevole la commedia e, nel contempo, sottolineare con maggiore incisività un carattere o una situazione, fissandola, quasi, nella memoria degli spettatori.»

Ésta era en efecto la verdadera esencia de la pieza, novedosa y romántica desde luego, que debió de afectar positivamente al público. *Marcela* aparecía libre de todos los prejuicios y convencionalismos propios de aquel «yugo escolástico» que Bretón criticaba: ningún moralismo la empachaba, ninguna carga pedagógica, ninguna oposición entre buenos y malos, ninguna «graciosidad» en el lenguaje y, sobre todo, ningún final con bodas como era costumbre en tantas comedias que desde el Siglo de Oro trataran el tema de la dama sitiada por diversos pretendientes.

En cambio, perfectamente enmarcada en este inconformismo de fondo, recorre la obra una sonriente sátira de toda forma de convencionalismo, que encuentra su manifestación más típica en la figura emblemática de don Timoteo, «el viejo de los sinónimos», el cual repetía en otro registro al don Judas de Flores y Arenas, ya que, como le cuenta a su paisana la criada Juliana,

> cuando dice *según*
> si detrás no va el *conforme*,
> no está contento (I, 3).

Igualmente convencionales, y por tanto ridículos, son los pretendientes Agapito y Amadeo. El primero, por conformarse servilmente a las modas imperantes, el segundo, por escribir tópicos versos de amor y también por interpretar el estereotipo del poeta enamorado y doliente.

No convencional es en cambio Martín, que sin embargo representa el exceso opuesto de una franqueza que raya en la grosería y que Marcela y Juliana, típicas representantes del ideal del justo medio, rechazan con igual decisión, aunque con menor ironía.

Si bien, a diferencia de toda la tradición de la escuela moratiniana y del clasicismo en general, *Marcela* no pretende dirigir ninguna amonestación al espectador, sin embargo no deja de enviar algún mensaje. En primer lugar intenta exaltar la libertad individual, que si por un lado justamente se realiza en la sátira del conformismo de Agapito y Amadeo, por el otro encuentra su manifestación más alta y consciente en los sentimientos de la protagonista, que no duda en expresar, como legítima heroína liberal que es, su anhelo a la libertad y su derecho a tomar decisiones autónomas:

> no me pienso emparedar
> ....
> Me hallo bien con mi reposo,
> con mi dulce libertad,
> y temo hallar, en verdad,
> un tirano en un esposo.
> Mas si al fin, como mujer,
> me es forzoso sucumbir,
> ya que yo le he de sufrir,
> yo me lo quiero escoger (III, 2).

Son conceptos que le repite a don Martín al final de la pieza para justificar un rechazo que en parte le duele:

> amo mi libertad
> y en ella mi dicha fundo (III, últ.).

Bien diferente era la postura de otra viuda que pisara las tablas una docena de años antes: cierta doña Flora, en *La sociedad sin máscara* del Marqués de Cagigal (Aristipo Megareo), igualmente viuda e igualmente sitiada por varios pretendientes, se decide, aunque de mala gana, a escoger a uno de ellos por la necesidad, dice, de encontrar

> un marido que me quiera
> y un director que me guíe (III, últ.).

Un segundo mensaje nace del tema, mejor dicho, del problema de la comunicación, que ya se advertía en Moratín y serpeaba en la producción cómica en los años diez y veinte. Aquí, debajo de la sonrisa que lo alivia todo, late en realidad el drama de personas que no logran comunicarse entre ellas. Los pretendientes viven y actúan perennemente encerrados en su yo, de manera que cada vez que lanzan un mensaje, ése no contiene más que una visión egocéntrica del amor. También el tímido poeta, que parece sumido en la contemplación de Marcela, en realidad se contempla a sí mismo, como demuestra con sus reacciones enfadadas frente al rechazo final. Tres veces, una por acto, expresan sus sentimientos, cada vez de manera más ampliada y más explícita: ahora bien, lo que manifiestan es un continuo incremento de su egotismo.

En el lado opuesto, Marcela intenta, sí, establecer un contacto, comprender las razones de sus interlocutores, pero choca contra la pared de un yo que no quiere o no puede salir de sí mismo. Juliana en cambio, más realista y menos sensiblera, se da cuenta de la imposibilidad de una comunicación y acaba por aceptar la parte de la intermediaria a cambio de una consistente dádiva.

Por otro lado, la dificultad de comunicarse se expresa a menudo de manera explícita, y cómica por supuesto, al mismo nivel formal. Amadeo, cortado por las preguntas maliciosas de Marcela, no sabe contestar sino con monosílabos, hasta terminar con un «¡Ah! Si... Mi... La» que provoca la pregunta burlona de la viuda:

> ¿Me enseña usted el solfeo? (II, 4).

Martín, a su vez, transportado por el torrente de su eloquio incontrolable, se pierde en un montón de divagaciones. Por no hablar de don Timoteo, sumido en su eterna búsqueda de sinónimos, que obliga al fin a Marcela a instarle:

> Al grano, tío (III, 1),

e induce al propio Martín, que por otro lado en cuanto a charlas no le va en zaga, a definirle «hablador tan sangriento».

Pieza de fondo ya romántico, pero de estructura todavía clasicista (respeta rigurosamente las unidades), resulta escasa de acción, a tal punto que a veces el autor se ve obligado a insertar episodios casi inútiles como la alianza entre Martín y Amadeo, la cual ofrece el pretexto a una escena cómica, superflua desde luego aunque eficaz para despertar la risa, en la que los dos se burlan del petimetre.

No faltan por otro lado recursos que le imprimen cierto movimiento gracias sobre todo a la sorpresa con que sobrecogen al espectador. Tal la feliz ocurrencia del parto de la gata que interrumpe la logorrea de don Martín o el rechazo final de los tres pretendientes que contrasta agradablemente con el horizonte de expectación de un público acostumbrado a las bodas conclusivas. También eficaz es el expediente (que ya aparecía en *El sí de las niñas*) de Juliana, que dialoga por la ventana con otra criada que ni se ve ni se oye, con lo cual Bretón lograba por un lado proporcionar las informaciones indispensables de una manera original y divertida y por el otro ensanchar la ilusión espacial de los oyentes.

Sin embargo, recorre la obra cierto moderado dinamismo, interno a los personajes, que nace de sus reacciones psicológicas y se manifiesta esencialmente a través de sus discursos, los cuales también van evolucionando desde cierta reticencia inicial hacia la declaración explícita del último acto. Quizás en este juego sutil de conversación brillante continuamente animada por la sonriente ironía de la joven viuda pueda entreverse un reflejo de las charlas «de estrado» de los galanes barrocos. Las cuales sin embargo no pudieron ser más que un modelo, ya que los diálogos de *Marcela* reproducen, aunque sea «a lo literario» y de manera a veces caricatural, los matices del lenguaje corriente en los salones burgueses de la época.

Es un toque costumbrista, por otro lado connatural a ese tipo de comedia que Moratín había introducido en el mundo español, a pesar de que podría considerarse propio de cualquier forma de comedia que aspirase a ser, como lo fue desde la Antigüedad, μίμεσις βίου. Y la referencia a la sociedad contemporánea se veía reforzada por ciertas identificaciones, como la de don Martín con Ventura de la Vega, que no podían escaparse al pequeño mundillo madrileño y que por supuesto eran también fuente de interés y de risa.

«¿Qué no ha de poder / ser amable una muger / sin que la persigan necios?» Estos versos que dice *Marcela* en el acto 3.º espressan la idea que me inspiró el argumento de la presente comedia (BRETÓN, *Correo Literario*, 2-I-1832).

Comedia lindamente escrita, graciosamente ejecutada, justamente aplaudida (*Cartas españolas*, 5-I-1832).

Se remonta a Flores y Arenas Manuel Eduardo de Gorostiza, que en su célebre *Contigo pan y cebolla* (estrenado en el Príncipe el 6 de julio de 1833; más de 30 reposiciones hasta 1849), comedia en tres actos y en prosa, lanza explícitamente sus flechazos contra «las jóvenes de diez y siete años que leen novelas» (IV, últ.) y que por tanto profesan una concepción, novelesca justamente, de la vida que les hace repudiar las ventajas de una existencia tranquila y acomodada, por querer seguir el modelo de las heroínas de sus lecturas.

Eduardo pide la mano de Matilde a su padre Pedro de Lara. La chica, lectora apasionada de novelas sentimentales y lacrimosas, queda decepcionada al ver que su novio es rico, que su padre no se opone y que todo tiene trazas de desarrollarse en la mayor tranquilidad: renuncia por tanto a la boda. Pero Eduardo, de acuerdo con don Pedro, la convence de que se case con él, fingiéndose pobre y raptándola por el balcón. Las incomodidades y las humillaciones que le acarrea la pobreza hacen recobrar a la joven el buen sentido práctico, de manera que, cuando llega el padre para llevarla a su casa junto con su esposo, acepta con entusiasmo.

El esquema de la obra era el de la burla pedagógica que Gorostiza ya adoptara en comedias anteriores *(Indulgencia para todos, Don Dieguito)* y que ya aparecía en *Coquetismo y presunción*; sólo que aquí la solución final es alegre y el escarmiento consigue resultados positivos.

La sátira lo envuelve todo, con efectos cómicos seguros sobre un público burgués cuya mentalidad práctica el autor comparte totalmente, hasta el punto de presentar positivamente a una ex compañera de colegio de Matilde, la cual está muy satisfecha de haber abandonado los sueños de la adolescencia para casarse sin amor con un acomodado marqués.

Objeto principal de la sátira es naturalmente Matilde, que, como los protagonistas de *Coquetismo*, se jacta de su refinada sensibilidad:

A mi edad, con mi sensibilidad, y en las circunstancias terribles en que me hallo [...] (I, 3).

Verdad es que hay momentos, en la segunda parte de la obra, que se desarrolla en el mísero cuartucho en que viven los recién casados, en que la historia casi se vuelve patética, de manera que junto con la sonrisa despierta también una pizca de conmoción. Pero al principio, cuando la protagonista se deja arrastrar por todo el sentimentalismo que ha acumulado a través de tantas lecturas, produce un efecto cómico irrefrenable, que alcanza su mayor intensidad cuando imagina una reacción hostil del padre a la petición de su novio. Por lo tanto irrumpe en la escena interpretando el papel de la hija indigna y arrepentida y, frente al mayor estupor de los dos hombres, declama:

¡Ah! Padre mío, y qué criminal debo de aparecer a los ojos de usted [...] arrastrada por una pasión irresistible [...] que como una erupción volcánica [...].

Con un seguro efecto cómico, pide luego a Eduardo que no la interrumpa («Calle, usted: no me distraiga») para poder recitar enteramente el papel que se ha impuesto. Así que prosigue:

se apoderó de mi corazón, que estaba indefenso [...] no seré nunca de otro [...] pero gemiré en silencio sin ser suya, o iré a sepultarme en las lobregueces de un claustro (I, 8).

El público se reiría seguramente, pero también aplaudiría la solución final, que veía a los dos enamorados por fin felices. Ni era una renuncia al amor verdadero (a diferencia de como se había portado la ex compañera) ni era la pasión desorbitada que la joven había soñado. No era tampoco la conclusión sin casamiento que había caracterizado a las dos obras anteriores.

Era el triunfo de ese justo medio que se convertiría muy pronto en el elemento más típico del romanticismo teatral español.

La comedia rompía los moldes moratinianos, sobre todo por la falta de un auténtico compromiso ideológico. Como *Marcela*, no tiene otro mensaje que el de luchar contra los convencionalismos y proponer una visión de la vida libre, tranquila y felizmente aburguesada.

El autor no se atreve, en cambio, a violar las unidades: si no es totalmente respetuoso con la de de lugar, conforme a una práctica inveterada (se pasa del palacio donde vive Matilde al cuarto miserable del último acto), comprime en las 24 horas canónicas tantos sucesos que habrían pedido al menos quince días.

> rasgos hemos visto en su linda comedia que Molière no repugnaría, escenas enteras que honrarían a Moratín. [...] El lenguaje es castizo y puro; el diálogo bien sostenido y chispeando gracias, si bien no quisiéramos que le deslucisen algunas demasiado chocarreras. [...] esta comedia hubiera requerido una mujer realmente enamorada. [...] [Otro defecto] es también la aglomeración en horas de tantas cosas distintas, importantes y regularmente más apartadas entre sí en el discurso de la vida (LARRA, *Revista Española*, 9-VII-1833).
>
> Idea feliz, escelente diálogo, situaciones cómicas, gracias sin número; pero inverosimilitud continua, atropellamiento en la acción, caracteres poco naturales. [...] Se ve desde luego que el objeto de esta comedia es muy moral. [...] al concluirse la comedia el público manifestó su contento con triple salva de aplausos; de suerte que puede decirse que éste ha sido uno de los triunfos más completos que se han obtenido en el teatro. [...] Pasa en dos días lo que apenas podría suceder en dos meses. [...] diálogo siempre vivo, salpicado de chistes, muchos de ellos escelentes y justamente celebrados; pero también hay otros que no son de buena ley. [...] esta comedia ha sido de las mejores que hemos visto (*Boletín de Comercio*, 9-VII-1833).

A las objeciones de la *Revista Española* contestó el autor, con el nombre de Don Ángel de Cepeda, con la larga «Defensa de la comedia intitulada "Contigo pan y cebolla"», Madrid, Repullés, agosto de 1833. Siguió una «Réplica» de Larra en la *Revista* del 13 de agosto.

Otras comedias afrontan, en este final del reinado de don Fernando, el tema de la comunicación, aunque sea, a menudo, de manera bastante superficial.

Eugenio de Tapia lo desarrolla a través de una garbosa comedia de carácter, *Amar desconfiando o la soltera suspicaz* (4 actos en verso), que, estrenada el 15 de junio de 1832, en el Príncipe, a pesar de una reseña muy favorable de Durán, fue repuesta sólo dos veces.

La joven marquesa del Pino atormenta con sus celos infundados a su enamorado, el oficial don Carlos, y a su prima Emilia. Sus celos aumentan cuando se entera por el chismoso barón del Fresno de que, durante su estancia en Navarra, Carlos se había prendado de cierta Isabel, cuyo padre, don Fermín, se había opuesto al matrimonio. Ahora el propio don Fermín se encuentra con Carlos y, al conocer que ha heredado un mayorazgo, le ofrece nuevamente la mano de su hija. Pero Carlos rehúsa por estar enamorado de la marquesa, la cual, vista tanta firmeza, reconoce lo injusto de sus celos y promete enmendarse.

El carácter de la protagonista está bien dibujado en su total desconfianza hacia los hombres que la lleva a una completa incomunicación con los demás, cuyos mensajes continuamente deforma, ya que, en cada gesto y en cada palabra, sobre todo de su enamorado y de su prima, ella ve un atentado a su honor y una prueba de traición. Sin embargo, el autor conoce también el recurso de los matices psicológicos y por tanto suaviza la rigidez del carácter, presentando, hacia el final, a la marquesa auténticamente enamorada e irritada consigo misma por esa tendencia a la sospecha que no sabe reprimir. Es un sentimiento que le dicta expresiones ya propias del gusto romántico, con las cuales se dirige a su tío don Pedro:

> Por más que he hecho no he podido
> desterrar del corazón
> la imagen, el atractivo
> de Don Carlos; moriré
> si enlazarme no consigo
> con él (IV, 1).

«¿Conque tan violenta / es tu pasión?», subraya don Pedro. Y poco después, dirigiéndose al propio don Carlos, la joven primero atribuye al destino hostil, como un héroe romántico, la causa de sus errores y sus sufrimientos («un fatal signo / me hizo que apurase el cáliz / de la amargura») y luego desata toda la impetuosidad de su amor:

> En este mismo tormento,
> en este loco extravío
> de mi razón, puede usted
> conocer cuál habrá sido
> la opinión en que le tiene
> quien ama con tal delirio (IV, 5).

Son las huellas de los tiempos nuevos, que sin embargo conviven todavía con ademanes más tradicionales, como el fondo pedagógico que lleva a la conversión final de la celosa, y el respeto escrupuloso de las unidades. Lo que pudo no gustar son las réplicas demasiado largas, sobre todo las del sabio tío Pedro, que con sus amonestaciones parece dirigirse, como en la más típica tradición clasicista, más al público que a los demás personajes.

> bella moral, un cuadro muy arreglado, y sobre todo una corrección de estilo, cuyo uso parece enteramente perdido en la escena española *(Cartas españolas*, 28-VI-1832).
>
> una nueva comedia clásica en toda la estensión de la palabra. [...] ha pintado un vicio que, como inherente al corazón humano, es de todas las edades y naciones; mas lo ha revestido con las formas de nuestra sociedad y actuales costumbres (A. Durán, *Correo Literario*, 9-VII-1832).

No mejor suerte había tenido Tapia unos seis meses antes, cuando, el 19 de diciembre de 1831, había estrenado en el Teatro de la Cruz *La madrastra* (que se repuso dos veces), una comedia nuevamente de carácter (4 actos, en verso), en la que había dibujado con cierta fuerza a una figura de mujer imperiosa y egoísta. Podía parecer, lo era en cierto sentido, una repetición de motivos de las comedias lacrimosas, a algunas de las cuales parecía remitir, como *El trapero de Madrid*.

Leonor y su primo Fabián han recibido una conspicua herencia, pero con la cláusula de que tienen que unirse en matrimonio y de que, si uno de los dos se niega a hacerlo, su parte pasa al otro heredero. Doña Carmen, la madrastra de Leonor, que ansía liberarse de la chica, insiste en que se hagan las bodas, pero Leonor está enamorada de don Félix, un dependiente de su padre don Juan. La madrastra se enfurece y echa a la calle al joven y también a la criada Petra, que le ayudaba. Al final interviene el sabio y cariñoso don Carlos, hermano de Juan, que convence a éste de que tome en su mano las riendas de la casa y favorezca la unión de los dos chicos. Felicidad general y arrepentimiento de doña Carmen.

Como se conoce, la pieza está todavía en la línea moratiniana en favor de la libre elección del esposo, pero el eje está desplazado hacia la representación del carácter de la madrastra, como por otro lado sugiere el propio título: un carácter muy bien trazado, a pesar de un cambio demasiado repentino en las últimas réplicas, debido a la insuperable necesidad de conseguir el *happy ending*. La comedia no salía, pues, de los esquemas fundamentales de la tradición clasicista a la cual remitía también por el respeto de las unidades.

Los celos infundados de que se había ocupado Tapia le brindaron también el título (*Los celos infundados o el marido en la chimenea*) a un juguete cómico de dos actos en verso de Martínez de la Rosa, que se estrenó en el Príncipe el 29 de enero de 1833. Tal vez por el nombre de su autor, tal vez por la comicidad farsesca que la anima, la obra conoció un buen éxito de público y de crítica y se repuso casi 20 veces en las dos décadas. En realidad, el lector de hoy no puede no encontrarla algo sosa y totalmente desprovista de originalidad, por servirse de recursos trillados (la sordera fingida, la sustitución de persona) y de la consabida burla pedagógica a lo Gorostiza.

Para corregir al maduro don Anselmo de los celos que le atormentan sobre todo por las pérfidas habladurías del siervo Juan, su joven mujer doña Francisca organiza un truco de acuerdo con su hermano Eugenio, al que el marido no conoce y que se finge un impenitente libertino afectado por una fuerte sordera. Escondido en la chimenea, don Anselmo escucha rabioso los requiebros de Eugenio y se enfurece más cuando su cuñado entra de sopetón en su casa, hasta que todo se descubre, Anselmo se arrepiente y echa de casa al criado cizañero.

De cierta manera, cómica desde luego y superficial, también esta pieza tocaba el tema de la comunicación, subrayando simbólicamente los obstáculos que se oponen a una recta trasmisión del mensaje a través de la sordera fingida de Eugenio (que se sirve de ella para evitar contestar en caso de encontrarse en apuros) y de la sordera relativa de Anselmo, que, oculto en la chimenea, oye con dificultad lo que se dicen los dos supuestos amantes.

Un lenguaje puro y hábilmente manejado, un estilo decoroso, un diálogo bien cortado, lleno de viveza y donaire, una versificación robusta, un conocimiento extremado de los recursos dramáticos y de los efectos teatrales, y el hombre reducido a la convicción por medio del ridículo, nos revelan al filósofo, al autor cómico, al poeta (LARRA, *Revista Española*, 1-II-1833).

Estamos persuadidos de que el autor no ha tratado de hacer más que un juguete, y no una comedia en regla (*Boletín de Comercio*, 1-II-1833).

III. EL DRAMA ROMÁNTICO

1. Planteamiento teórico

En 1828, unos quince años después de que Böhl de Faber intentara un primer rescate del teatro barroco, el erudito Agustín Durán publicaba el *Discurso sobre el influjo que ha tenido la crítica moderna en la decadencia del Teatro Antiguo Español, y sobre el modo con que debe ser considerado para juzgar convenientemente de su mérito peculiar.*

En la estela de Böhl, y por tanto de Guillermo Schlegel, el autor pretendía devolverle al teatro lopesco y calderoniano la dignidad de la que la crítica clasicista le había privado: por consiguiente se apresuraba a negarles validez a los presupuestos teóricos de tal crítica, afirmando que lo que resultaba adecuado para el teatro francés de Corneille, Racine y Molière no lo era otro tanto para el español, ya que, sostenía con una afirmación que reaparece con variantes a lo largo de todo el tratado, el teatro es «en cada país la espresión ideal del modo de ver, sentir, juzgar y existir de sus habitantes».

En base a este principio, Durán juzga que si el teatro francés debe respetar las reglas del clasicismo, el español en cambio tiene que seguir las normas del romanticismo. Clásico y romántico son, pues, como ya para López Soler en su ensayo de hacía un lustro, dos géneros literarios que Durán identifica respectivamente como un género francés y un género español. Posición bastante débil, en el fondo, ya que, si podía de alguna manera adaptarse al pasado, no podía valer seguramente para la actualidad, cuando ya toda Europa se había convertido al romanticismo. Sin embargo, Durán no tenía que preocuparse de ello, puesto que él se movía en dirección al pasado y no al presente; por otro lado, iba delineando un «romanticismo nacional» que pronto serviría como base a muchos teóricos para salir del *impasse*.

De hecho, el único intento del *Discurso* es la rehabilitación del teatro antiguo; sin embargo, hacia el final del ensayo aparecen proposiciones de las cuales se desprende la esperanza de que los dramaturgos contemporáneos vuelvan a adoptar el género romántico:

> es de esperar que las obras dramáticas de Lope, Tirso, Calderón, Moreto, etc., puestas al alcance de todo el mundo, vuelvan a resucitar el entusiasmo de nuestra juventud, cuya fantasía se ha marchitado por las excesivas trabas que se le han impuesto durante un siglo, obligándola con ellas a abandonar y aun a despreciar la senda amena de creaciones, y originalidad, que abrieron y siguieron los sublimes ingenios de los tiempos de Carlos V y Felipe IV.[1]

Por consiguiente, los aspectos típicos del teatro barroco que Durán pone de relieve se convierten implícitamente en una preceptiva para los nuevos escritores. Y son aspectos que a las claras llevan en sí el sello del romanticismo más auténtico: la violación de las reglas aristotélicas («imposible encerrar la comedia o drama romántico en cuadros circunscriptos a las tres unidades»); el abandono de estructuras excesivamente geométricas, por lo cual el drama romántico se parece a la naturaleza inculta que «arroba el alma y la lleva a los espacios de la creación», en tanto que «los jardines cultivados con esmero» tan sólo «halagan los sentidos»; la exaltación de la imaginación («las grandes masas de hombres se prestan mejor a las ilusiones de la imaginación, que no a los cálculos del raciocinio»); el individualismo; el amor que «se asemeja a una especie de culto»; en fin, por lo que atañe al contenido, «las glorias patrias, los triunfos de sus guerreros, los de sus héroes cristianos, el amor delicado y caballeroso, el punto de honor y los zelos».

Como se conoce, Durán indicaba indirectamente una pauta que muchos de los dramaturgos de la década siguiente se aprestaban a seguir.

Las sugerencias de Durán se convirtieron en normas teóricas explícitas en los *Apuntes sobre el drama histórico* que Martínez de la Rosa publicó dos años después.

Aunque el autor no haga explícita referencia al ensayo duraniano, en cierta manera se refiere a él, dado que recuerda, en las primeras páginas, las piezas históricas que se compusieron en la época barroca, subrayando la afición a la historia patria de los antiguos dramaturgos y poniendo de relieve ciertos aspectos, como la tendencia a hispanizarlo todo, que ya evidenciara Durán.

Sin embargo, este rápido *excursus* en la historia del drama histórico es sólo la premisa a una definición de los caracteres que debe tener el drama moderno: en efecto, si por un lado, como el autor enuncia al principio, le anima «el pesar con que —dice— miro la decadencia y abandono en que yace el teatro español», por el otro le empuja «el anhelo de contribuir [...] a estimular el ánimo de los jóvenes, procurando encaminar sus pasos».[2]

---

[1] A. DURÁN, *Discurso* (ed. D. L. SHAW), University of Exeter, 1973, p. 34.

[2] «Apuntes sobre el drama histórico», en F. MARTÍNEZ DE LA ROSA, *La conjuración de Venecia* (ed. M. J. ALONSO SEOANE), Madrid, Cátedra, 1993, p. 291.

De manera que la segunda parte del ensayo se vuelve abiertamente didascálica. Lo que Martínez de la Rosa sugiere es ante todo una fidelidad sustancial a los hechos representados y, al mismo tiempo, «conmover el corazón, presentando al vivo sentimientos naturales y lucha de pasiones»: de esta forma, sostiene, «pudiera, hasta cierto punto, reunirse en esta clase de dramas la utilidad de la historia y el encanto de la tragedia».

Además, considera que es natural, en un drama de esta índole, violar las unidades de tiempo y lugar, aunque sea en el marco de un justo medio. Y un justo medio propone que se siga también en el tono y el estilo, que tienen que colocarse a igual distancia de los de la tragedia —porque el drama «se acerca más a la vida común»— y de la comedia, ya que «la gravedad de los sucesos, la clase de personas que en ellos intervienen y el calor que dan las pasiones al estilo y al lenguaje, exigen a su vez que éstos rayen más altos».

A estos dos tratados habría que añadir una serie de artículos y observaciones que aparecieron en los periódicos y que contribuyeron a una mayor profundización del tema; de forma que, cuando los escritores españoles empezaron a dedicarse al drama histórico, ya podían contar con un discreto caudal de presupuestos teóricos afrontados por connacionales, de los cuales pudieron valerse en la tarea de hispanizar el nuevo género teatral.

2. LA HISPANIZACIÓN DEL DRAMA ROMÁNTICO

Cuando, a lo largo de la década de los años veinte, particularmente hacia el final, los literatos españoles entraron, de manera más comprometida, en contacto con el romanticismo europeo, y juzgaron que había llegado la hora de alistarse en las filas del nuevo movimiento, debieron enfrentarse en seguida con el problema de su hispanización: problema tanto más urgente en cuanto brotaba de la propia esencia del romanticismo, el cual exigía de sus adeptos un profundo arraigo en el humus de la tradición nacional. No habría sido concebible, en otros términos, un romanticismo español que se manifestase sencillamente como una copia del francés o del inglés.

Particularmente viva fue tal preocupación entre dramaturgos y comediógrafos, después de que el teatro español se había convertido cabalmente en el referente de más importancia en los tratados y las discusiones teóricas sobre el romanticismo, desde los artículos de Böhl y de sus contrincantes al fundamental ensayo de Durán, el cual había sancionado el principio del *Volksgeist*, rescatando la comedia barroca con la afirmación básica de que el teatro es la manifestación más típica de la mentalidad de un pueblo.[3]

Además, los que, como Martínez de la Rosa o el futuro Duque de Rivas, habían de alguna manera asistido, en 1830, al triunfo del huguiano *Hernani* y a la

---

[3] Es un concepto que, como hemos visto, Durán propone a menudo con varios matices en su *Discurso*.

célebre *bataille* que la pieza había desencadenado en favor de un teatro romántico, no podían no darse cuenta del riesgo que amenazaría a la escena española si se asumiese como modelo una obra que entre otras cosas trataba de manera tan pintoresca y manierística la historia de España.

Con el propósito de un planteamiento original había, pues, que acudir a la tradición teatral española, buscando en ella los aspectos más susceptibles de una matización romántica. En este sentido, mientras los comediógrafos eligieron sin vacilar como punto de partida la comedia moratiniana, los dramaturgos se encontraron frente a diversas alternativas, a las cuales recurrieron conforme a su sensibilidad y sus fundamentos teóricos: convertir en definitivamente romántico el teatro sentimental, recuperar el teatro del Siglo de Oro, volver a las tragedias clasicistas o más sencillamente insertar los temas extranjeros en un ambiente español.

3. EL PRIMER DRAMA HISTÓRICO ROMÁNTICO: *LA CONJURACIÓN DE VENECIA*

Al principio la solución más viable —que fue adoptada con varios matices por Martínez de la Rosa y Bretón— debió de parecer la de empujar hacia una definitiva coloración romántica esas piezas sentimentales que, como hemos visto, seguían gustando todavía en los años del pleno romanticismo, sobre todo en la versión más «sublime» de esos «dramones espantables» que, según Cotarelo, «preparan el advenimiento del romanticismo al cual pertenecen en cierto modo».[4]

Se trataba de un teatro de excepcional vitalidad que, desde finales del XVIII hasta casi mediados del XIX, inundó la escena española con un sinnúmero de reposiciones (pero también con una constante renovación del repertorio) y, como hemos visto, siguió todavía con su exitosa existencia al lado de esos dramas románticos que no consiguieron reemplazarlo sino en parte. Es verdad que la mayoría eran traducciones de obras francesas, pero la insistencia con que se las proponía, la favorable recepción del público y, además, la aplaudidísima interpretación que de algunas de ellas había dado el idolatrado, casticísimo Máiquez las habían impelido a integrarse totalmente en la cultura teatral española. Y si hoy se habla con cierta sonrisa de la comedia lacrimosa, del drama burgués, del melodrama y del drama horrorífico (variantes de un protogénero que a falta de una mejor definición seguiremos llamando teatro sentimental), no se puede olvidar que a la sazón poseían una dignidad estética y literaria que les aseguraban nombres tan ilustres y/o famosos de teorizadores como Diderot o Nivelle de la Chaussée, de dramaturgos como Schiller o Kotzebue, o en fin de pensadores como Blair o Burke o el propio Kant; y que, además, el punto de partida de la naturalización del teatro sentimental en España era *El delincuente honrado*, obra maestra del ilustre Jovellanos.

---

[4] E. COTARELO, *Isidoro Máiquez*, Madrid, Perales y Martínez, 1902, p. 426.

Era, pues, lo que más se parecía a un teatro romántico y que la generación de los escritores que se cimentaron en la carrera teatral a fines de los treinta seguramente conocía muy bien. Bastaría pensar en la cantidad de piezas de esta clase, con todos sus matices, que se habían estrenado a lo largo del primer cuarto de siglo, por no hablar de la producción dieciochesca continuamente repuesta: *El abate L'Épée y su discípulo sordo mudo*, estrenado en 1800; *El duque de Pentiebre* (1803); *El aguador de París* (1809); *Las cárceles de Lemberg* (1810); *La enterrada en vida* (¿1815?); *El leñador escocés* (1816); *La moscovita sensible* (1816); *El valle del torrente o El huérfano y el asesino* (¿1817?); *La cabeza de bronce o El desertor húngaro* (¿1819?); *Las herrerías de Maremma* (¿1823?); *El barón de Trenk* (1824), y otras muchas que se omiten por brevedad.

No hay, pues, que extrañar que justamente el primer drama romántico, *La conjuración de Venecia, año de 1310*,[5] manifestase ciertos rasgos que lo emparentaban con los dramas sentimentales. Lo que, por otro lado, no impide que se le considere, como se va haciendo desde más de siglo y medio, el primer drama romántico.

Tal apareció ya a sus contemporáneos si, un año después del estreno, Eugenio de Ochoa, una de las plumas más autorizadas de la época, no dudaba en alabar a su autor, Francisco Martínez de la Rosa, como al poeta que tenía «la gloria de haber introducido el primero en el moderno teatro español las doctrinas del romanticismo».[6] Y descubría implícitamente rasgos románticos en la pieza al afirmar seguidamente:

> Su acción es grande y sencilla juntamente; en ella el interés va siempre en aumento; su desenlace, en estremo dramático y terrible.

A su vez, Larra, en un comentario entusiasta, aunque no mencionase el romanticismo, aludía a esa relación entre la obra y el público que tal vez sea uno de los rasgos más distintivos de la dramaturgia romántica respecto a la clasicista:

> Su mérito está en ese conocimiento del corazón humano con que prepara los efectos, con que se introduce furtivamente en el pecho del espectador, con que le lleva de sentimiento delicado en sentimiento delicado a enmudecer y a llorar.[7]

Era, en efecto, una forma nueva de concebir el teatro, que se reflejaba, entre otras cosas, en el extremo cuidado formal del texto y de la puesta en escena, como resaltaba Ochoa («la sostenida perfección del lenguaje, el aparato escénico y sobre todo la novedad del espectáculo») y ya, en la inmediatez del estreno, había puesto de relieve Larra:

---

5 Éste es el título original, como ha demostrado M.ª J. ALONSO SEOANE en su ed. cit., p. 38.

6 *El Artista*, I, 1835, p. 158.

7 «Representación de *La conjuración de Venecia*», en *Revista Española* del 25-4-1834, ahora en BAE CXXVII, p. 386a.

Hemos notado agradables novedades en esta representación: los actores se han sentado o levantado, se han movido o agrupado siempre como convenía a cada escena, venciendo mil antiguas preocupaciones de bastidores, harto conocidas de los concurrentes a los teatros españoles.[8]

Se trataba de una novedad de mucha más trascendencia de lo que pueda sugerir una lectura superficial. Es que los actores se habían dado cuenta de que había terminado la época pedagógica en la que tenían que declamar dirigiéndose a los espectadores, y que empezaba otra temporada en la que la comunicación entre personajes exigía un juego escénico más libre y al mismo tiempo más reconcentrado.

En fin, claro está que la pieza, comparada con el alud de dramones patéticos y refundiciones del teatro del Siglo de Oro que hasta la fecha habían invadido los teatros de la capital de España, mostraba ciertos aspectos de novedad temática y estilística, cierto corte inusual y, sobre todo, cierta dignidad de composición que justificaban la interpretación del drama como obra decididamente nueva, lo que por otro lado remitía, a la sazón, a la idea de una obra romántica.

Además, su autor, que ya podía jactarse de una larga carrera teatral en España y en el extranjero, había manifestado, en el curso de su amplia producción, un gradual acercamiento a los motivos que triunfarían con el advenimiento del romanticismo. Sobre todo en las dos piezas postreras su adhesión al movimiento aparecía parcial pero evidente.

En 1830 había compuesto en París, y en francés, su primer drama histórico, *Abén Humeya*, que consiguió un buen éxito en el célebre teatro de la Porte Saint-Martin y que el propio autor, después de su regreso a la patria, tradujo al español y estrenó el 10 de junio de 1836 en el Teatro del Príncipe, donde sólo se repuso dos días después. La obra poseía rasgos románticos, pero en 1836 ya aparecía superada: evidentemente el público advirtió las huellas de una persistente mentalidad clasicista, sobre todo en la prevalencia del tema político y en la excesiva tipificación de los personajes, maniqueamente contrapuestos entre buenos y malos.

Abén Humeya capitanea la insurrección de los moriscos contra la prepotencia de los castellanos; pero corre por sus filas la traición dirigida por Abén Abó y Abén Farax, que le obligan a envenenar a su suegro por sospechas infundadas, luego le atacan y le asesinan.

Más adelantada hacia el romanticismo aparece la tragedia *Edipo*, que, estrenada en el Príncipe el 3 de febrero de 1832, obtuvo en cambio más de 30 reposiciones. A pesar de cierta solemnidad y linearidad «clásicas» de los personajes, la obra se deslizaba, hacia el final, en el drama existencial de Edipo, que, como

---

[8] *Ibídem*, p. 386b.

un héroe romántico, advierte la opresión de un plazo que se le va acercando e intenta una vana fuga en el tiempo de los recuerdos juveniles.

El paso decisivo Martínez de la Rosa lo dio finalmente con *La conjuración de Venecia*, que se estrenó en el Teatro del Príncipe el 23 de abril de 1834 (después de un estreno en 1832 en Cádiz y de su publicación en París en 1830).

Anteriormente, las obras más importantes del teatro dramático que se habían alternado en el mismo año en la escena madrileña habían sido piezas lacrimógenas como *Valeria o La cieguecita de Olbruck*, *La huérfana de Bruselas*, *El leñador escocés* o *La expiación*.

El año anterior, además de varias reposiciones de estas misma obras, se habían representado otras piezas de igual jaez, como *Las herrerías de Maremma*, *Eduardo en Escocia*, *Roberto Dillon*, *Óscar hijo de Osián*, *Zeidar o La familia árabe*, más algunas tragedias como *El Cid*, *Otelo*, el *Pelayo* quintaniano y el *Edipo* del propio Martínez de la Rosa.

Claro está, pues, que, al salir a la escena *La conjuración de Venecia*, con sus motivos inusuales (o al menos no tan desarrollados en las obras anteriores) de la reconstrucción histórica, de la lucha entre libertad y tiranía, de la relación entre amor y muerte, era natural argüir que se trataba de una pieza inspirada por la nueva escuela.

Esa idea, muy bien fundada por lo visto, de que este drama es como la cabeza de la larga familia romántica, influyó en la actitud de muchos críticos, quienes dirigieron sus esfuerzos hacia la definición de los elementos que de alguna manera parecían preludiar el pleno florecimiento romántico. En otros términos, produjo una tendencia —que sólo en los últimos tiempos ha ido desapareciendo— a examinar la pieza a la luz y en función de los desarrollos siguientes, descuidando o subestimando los antecedentes que habían confluido en el drama.[9] Quizás no se haya considerado adecuadamente que, si *La conjuración de Venecia* es el punto de partida del teatro romántico español, es también el punto de llegada de experiencias anteriores que, gracias a la labor de Martínez de la Rosa, se fueron amoldando a las instancias de los tiempos nuevos.

En realidad, *La conjuración de Venecia* fue el punto clave, el crisol donde se fundieron tradición e innovación o, por decirlo mejor, de donde lo viejo salió rejuvenecido, con la añadidura también de motivos nuevos.

---

[9] Esta orientación la comparten, a diferentes niveles, tanto Peers como Alborg, Mc Gaha, González de Garay, Llorens y otros. Quien escribe estas líneas no se apartó, en el pasado, de la orientación dominante; aunque aludió, de paso, a la posible fuente del *Delincuente honrado*, analizó la obra esencialmente desde el punto de vista del desarrollo sucesivo. Relaciones con el teatro sentimental pusieron de relieve, en cambio, Navas Ruiz y Pataky Kosove. Otra cosa es, naturalmente, el estudio de la intertextualidad, al cual se han dedicado varios críticos, señalando posibles influencias, a varios niveles, de Delavigne, Soumet y Shakespeare (Sarrailh), de Lewis (Herrero), de Jovellanos (Paulino), de Manzoni (Alonso Seoane), etc. Para una puntual reseña de la tradición crítica, véase J. PAULINO, *Estudio Preliminar* a F. MARTÍNEZ DE LA ROSA, *La conjuración de Venecia*, Madrid, Taurus, 1988, pp. 19-25.

3.1.   En la línea del teatro sentimental

En esta perspectiva, colocar la *Conjuración* en un momento, aunque sea el momento final, de la historia del teatro sentimental —por decirlo mejor, de la historia de su hispanización que empieza con *El delincuente honrado*— no sólo nos ayuda a explicarnos su singularidad en los comienzos del teatro romántico español, sino que puede contribuir a mostrar en una luz diferente, y más apropiada, lo que hasta ahora algunos han considerado como una tímida adhesión a los motivos típicos del romanticismo.

En primer lugar nos explica la ausencia total de referencias al teatro del Siglo de Oro, tan corrientes en cambio en los primeros dramaturgos románticos, influidos desde luego por el *Discurso* duraniano; en segundo lugar, el uso de la prosa, la ambientación en la historia extranjera y otros pormenores que merezcan tal vez un análisis más detenido.

Empecemos por la trama, que parece remedar el esquema típico del teatro sentimental con su joven apuesto víctima de los malvados y su anagnórisis final.

I. *Rugiero, un joven* condottiero *de origen desconocido que ha combatido a las órdenes de Venecia, capitanea una conspiración contra el gobierno ilegítimo y tiránico de la república. Es la una de la noche.*

II. *En el panteón de la familia Morosini, durante un furtivo encuentro con su esposa secreta, Laura, hija del senador Juan Morosini, Rugiero revela imprudentemente la existencia de la conjura: le oyen algunos espías escondidos en el mismo panteón y dirigidos por Pedro Morosini, tío de Laura y presidente del Consejo de los Diez. Rugiero es capturado y Laura, desmayada, es llevada a su casa.*

Son la dos de la noche del segundo día.

III. *Al despertarse, Laura revela su enlace con Rugiero a su padre y éste intenta inútilmente interceder en favor del joven con su hermano Pedro.*

Es el segundo día, a una hora indeterminada quizás de la tarde.

IV. *A las doce de la noche del segundo día del drama (el mismo de los dos actos anteriores), último del carnaval que se celebra alegremente en la plaza de San Marcos iluminada, entre máscaras y danzas, los conjurados dan inicio al levantamiento, inmediatamente sofocado por los agentes del gobierno, que los estaban vigilando cautelosamente.*

V. *En la lúgubre atmósfera del tribunal de los Diez se juzga a los cautivos y se les condena. Rugiero es interrogado por el presidente, quien, por algunos detalles, descubre que el reo es un hijo suyo perdido y se desmaya. Esto no impide la prosecución del proceso, que acaba con la condena del protagonista a la pena capital. Desesperado, Rugiero pide en vano que se le permita abrazar al padre apenas conocido. Se le arranca con violencia de un abrazo improviso y desatinado de Laura, la cual, sumida en un delirio, no se da cuenta de lo que pasa hasta que el descubrimiento del cadalso le devuelve la razón y, con ella, la dolorosa conciencia de su desventura. Es el cuarto día del drama; la escena se supone diurna.*

Como es fácil deducir de estas someras referencias, Martínez de la Rosa respeta las líneas esenciales de la trama arquetípica del teatro lacrimoso («es un melodrama típico en su estructura», según la definición de Ricardo Navas Ruiz),[10] aunque suprima el *happy ending*; pero sobre todo deja muy visible la presencia de aspectos formales e ideológicos tan característicos del género, que vamos a reseñar a continuación.

a) Lo sublime

En primer lugar, nos impresiona la similaridad en la búsqueda de lo sublime horroroso y de lo patético lacrimógeno, que era uno de los rasgos más típicos de los dramas sentimentales. A lo sublime están dedicados, en nuestro drama, y con tintas recargadas, el II y el V actos, en tanto que lo patético, difundido en realidad a lo largo de toda la pieza, emerge casi agresivamente en el II, en el III y a finales del V.

Por lo que a lo sublime se refiere, la influencia del teatro sentimental se advierte también visivamente en ciertas elecciones escenográficas, como el panteón del II acto y el salón de las audiencias del V.

El panteón —que reaparecerá bastante a menudo en el teatro romántico hasta culminar en la segunda parte del *Tenorio*— no es más que una variante «a lo romántico» del recurso escenográfico del subterráneo, a menudo un calabozo (que aquí por otro lado aparece también, aunque indirectamente, en el último acto, gracias a la compuerta que se halla en el suelo y por la cual sale Rugiero) tan usual en aquel teatro;[11] pero la diferencia es mínima y el fin es el mismo: despertar en los espectadores ese horror que, según Schiller, estaba asociado constantemente con lo sublime, gracias sobre todo a la presencia de la obscuridad y el misterio.[12] Y la oscuridad, muy importante según Burke, porque «además de suponer una sensación de disminución de vitalidad, por hacer inútil el sentido de la vista, nos oculta la existencia de posibles riesgos»,[13] es aquí perseguida a todo trance: no sólo se alude explícitamente a la noche, que se cierne por la ventana, no sólo la escena es iluminada al principio por la luz mortecina de una vela, sino que también esta pequeña luz es pronto apagada por uno de los espías, de manera que los últimos episodios tienen lugar en la obscuridad más completa.[14] El motivo nuevo, romántico, consiste

[10] R. NAVAS RUIZ, *El romanticismo español*, Madrid, Cátedra, 1990⁴, p. 126. Véase también p. 157.

[11] El subterráneo o el calabozo aparecen, por ejemplo, aunque en algún caso sólo por referencia, en *La Elina, La enterrada en vida, La moscovita sensible, Oscar hijo de Osián, Las cárceles de Lemberg, Las minas de Polonia, La cabeza de bronce, Los amantes desgraciados, Las herrerías de Maremma, El bosque peligroso, El barón de Trenk, El leñador escocés, El duque de Pentiebre, Margarita de Strafford, El duque de Viseo.*

[12] Cf. F. SCHILLER, «Vom Erhabenen-Del sublime», en *De lo sublime-Sobre lo patético* (texto alemán con traducción de A. Dornheim), Mendoza, Universidad de Cuyo, 1947, pp. 53-57.

[13] Cit. por G. CARNERO, *La cara oscura del Siglo de las Luces*, Madrid, Cátedra-J. March, 1983, p. 23.

[14] Para una interpretación simbólica de la obscuridad en *La conjuración*, véase J. PAULINO, *op. cit.*, pp. 65-66.

en el valor simbólico del panteón, alusivo a la muerte (mientras que el subterráneo del teatro sentimental simbolizaba más bien dolor y opresión) y por lo tanto digno trasfondo de una escena de amor, gracias a la cual se llevaba a las tablas ese mito de la unión inseparable entre amor y muerte que cantaran los románticos de todas las naciones.

Pero, con esa sustitución, Martínez de la Rosa manifestaba también haber aprendido la lección que le brindaban los autores de dramas sentimentales, quienes atribuían a la escenografía una carga semántica totalmente desconocida por los clasicistas.

Consideraciones parecidas pueden valer también para el acto V, en el cual el sentimiento del horror está confiado tanto a la acción —culminando en la helada frialdad con que los Diez administran su terrible justicia y ordenan tormentos— como a la escenografía, cuyo momento más efectista resulta al final cuando, al descorrerse la cortina del cuarto del suplicio, se descubre el patíbulo.

Lo que importa subrayar es que este motivo del horror, que tanta parte ocupa en *La conjuración*, es muy característico de los «dramones» dieciochescos, mientras que, aunque sea con las debidas excepciones, aparece de manera más limitada en los típicos dramas románticos (tampoco aparecía con tanta intensidad en las tragedias neoclásicas). Bastaría pensar en el panteón-jardín del *Tenorio*, donde se conoce a las claras el intento de quitarle todo aspecto horroroso («la decoración —avisa Zorrilla— no debe tener nada de horrible»), cargándolo además de un sentido trascendente.

b) Lo patético

Algo diferente es el discurso relativo al patetismo, que, ya se sabe, es moneda corriente y de la que se abusa a lo largo de toda la dramaturgia romántica. Sin embargo, también en este campo hay que señalar diferencias que nuevamente acercan *La conjuración de Venecia* a sus modelos, separándola por tanto de los dramas históricos más inmediatos.

En el teatro sentimental se intentaba conseguir la conmoción de los espectadores a través de situaciones por sí mismas patéticas, de parlamentos imbuidos por la «retórica de las lágrimas»[15] y de una parte gestual y escenográfica atentamente elaborada con el fin de insinuar sentimientos de piedad intensa.[16]

A todo esto se ajusta *La conjuración*, que en efecto nos aparece más como drama de situaciones que de acción, como serán, en cambio, *Macías* o *Don Álvaro* y la larga lista de piezas que les seguirán. En realidad, las pocas peripecias se acumulan casi todas en el último acto y en el final del penúltimo, donde son in-

---

[15] Es la conocida expresión que M. J. GARCÍA GARROSA emplea justamente para titular su ensayo sobre la comedia sentimental: *La retórica de las lágrimas. La Comedia Sentimental Española, 1751-1802*, Valladolid, Universidad, 1990.

[16] He tratado el tema en «Il teatro del pathos e dell'orrore al principio dell'Ottocento», en *EntreSiglos* (ed. E. CALDERA-R. FROLDI), Roma, Bulzoni, 1991, pp. 57-74).

dispensables para que se produzca la catástrofe. En los demás actos el movimiento dramático es muy reducido, insistiendo más bien el autor en la explotación de situaciones patéticas, como aparece en sumo grado en el II y III actos, donde quien lo domina todo es Laura, o sea, justamente el personaje al cual está confiado el papel más conmovedor. Sus palabras, lejos de tener una función diegética, no hacen más que resaltar las dos situaciones intensamente patéticas en que forcejea, la del matrimonio secreto y la de la desaparición de su esposo.

Sus quejas, sus llantos (en realidad, Laura no hace más que llorar a lo largo de toda la obra y bastaría por sí sola para brindarle la calificación de pieza «llorona») no son más que un comentario sobre una situación estática, al punto de que el *récit*, más que un desarrollo, es una continua referencia a la *histoire*.

También al final lo que domina es la piadosa situación que se produce tras la anagnórisis (que tanto en el tema —el hijo perdido— como en la debilidad de los indicios en que se funda remite a la tradición sentimental), con el desmayo de Pedro Morosini y el deseo, insatisfecho y desesperado, por parte del hijo, de poder abrazar a su padre.

Además hay que subrayar que todas estas situaciones nacen de una perturbación de los afectos familiares que son cabalmente los que campean en la gran mayoría de las comedias lacrimosas y que el romanticismo en cambio sustituirá por historias de amantes infelices.

Otro rasgo, en fin, tan propio del teatro sentimental, que reaparece puntualmente en *La conjuración*, es el del patetismo confiado a los gestos de los actores, a quienes las acotaciones avisaban asiduamente de que levantasen las manos, alzasen los ojos al cielo, se enjugasen una lágrima, y así sucesivamente. Análogamente, en el acto II de nuestro drama indican gestos y ademanes de Laura y Rugiero cuyo fin es el de inspirar piedad casi a la fuerza. Léanse algunas: «*Dirígese con el mayor abatimiento*»; «*Cógela la mano y la besa con la mayor ternura*»; «*Le echa los brazos al cuello*»; «*Reclínase Laura en el hombro de Rugiero*». Son situaciones que se intensifican en el acto III, donde, reza la acotación: «*Laura suspira profundamente y deja caer la cabeza; queda postrada de dolor; arrójase a los pies de su padre; coge las manos de su padre, las lleva a la boca y levanta los ojos al cielo*». Entre tanto su padre «*enjúgase una lágrima de los ojos*».

Sin embargo, el colmo del *pathos* quizás se logre cuando Rugiero sale, en el último acto, «*desfigurado y abatido, con el mismo traje de baile con que fue preso y una cadena al cuerpo*». Dejando a un lado el traje de baile —sobre el cual habrá que volver—, la descripción está evidentemente acuñada sobre tantas parecidas de los modelos sentimentales, donde sobresalían los elementos fundamentales de las facciones desfiguradas del protagonista y de las cadenas que le atan. Estas últimas, sobre todo, eran los ingredientes que reaparecían casi obsesivamente, desde *La enterrada en vida* a *El duque de Pentiebre*, a *El barón de Trenk*, a *Las herrerías de Maremma*, etc.[17]

---

[17] Véase *ibídem*, pp. 67-68. Una situación muy parecida la ofrece cabalmente *El barón de Trenk*, cuyo protagonista aparece en el acto IV cargado de cadenas y con «*la cara llena de sangre*».

Por otro lado, hay que poner de relieve que el propio Rugiero posee los rasgos más típicos del héroe sentimental, parecido sí al romántico, pero también diferente. Conforme a la definición que de dicho personaje traza Florian, éste tiene que ser

> bueno, dulce, ingenuo, simple sin ser tonto, que hable con elegancia y exprese con ingenuidad los sentimientos de un corazón más tierno.[18]

A todos estos aspectos que, se conoce, se ajustan muy bien a la figura de Rugiero (sin perjuicio de otros rasgos que le emparentan también con los héroes románticos), hay que añadir el ser de origen desconocido,[19] como en efecto es nuestro protagonista.

Sin embargo debemos agregar que, pese a la importancia de Rugiero en el desarrollo de la trama, llamarle protagonista podría ser impropio, ya que este papel lo interpreta en realidad Laura. Es ella quien campea en la escena mucho más que su esposo (el cual no aparece sino al final del acto I, en parte del II y al final del V); quien manifiesta sus sentimientos en tanto que sus interlocutores, Rugiero o Juan Morosini (y también los jueces del tribunal) casi se diría que se limitan a escucharla; quien, en fin, vive el drama del amor y la muerte, desde el momento en que penetra, sola, en el panteón, hasta cuando, desmayándose delante del cadalso, cierra el drama con su exclamación de dolor y espanto.

Por eso se suma idealmente a la larga secuencia de mujeres protagonistas de dramas sentimentales, desde la Heloísa de *El duque de Pentiebre* a la Matilde de *La Enterrada en vida*, a la Moscovita sensible, a Margarita de Strafford, a Elina, a Elmira de las piezas homónimas, hasta la celebérrima Huérfana de Bruselas y muchísimas otras: mujeres sensibles y desgraciadas, perseguidas o atormentadas, que gimen a lo largo de toda la obra y que, como es sabido, se convirtieron en el blanco de la corrosiva sátira de don Leandro.

Finalmente, la agnición o anagnórisis, que reunía en el momento del desenlace a padres, esposos, hijos o hermanos (pero que sobre todo estribaba en el hallazgo de un hijo perdido), era tan corriente en el teatro sentimental que ya, creo, no despertaba ninguna sorpresa en el público; el cual, en cambio, en el caso de faltar, seguramente la echaría de menos. La anagnórisis, pues, es también un punto fundamental de la fábula en *La conjuración de Venecia*; la única, por otro lado importante, diferencia con el teatro anterior consiste, como ya se ha dicho, en que aquí, en lugar de proporcionar un final feliz, es un motivo más de doloroso agobio.

c) El lenguaje

También el lenguaje nos remite en ciertos rasgos al teatro sentimental. En primer lugar, por estar en prosa, tan inusual tanto en la dramaturgia neoclásica

---

[18] Cit. por M. J. GARCÍA GARROSA, *op. cit.*, p. 175.
[19] Véase *ibídem*, p. 176.

española como en la romántica: la prosa, en efecto, fue elegida para esta clase de teatro (con el auspicio de Diderot), por ajustarse mejor al ideal variamente teorizado de un lenguaje sencillo y natural.

No faltan sin embargo manifestaciones de retórica clasicista, que tenían también sus antecedentes en los posibles modelos del área sentimental y se amoldaban perfectamente al contexto de una obra dirigida a despertar la conmoción de los expectadores.

Podríamos, pues, concluir este apartado parafraseando la célebre definición que Menéndez y Pelayo dio de la *Poética* de Martínez de la Rosa:[20] *La conjuración de Venecia* es la llave que cierra el período abierto por *El delincuente honrado.*

3.2. En la línea del romanticismo

A pesar de todas las consideraciones anteriores, nadie puede negarle a *La conjuración de Venecia* la pertenencia al romanticismo, ya que el autor se sirvió de la armazón del teatro sentimental para intentar la hispanización del romántico. Naturalmente, se acercaba a los modelos con todo el rico patrimonio cultural que durante el largo destierro se había ido enriqueciendo con los aportes de ese mundo liberal y romántico con que había vivido en estrecho y fructífero contacto.

a) La ambigüedad romántica

Tal vez no siempre se haya considerado adecuadamente que *La conjuración* fue compuesta en 1830 (mucho antes del *Macías* de Larra), durante el florecimiento del teatro de Hugo: su composición se produjo, pues, en París después de tantos años de ausencia de España. Era lógico por tanto que la obra resultase bastante cercana, por varios aspectos, al romanticismo francés, el huguiano esencialmente. Si, como mantiene de manera muy documentada Alonso Séoane,[21] nuestro autor conoció la obra de Guillermo Schlegel, en la cual justamente se aludía a lo grotesco, seguramente leería también la célebre *Préface* del *Cromwell* (se había publicado en 1827), en la que Hugo, al prospectar su visión de la literatura, insistía sobre la contraposición entre grotesco y sublime como aspecto fundamental del arte romántico. Una visión que no arraigó en España, sobre todo por el valladar que contra ella levantó indirectamente el *Discurso* de Durán.[22]

---

[20] «La *Poética* de Martínez de la Rosa es la llave que cierra el período abierto por la *Poética* de Luzán».

[21] *Op. cit.*, p. 120.

[22] Sobre el tema remito a mi ensayo *Primi manifesti del romanticismo spagnolo*, Pisa, Istituto di Letteratura Spagnola, 1962, particularmente a las pp. 54-55.

Martínez de la Rosa, al contrario, parece que quedó afectado por esa teoría (aunque no haga ninguna explícita alusión a ella), puesto que escogió para su drama un asunto en el que el carnaval, es decir, lo que luego Bajtín definiría como la forma más típica de lo grotesco, se contraponía a lo sublime horrorífico de la conjura y de la persecución de sus miembros.

Es muy posible que la razón primera de la elección del argumento estribase en motivos de carácter histórico-político, como avisa el propio autor en la *Advertencia*. Sin embargo, al tener entre manos el asunto histórico, el autor debió percatarse del provecho que podría sacar de la coexistencia de grotesco y sublime y por lo tanto no dudó en modificar la realidad de los sucesos, adelantando el momento de la insurrección —que en realidad estalló el 15 de junio— a la temporada del carnaval: una operación tan cargada de significado y de intencionalidad programática si se piensa que en él la fidelidad a la realidad histórica usualmente mortifica las veleidades de la ficción.

En efecto, lo grotesco y lo sublime sobresalen constantemente, casi siempre enlazados, a lo largo de la pieza, entremezclándose desde el principio, en primer lugar gracias a la aparición simbólica de un enmascarado pocos instantes después de levantarse el telón; luego a través de las alusiones esparcidas en el I acto en el curso de las discusiones entre conjurados[23] que culminan en el parlamento en el que el Embajador trata explícitamente de la oportunidad de hacer coincidir la sublevación con el tumulto del último día de carnaval. Pero es en el IV acto cuando su encuentro se hace visible en la escena. Se trata de un episodio rico en colorido costumbrista, en el cual por vez primera —y única— asoman motivos cómicos que señalan más profundamente la oposición con la tragedia que va a estallar dentro de pocos instantes. Hay más: no sólo se mezclan ciudadanos deseosos de diversiones, conjurados y espías, sino que se van confundiendo los límites entre unos y otros, ocultos como están todos bajo el disfraz y los antifaces, mientras que la sombra de la delación y la sospecha se insinúa en todas partes.

Lo que aquí consigue el autor es justamente ese aspecto lúgubre que, según Bajtín, caracteriza lo grotesco romántico, donde, afirma el estudioso, la máscara, perdidos los aspectos jocosos primitivos, se convierte en el símbolo de la disimulación y el engaño.[24]

La tensión y la ambigüedad son tan fuertes, que en un momento dado Martínez de la Rosa repara en la necesidad de disolverlas; y es cuando, reza la acotación,

> *arrojan el disfraz los conjurados* (IV, 9).

Lo que ahora prevalece, conforme a las líneas de la fábula, es lo sublime de ese terrible tribunal que dominará el último acto y que Pedro Morosini anuncia estentóreamente al final del IV:

---

[23] Esc. 2.ª: «EMBAJADOR: [...] no creo que le hayan detenido las diversiones del carnaval»; esc. 3.ª: «RUGIERO: Toda la noche había notado que me seguía un máscara vestido de negro».

[24] M. BAJTÍN, *La cultura popular en la Edad Media y el renacimiento*, Barcelona, Barral, 1974, p. 42.

¡Al tribunal..., al tribunal los que escapen con vida!

Sin embargo, una seña del carnaval, la postrera, aparece fugaz pero significativamente hacia el final de la obra cuando Rugiero sale a escena «*atado con cadenas y con el mismo traje de baile con que fue preso*» (V, 9). Huelga subrayar la intensidad sígnica y el valor emblemático de la yuxtaposición.

b) El misterio y la realidad

La atmósfera de ambigüedad e incertidumbre que fue el mejor logro de la oposición entre lo grotesco y lo sublime se ve reforzada a menudo por otros recursos.

A ella en efecto contribuye notablemente, además del ritual secreto de la asamblea de los conjurados, el misterio que circunda a Rugiero, que envuelve su situación matrimonial, que emerge en sus alusiones a la conjura durante el coloquio en el panteón y que en este lugar encuentra un adecuado trasfondo escenográfico. Aquí amor y muerte —uno de los grandes mitos románticos— no sólo se mezclan y confunden, sino que se reflejan mutuamente en un sugerente intercambio entre actantes y escenografía: a un lado la pareja Rugiero-Laura, al otro, el sepulcro con «*dos figuras esculpidas groseramente en el mármol, ya carcomido por los años*». Cuatro seres unidos por un común destino adverso, como advierte Laura:

> ¡Los que yacen en este sepulcro fueron muy desgraciados, y nosotros lo somos también! (II, 3).

Tanta secreta correspondencia entre el mundo de los vivos y el de los muertos no puede sino favorecer el clima de misterio agobiante, que se incrementa con la obscuridad y la presencia oculta de los espías.

La ambigüedad prosigue en el acto siguiente cuando Laura se encuentra misteriosamente trasladada a su cama, y culmina en el acto final. Aquí no sólo el sombrío ritual de los Diez crea suspense e incertidumbre, no sólo la ambigüedad crece durante el juicio, en el cual reo y jueces hablan lenguajes diferentes y se hallan profundamente incomunicados, sino que el delirio de Laura determina forzosamente el choque entre la realidad trágica exterior que se va desarrollando delante de ella y el mundo absurdo de su realidad interior de un amor feliz que ella misma se ha forjado.

A pesar de que no falten, en los dramas inmediatos, rasgos muy parecidos a los que acabamos de poner de relieve, sin embargo no es fácil encontrar en ellos una tan acusada oposición entre lo sublime y lo grotesco, ya que a la difusión de los motivos huguianos se opuso, como se decía, el moderantismo del *Discurso* duraniano.

Sin embargo habrá quien, al final de la larga parábola del teatro romántico, sabrá aprovechar la enseñanza de Martínez de la Rosa: será Zorrilla quien en el crisol de su *Tenorio* fundirá, junto con otras sugerencias que supo captar de varias fuentes, el carnaval y el panteón, el juego y la pasión, enriqueciéndolos con un matiz trascendente que todo lo rescata en una visión superior.

c)   Otros rasgos románticos: el tiempo, el destino, la libertad

Claro está que otros ingredientes característicos del movimiento romántico emparentan *La conjuración de Venecia* con todo el gran caudal de dramas históricos que se compusieron durante el decenio 1834-1844; sin embargo, no resultan ni tan asimilados ni tan profundos como los que acabamos de analizar.

No se puede, por ejemplo, no reconocer la presencia del sentimiento del tiempo, aunque no adquiere la violencia agobiante que poseerá en otros dramas y que culminará en *Los amantes de Teruel*.

Sonidos de reloj apoyan o subrayan los momentos clave de la acción: da la una cuando, a poco de levantarse el telón, entra un hombre enmascarado en el salón del palacio del embajador genovés, iniciando así los preliminares de la conspiración, y dan las doce cuando estalla el levantamiento.

En cambio, la muda frialdad de un reloj de arena acompaña los actos del tribunal de los Diez y marca el tiempo que se va apresurando hacia la muerte de Rugiero: otro símbolo que Zorrilla aprovechará para el final del *Tenorio*, volviéndolo «a lo divino».

Además, la obsesión del tiempo que huye, del *werden* perenne e imparable, parece casi aplastar a ciertos personajes, como los que, durante la reunión de los conjurados, manifiestan su impaciencia por la premura del tiempo:

> THIÉPOLO. ¿Qué aguardamos, pues, qué aguardamos?
> DAURO. A cada instante se agravan los males y se dificulta el remedio.
> RUGIERO. La menor tardanza puede sernos funesta.
> MAFEI. ¡Ni un día más!
> VARIOS CONJURADOS. ¡Ni un solo día! (I, 3).

No falta tampoco el sentido del destino, aunque no aparezca tan arraigado como el que al año siguiente *Don Álvaro* llevará masivamente a la escena. Sin embargo, esa ironía, romántica desde luego, del destino —que en la obra de Rivas hará encontrarse a Don Álvaro y a Leonor un momento antes de la muerte— aclara aquí el misterioso origen de Rugiero en el momento mismo en que un tribunal presidido por su padre va a condenarle a la pena capital. Me parece éste un detalle de mucha envergadura, en el cual se deba quizás buscar el motivo, o uno de los motivos, de la supresión de ese final feliz que en los dramas sentimentales solía proporcionar la agnición final. Y es una prueba más de cómo nuestro escritor se sirvió del molde del drama sentimental para reducirlo a expresar motivos tan hondamente románticos.

En la vertiente ideológica *La conjuración de Venecia* nos muestra en fin una interpretación de los hechos en clave liberal —eso es, desde luego, anacrónica— que será corriente en muchas piezas de los años posteriores, sobre todo en las que pisaron las tablas en 1837. Los conjurados se juntan para liberar Venecia de la tiranía y se expresan con acentos alfierianos o quintanianos. En cambio, los que son adictos al dux no se expresan como serviles; antes bien, la conocida moderación de Martínez de la Rosa le llevó a presentarlos de manera digna: en la escena del juicio casi parecen percatarse de las razones de los unos y de los otros, así que a veces resultaría difícil, de no saberlo de antemano, distinguir entre «buenos» y «malos»: otro aspecto también de la sugerente ambigüedad de la pieza.[25] Quizás valga la pena cerrar estas consideraciones con la sintética propuesta de una doble clave de lectura que nos brinda Donald Shaw:

> *La conjuración de Venecia* puede ser leída como una obra dedicada al tema de la libertad. Pero también [...] puede ser tomada como una metáfora de la condición humana.[26]

d) Los límites

Lo que, en cambio, podría indicar que la adhesión al romanticismo no se ha desarrollado totalmente en Martínez de la Rosa no es tanto la ausencia de pasiones desbordadas[27] (que en realidad correspondían más bien a una caricatura del romanticismo) como la falta de esa riqueza connotativa, sea en el lenguaje, sea, y más acusadamente, en la caracterización de los personajes, que se convertirá en cambio en un elemento fundamental de diferenciación entre románticos y clasicistas y —se podría añadir con referencia al caso presente— autores de piezas sentimentales. En este aspecto, parece bastante evidente que el dramaturgo ha sido condicionado por sus modelos, siempre rigurosamente denotativos, aunque esto pueda también imputarse al fondo clasicista de su cultura.

Los personajes no evolucionan, sino que parecen constantemente fieles a la situación en que están arraigados, y a su escasa personalidad corresponde

---

[25] Para terminar esta reseña, no hay más que citar a J. PAULINO (*op. cit.*, pp. 39-40), quien resume así los varios rasgos románticos de la obra: «el número de personajes y la función anecdótica o sólo ambiental de algunos de ellos; las escenas de color local; las nuevas fuentes de inspiración; carácter enigmático del héroe; condición humilde de éste levantado por su esfuerzo y que finalmente aparecerá como noble; aspectos fúnebres de la representación y resaltados y valorados como signos; hay ya un mensaje específico en la escenografía; el recurso a los espías y a las máscaras, el contraste del disfraz (festivo) en el ambiente lúgubre y en la desgracia».

[26] En V. GARCÍA DE LA CONCHA, *Historia de la literatura española*, cit., p. 322.

[27] Si faltan en la obra «efectismos y concesiones, libertades y truculencias», comenta Alborg, esto no significa que *La conjuración* no sea romántica; antes bien, «es un excelente drama romántico, sabiamente frenado por la continencia de un clásico». Véase J. L. ALBORG, *Historia de la literatura española*, IV, Madrid, Gredos, 1972, p. 441.

forzosamente un diálogo igualmente pobre de fuerza comunicativa. Los diálogos de *La conjuración*, aunque representen un efectivo adelanto, respecto a las obras anteriores, hacia la plenitud de la comunicación entre personajes, manifiestan a veces características parecidas a las de las obras clasicistas y sentimentales. Es decir, si bien los personajes se han despojado generalmente de esa carga didáctica que los oprimía (o los ensalzaba) en el teatro anterior y ya intentan comunicarse entre sí, hay momentos en que sus réplicas todavía parecen dirigirse más bien al espectador que al interlocutor que se les opone en las tablas, conforme a las viejas formas de actuación. Esto vale sobre todo para el acto I, donde las ardientes declaraciones de amor patrio expresadas por los conjurados persiguen un fin eminentemente oratorio (el de *movere* al público) más que el típicamente teatral de incidir en la acción dramática. Y vale también para los monólogos, que, en lugar de ser —como acontecerá en lo sucesivo (pensamos naturalmente en las célebres décimas del *Don Álvaro*)— pausas de profunda meditación, parecen estar influidos por la búsqueda de efectismos. Lo que ya, con su fina sensibilidad, había advertido Larra, que propuso la supresión, o al menos la abreviación, del monólogo de Juan Morosini en el acto III.

e)   Los recursos escénicos

Naturalmente, no hay que olvidar que *La conjuración de Venecia* es la obra maestra de un dramaturgo experto, de un hombre de teatro que conocía muy bien los recursos del oficio y que los aprovechó para brindarle a su drama los caracteres más propios y más sugerentes de la teatralidad romántica: claro que dentro del moderantismo existencial y literario que siempre le acompañó y que críticos y biógrafos a menudo han puesto de relieve.

Ante todo, recurrió a una, «moderada» justamente, violación de las unidades. En cuanto a la de lugar, no se alejó sustancialmente de los postreros neoclásicos que permitían unos cambios limitados de un sitio a otro relativamente cercano entre acto y acto. Aquí en efecto todo parece seguir estas normas, desarrollándose la trama totalmente en Venecia, desde el palacio de la Embajada de Génova al panteón de la familia Morosini, a la casa de Juan Morosini, a la plaza de San Marcos, a la sala del tribunal.

El tiempo salva sin excesos las barreras canónicas de las 24 horas y se extiende a cuatro días escasos: el acto I se sitúa a la una de la noche del primer día; el II, III y IV se desarrollan el día siguiente desde las dos de la madrugada a la media noche; el V, dos días después.

Con ese amor a la obscuridad que posiblemente le derivaba del teatro sentimental y que transmitió a muchos dramaturgos románticos, el autor eligió la noche para los actos I, II y IV, contribuyendo así a la creación de esa atmósfera de lobreguez e incertidumbre que envuelve sugerentemente todo el drama, en la cual, con la pericia propia de una larga experiencia teatral, el autor introduce de inmediato al público.

Éste, al levantarse el telón, se encuentra en efecto sumido en una situación de suspensión y ambigüedad, donde juegan papel la premura del tiempo (desde la primera réplica del embajador genovés: «¡Cuánto tarda la hora!», y, en seguida, después de oírse el toque de un reloj: «Ya da»), la amenaza, representada por un enmascarado a quien el embajador impone dar la muerte a los sospechosos, la intriga, con los conjurados igualmente enmascarados que hablan al oído del centinela, hasta que la trama empieza a desarrollarse a través de las palabras que va dictando el embajador, en las que se alude explícitamente a la conjura.

Pero el estado de suspense se renueva en seguida con las palabras de los conjurados, que comentan preocupados la tardanza de Rugiero, y con las que, a su llegada, pronuncia éste revelando que alguien le ha seguido sigilosamente.

La misma atmósfera se intensifica en el acto II, que descuella como una pequeña maravilla de técnica teatral. Todo crea en él tensión y congoja: desde la lobreguez del ambiente sabiamente subrayada por varias réplicas y reforzada por sonidos espeluznantes, como el eco que repite el nombre de Laura y el soplo del viento, hasta la situación misma en que se encuentran los dos amantes que intercambian confianzas ignorando la presencia oculta de los espías (que en cambio el espectador conoce muy bien). Y es quizás el acto más rico de sucesos: la llegada de Morosini y de sus acólitos, la entrada cauta de Laura, precedida por el chirriar de la llave, el canto que anuncia a Rugiero, la entrada de éste, las informaciones que sus palabras le dan al público, y finalmente la intervención repentina de los espías, que apagan la luz y capturan a Rugiero, en tanto que Laura se desmaya.

Después de algunos momentos de relativa tensión causada por el diálogo entre Laura y la criada Matilde, donde se alude al misterio del traslado de la joven a su casa, el acto III transcurre en cambio bastante estancado en un patetismo muy intenso, de palabras y gestos, que, por apoyarse en las relaciones familiares (de la hija con el padre, del hermano con el hermano y, en un trasfondo referencial, de la esposa con el esposo lejano y perdido) posiblemente pudo hacer mella en la sensibilidad del público.

Sobre un fondo escénico quizás algo amanerado, pero de gran efecto y muy bien realizado gracias a los telones pintados por Blanchard, rico en matices y colorido local, con una sutil vena de alegría y comicidad totalmente desconocida en los demás, el acto IV se caracteriza por el dinamismo y un intenso juego escénico: individuos, parejas y grupos se juntan, se separan, se entrelazan, mientras que un velo de ambigüedad y sospecha se va extendiendo sobre toda la escena, hasta que estalla el trágico final. Es el momento culminante de lo grotesco.

En el acto final se juntan lo sublime y lo patético, que se habían ido distribuyendo a lo largo de la pieza, siendo el primero confiado preferentemente a la parte extraverbal y el segundo a la verbal. Sublime es el ambiente «*opaco y lúgubre*» del tribunal, con las puertas que conducen al cuarto del tormento y al del suplicio (y sus trágicos letreros: *Justicia, Verdad* y *Eternidad*), con una compuerta que lleva al calabozo subterráneo, con todo el aparato horroroso de la administración de una justicia cruel e inflexible (descuella el reloj de arena que cuenta los instantes que separan a Rugiero de la muerte); patéticas las declaraciones de los reos, que piensan en las personas ligadas afectuosamente con ellos, y de Laura, que, en su trastorno mental, persigue un sueño imposible de felicidad conyugal. Sin embargo, lo sublime y lo patético se juntan en los dos protagonistas en un momento de particular tensión: cuando Rugiero, encadenado y desfigurado, pide permiso en vano para abrazar a su padre y cuando Laura parece recuperar la razón delante del patíbulo.

No hay mucho dinamismo, pero el movimiento de los presos que se alternan en el escenario, junto con la doble aparición de Laura (para contestar al tribunal y para lanzarse sobre Rugiero), con las pausas y los silencios que esto supone, son seguramente de gran impacto escénico. El final, con la cortina que se descorre de repente descubriendo el patíbulo, es, como se ha anotado anteriormente, un golpe de teatro magistral.[28]

> El plan está superiormente concebido, el interés no decae un solo punto, y se sostiene en todos los actos por medios sencillos, verosímiles, indispensables (LARRA, *Revista Española*, 25-IV-1834).
>
> El plan de esta pieza se halla tan bien meditado [...] que lejos de costar esfuerzos a la imaginación, se necesitan más bien para persuadirse de que no es la realidad la que a los ojos se representa (*El Tiempo*, 24-IV-1834).

4. EL DRAMA DE UN COMEDIÓGRAFO: *ELENA*

Manuel Bretón de los Herreros, que ya podía jactarse de una larga carrera teatral, tanto de comediógrafo original como de traductor, durante la cual había conocido momentos de verdadero éxito (en 1831, como hemos visto, había estrenado la aplaudida *Marcela*), hizo también una poco afortunada incursión en el terreno del drama romántico, estrenando *Elena* en el Teatro del Príncipe el 23 de octubre de 1834. La obra, rechazada por la censura el año anterior, no debió de encontrar mucho favor entre los espectadores, ya que sólo se mantuvo en el cartel del Príncipe tres días, después de los cuales desapareció de los repertorios. Con *Elena* el autor salía de la pauta habitual, a solicitud de algunos amigos que le instaban «a dar alguna muestra de su poca o mucha capacidad para crear situaciones de grande interés y pintar afectos y caracteres que no caben en la comedia propiamente así llamada». Era el tributo que pagaba a la nueva moda, ya que, añade:

---

[28] Para un análisis muy puntual y pormenorizado de los valores teatrales de la obra, véase M.ª J. ALONSO SEOANE, *op. cit.*, pp. 130-162.

El moderno *romanticismo* estaba en su mayor auge, y era difícil que temprano o tarde dejase de llevar también alguna ofrenda a las aras del ídolo nuevo.[29]

Para cumplir con esta tarea, consciente o inconscientemente, Bretón se inspiró en los modelos del teatro sentimental, en su parte más patéticamente angustiosa, intentando sin embargo caracterizar en sentido romántico situaciones y personajes.

I. Gerardo ama con una pasión indomable a su sobrina Elena, huérfana que vive en su casa (en Utrera), la cual rechaza todas sus proposiciones por seguir enamorada de Gabriel que, por unas falsas acusaciones urdidas por Gerardo, la ha abandonado con un hijo. Es la mañana.

II. Elena busca amparo en Sevilla, en casa de una tal Victorina, donde se coloca de camarera, pero la sigue el implacable Gerardo, que obtiene un puesto de lacayo en la misma casa. Victorina está a punto de casarse con el marqués de Rivaparda, pero reconoce en un conde que ha venido como testigo de las bodas un antiguo y nunca olvidado pretendiente, mientras que el marqués y Elena se reconocen como los novios que se habían separado. Ha pasado un mes: es de día.

III. Elena, para vengarse del marqués, se declara dispuesta a casarse con su tío, en tanto que éste, para mayor seguridad, se pone de acuerdo con el bandido Rejón para que asesine a su rival. Va anocheciendo.

IV. Varios episodios tragicómicos en un lugar despoblado, donde Rejón y su banda asaltan a los viajeros, hasta que llega el marqués, en el cual Rejón, ex sargento, reconoce un antiguo oficial suyo. Le deja libre y decide volver a la vida honesta. Es la tarde del día siguiente.

V. En una cabaña donde está hospedado su niño, Elena, con la mente trastornada, recibe la visita del marqués, al que no reconoce, y luego de Gerardo, al que, recuperada la razón, rechaza aterrorizada. Vuelve el marqués, se abrazan, en tanto que Gerardo se dispara un tiro con una pistola. Es la noche del segundo día, iluminada por la luna.

Aunque, quizás, no haya que hablar de un modelo definido, parece bastante clara cierta similitud con la celebérrima *La huérfana de Bruselas*, desde la condición de la protagonista («Infeliz huérfana soy», II, 1) a su persecución por parte de un ser diabólico y esclavo de la pasión, a su búsqueda de protección en una casa de gente acomodada, a la reconciliación final de los amantes acompañada por el castigo del malvado. Sin embargo, sobre este enredo tradicional Bretón intentó, y consiguió al menos parcialmente, introducir motivos y aspectos propios del romanticismo.

En primer lugar, compuso su drama en verso, alejándose de esta manera de una norma siempre rigurosamente observada por los autores de piezas sentimentales. Como es lógico, además, no respetó las unidades: cuatro sitios diferentes y un mes de duración indican, a las claras, intencionalidad.

---

[29] En una nota que precede al drama y que Bretón, según afirma, puso por primera vez en la edición que salió «transcurrido más de un cuarto de siglo».

En segundo lugar, convirtió en romántico el final, imaginando que el castigo del malvado le llegase de su propia mano; motivo inusual, creo que totalmente desconocido en el teatro sentimental, y claro índice de tiempos mudados, en los cuales el hombre se ha hecho dueño de su existencia y la justicia, antes heterónoma, se ha convertido en autónoma. En otros términos, suicidándose, Gerardo ha obedecido al imperativo categórico.

En fin, con una operación algo superficial pero eficaz, recargó las tintas en la caracterización de los personajes, sirviéndose, a tal fin, de ese lenguaje «furibundo» que Lista consideraba típico de los románticos.

Gerardo, por tanto, abre la función exclamando:

> Ya no hay freno a mi pasión.

Y prosigue, a lo largo de toda la pieza, ensartando expresiones de este jaez, todas caracterizadas por el romanticismo más manierista:

> El fatal
> momento se acerca. Tiemblo (I, 2).

> ¡Oh mujer, mujer fatal
> nacida para mi mal! (I, 5).

> ¡Ah! más que a tu despecho
> grata será su muerte al odio mío (III, 4).

> No brillará dos veces
> la luz del sol, cara Elena,
> sin que mi mano se cebe
> en la sangre de un rival
> aborrecido (III, 8).

> Todo el horror del infierno
> dentro de mi corazón (V, 8).

> tu vil seductor [...]
> ....
> víctima de mi furia y de tu encono,
> nadando en sangre descendió al abismo (V, 10).

> La vehemencia
> de mi pasión terrible
> la pugna requería
> de otra pasión profunda, irresistible (ibidem).

> La historia fatal
> ....
> de mi pasión criminal (V, 14).

Al papel del perverso Gerardo se opone el de la sensible Elena, caracterizada por su fidelidad a su amado Gabriel, que también encuentra su manifestación expresiva en el más típico formulario romántico. A las instancias de
Gerardo, contesta decidida:

> Un alma como la mía
> ama una vez, y no más (I, 5),

y agrega:

> Sí, le amo, le amo, señor,
> y eterno será mi amor *(ibidem)*,

hasta desafiarle:

> Clavad el hierro inhumano
> en mi sangre aborrecida *(ibidem)*.

También su amor adquiere los rasgos de la pasión más atrevida, no sin cierta concesión al gusto de lo macabro:

> ¡Pueda la herida sangrienta
> mi amante labio besar,
> y yo moriré contenta! (V, 11).

Pero, más allá de esta adhesión a los aspectos más vistosos del romanticismo, Bretón da un paso más matizando a sus personajes, que en efecto, ya no
rígidos y monótonos como eran en los modelos, se van desenvolviendo a lo
largo de la trama. Gerardo pasa de la pasión desbordante a la compasión por
su víctima («¡Desventurada Elena! / El dolor que la agobia [...]» [III, 5]), al odio
feroz («¡Cuál me gozo / en tu dolor» [III, 10]) y luego al arrepentimiento («mi
pasión criminal» [V, 14]). De igual forma, Elena, a pesar de su constancia amorosa, tiene momentos en que la desesperación la lleva al deseo de venganza
que, además de manifestarse en la aceptación del amor de Gerardo, se expresa
en tonos violentos, casi blasfemos:

> ¡Dios de venganza! ¿Eres sordo
> al clamor de una infeliz?
> Descienda desde tu trono
> un rayo exterminador.
> Perezca el hombre alevoso
> que así me engañó. Sepulta
> a su cómplice en el polvo
> de la tumba. ¡Miserable! (I, 3).

No faltan tampoco numerosas referencias a esa «fuerza del sino» que iba a
encontrar al año siguiente su mitificación en el *Don Álvaro*. Si Elena lamenta «el

encono de mi estrella» (I, 3) y «mi destino adverso» (I, 5) y comenta: «Nací en hora funesta» (II, 1), Gerardo la define «mujer fatal» (I, 5), llama a su pasión «funesta» (V, 14) y espera que haya llegado «el fatal momento» (I, 3).

Como otro rasgo muy de época, donde se delata también la influencia lejana de Schiller, valdrá en fin la pena recordar el acto IV, todo dedicado al episodio (por otro lado no exento de pasajes abiertamente cómicos) de los bandoleros, cuyo jefe, Rejón, se manifiesta como «bandido gentilhombre» al defender a Elena de los perversos deseos de uno de sus ladrones, al pagar generosamente a un pintor que le ha retratado, y al arrepentirse al final con palabras pronunciadas antes de caer el telón y destinadas a arrancar lágrimas y aplausos de un público liberal y monárquico:

> Aún soy el sargento Suárez
> ....
> Aún puedo, Dios bondadoso,
> expiar tantas maldades
> por mi patria y por mi Reina
> vertiendo toda mi sangre (IV, 14).

Claro está que en este acto, como en otros episodios o réplicas, aparece la sonrisa del comediógrafo, la misma que dicta ciertos apartes cómicos del siervo Ginés, que juega con los equívocos, y que presenta la historia de los amores del conde, del marqués y de Victorina con la bondadosa ligereza que pocos años antes había caracterizado los sucesos de *Marcela*.

Desde el punto de vista espectacular, la obra presenta bastante dinamismo (con la excepción del acto I, algo lento y fundado en el diálogo entre Gerardo, su criado y Elena), con movimiento de personajes, sorpresas continuas, momentos de intriga. La escena, que en los tres primeros actos es propia de cualquier comedia, siendo el normal interior de una casa, adquiere rasgos románticos en el IV (ladrones en un «*fragoso despoblado*») y en el último, donde el teatro representa el «*interior de una cabaña. La luz de la luna penetra en ella por una ventana*».

A pesar de ciertos méritos, la obra, como hemos visto, no debió de gustar. Posiblemente, el público no aprobó sus tonos exasperados, que se reflejan tanto en el lenguaje como en la trama, donde la perversidad de Gerardo y su cómplice Ginés pudo aparecer poco plausible. Además resultaba poco persuasiva esa mezcla de comedia y tragedia (que era una cuestión estructural, no sólo de réplicas), que podía crear la impresión de un drama veleidosamente romántico, escrito sin mucha convicción.

> Dar vida a la erudición, ofrecer los acontecimientos de nuestra antigua historia y los hombres de aquel tiempo con el verdadero color de su siglo, y arrojarlos, como único contraste, en medio de esta sociedad, de esta civilización moderna, uniforme y fría en todas sus costumbres. Éste es el verdadero romanticismo. El autor de *Elena* al dar el nombre de *romántico* a su drama habrá creído sin duda

que bastaba la violación entera de las reglas aristotélicas para cumplir con las exigencias del género; pero esta circunstancia no es la única ley de un romántico. El drama de *Elena* está falto de interés: dos y acaso tres acciones se dejan ver en él, y ninguna se halla concluida [...] El autor de *Elena* no añadirá con esta nueva producción un nuevo laurel dramático a los muchos que tiene conseguidos (*Revista Española*, 25-X-1834).

5. DEL NEOCLASICISMO AL ROMANTICISMO: *MACÍAS*

En 1833 la censura prohibió la representación de **Macías**, pieza del joven y conocido periodista Mariano José de Larra, por el odioso papel que en ella representaban los nobles tiránicos del siglo XV, en los cuales el público habría podido entrever alusiones a la situación política de la España contemporánea.

Al año siguiente, después del cambio de régimen y la aprobación del Estatuto Real solicitada por Martínez de la Rosa, se le concedió el permiso y la obra se estrenó el 24 de septiembre en el Teatro del Príncipe, donde fue aplaudida y conoció casi 30 reposiciones en el curso de las dos décadas románticas. Salía, pues, a la escena pocos meses después de *La conjuración de Venecia*, a la cual habría podido disputar la calificación de primer drama romántico.

En realidad, el autor rechazaba cualquier inclusión en géneros o movimientos para su drama: «Quien busque en él el sello de una escuela, quien le invente un nombre para clasificarlo, se equivocará», proclamaba en la introducción que prepuso a la edición de 1834. En cuanto a una colocación en el movimiento romántico, quizás la rechazase instintivamente por no poder olvidar las palabras con que, hacía seis años, había hablado despectiva y burlescamente del romanticismo en la reseña de *Treinta años o La vida de un jugador*, que había incluido entre «estas señoras piezas desarregladas dichas del *romanticismo*».[30]

Por lo tanto, prefirió no alejarse demasiado de la tradición y escribió una pieza que se situaba en la línea de las muchas refundiciones con que los clasicistas habían «arreglado» las comedias del Siglo de Oro. En su caso, los posibles modelos eran *Porfiar hasta morir* de Lope de Vega y *El español más amante* de Bances Candamo,[31] aunque existían otras fuentes no teatrales y el mito de Macías disfrutaba de una vivencia tradicional desde hacía siglos. Un argumento, pues, bien conocido (lo cual debió de contribuir no poco a una recepción favorable), romántico, por decirlo así, *ante litteram*, que de todas formas Larra insertó en una pieza de estructura neoclásica, respetuosa de las unidades y compuesta en versos tradicionales.

[30] En el *Duende satírico del día* del 30-3-1828, ahora en BAE CXXVII, pp. 16-22: la cita, en la p. 16b.
[31] Según G. TORRES NEBRERA (*op. cit.*, p. 78), el modelo más cercano es la obra de Bances, aunque Larra actúe de manera original, presentando dos variantes: «el plazo temporal, como interno motor de la acción escénica, y la actitud copartícipe de Elvira, aceptando una unión *post mortem*».

I. Año 1406. El hidalgo Fernán Pérez de Vadillo, escudero de Enrique de Villena, con altanería y amenazas, pide a Nuño Hernández la mano de su hija Elvira, ya que ha expirado el plazo de un año que ésta había pedido para esperar el regreso de su amado Macías, que había sido enviado a Calatrava por el propio Enrique. Nuño presiona a la joven y, manifestándole que Macías se ha casado (es una falsa voz que ha difundido el mismo Vadillo), logra convencerla de que acepte las bodas.

II. Macías vuelve a tiempo para encontrarse con Elvira y Fernán, que salen de la capilla donde se han celebrado sus bodas. Trata de herir a su rival, pero es detenido por Villena.

III. Macías consigue entrar en la habitación de Elvira e intenta convencerla de que huya con él, pero es interrumpido por la llegada de Vadillo y los suyos. Se retan y Villena manda que se encierre a Macías en una torre hasta el día siguiente, fijado para el desafío. Elvira oye que Vadillo urde una traición contra Macías y envía a la dueña Beatriz con el encargo de sobornar a los carceleros y liberar a su enamorado.

IV. En la cárcel donde está detenido Macías entra sigilosamente Elvira, que le insta para que huya. Pero son atacados por Vadillo y sus sicarios: Macías se lanza contra ellos y es herido de muerte. Elvira le arranca la daga y se hiere mortalmente con ella. Entran, demasiado tarde, Villena y varios personajes.

Como se puede deducir de este resumen, si la unidad de tiempo es respetada hasta obligar al autor a comprimir demasiado los sucesos, se trata con cierta mayor libertad la de lugar: desde la habitación de Elvira del acto I se pasa en el II a la cámara de don Enrique de Villena, en el III a la habitación de Fernán Pérez de Vadillo, y en el IV a la cárcel. Sin embargo, se respeta el principio fundamental del teatro clasicista de situar la escena en un mismo lugar o en sus inmediaciones: aquí el elemento unificador es el palacio de Enrique de Villena en Andújar, al cual pertenecen los diversos ambientes.

El drama seguía, pues, las líneas fundamentales de toda refundición clasicista, pero la atmósfera, la *Stimmung*, era ya manifiestamente romántica,[32] de manera que la pieza venía a colocarse en ese *justo medio* que era uno de los postulados del *Discurso* duraniano y que habría caracterizado durante largo tiempo al teatro romántico español; era quizás una de las pocas auténticas manifestaciones de ese eclecticismo que muy pronto se convirtió en el estandarte de todos los defensores de un romanticismo castizo.

Lo romántico del *Macías* se fundaba esencialmente en los dos temas del amor y del tiempo, estrictamente entrelazados y con todos sus típicos anejos de la muerte, la comunicación, el plazo, la transgresión.

«Macías —había afirmado Larra— es un hombre que ama, y nada más», subrayando de esta manera la importancia del amor en su obra. No era por otro lado ninguna novedad, ya que la historia y la tradición habían ligado a su

---

[32] Cf. E. A. PEERS, *Historia del movimiento romántico español*, Madrid, Gredos, 1973, I, p. 327: «*Macías* es romántico en gran parte, sin género de duda».

nombre indisolublemente el apodo de «el Enamorado»; pero Larra no sólo había conferido a este amor una fuerte preeminencia sobre todos los demás motivos, convirtiéndolo en el núcleo fundamental de la trama, sino que también había transformado en un drama de amor lo que en sus posibles modelos era una tragedia de la honra. El «defensor de su honra», Fernán Pérez, es aquí un ser despreciable que conquista a la mujer por medio de un ardid y de la prepotencia, en tanto que el protagonista se atrae la simpatía de los oyentes reivindicando la primacía del amor sobre la hipocresía de las normas que dominan la sociedad.

Y frente al amor platónico de las comedias barrocas («Honestamente te he amado», proclama Macías en *Porfiar hasta morir*), no exento de toques corteses («amar y servir»), se erige la pasión del héroe romántico que nos impresiona en primer lugar por la intensa sensualidad que la envuelve. A veces Macías pronuncia versos en los que se percibe un escalofrío de sutil erotismo:

> De tus ropas
> al roce solo, al ruido de tus pasos,
> estremecido tiemblo... (IV, vv. 119-120).

> y me siento morir, cuando en tus ojos
> clavo los míos; si por suerte toca
> a la tuya mi mano, por mis venas
> siento un fuego correr que me devora (IV, vv. 126-129).

Asimismo los celos despiertan una verdadera pesadilla erótica:

> ¡gozando
> otro estará de tu beldad! ¡Y entonces
> tú gozarás también, y con halagos
> a los halagos suyos respondiendo!... (III, vv. 202-205).

Era la primera vez, creo, que un público madrileño oía salir del escenario expresiones tan atrevidas.[33]

A la transgresión expresiva se juntaba una más fuerte, más atrevida todavía, transgresión social. Desde su aparición en escena, Macías manifiesta a las claras su persuasión de que el amor prevalece sobre cualquier forma de imposición de parte de la sociedad. Ante Villena, que en el momento representa el poder y la autoridad, Macías, recién llegado, no duda en justificarse por haber violado en nombre del amor la orden del propio Enrique, que quería mantenerle lejos de Andújar:

---

[33] S. KIRKPATRICK («Liberal romanticism and the female protagonist of *Macías*», *Romance Quarterly*, XXXV [1988]) habla de «la obsesión de Macías de ver a Elvira como un objeto sexual, simplemente un cuerpo»; lo cual le parece una absurda exageración a SHAW, *op. cit.* (en V. GARCÍA DE LA CONCHA, *Historia de la literatura*, cit., p. 325).

> Perdona si a la orden tuya
> no di obediencia debida
> ....
> Aquí está Elvira, señor,
> y aquí, como caballero,
> mi juramento primero
> me llamaba y el amor (II, vv. 437-444).

Por consiguiente, cuando Elvira ya está casada, tampoco duda en proponerle la violación del pacto conyugal con esos versos famosísimos que justamente se consideran como la proclama del amor romántico y de una concepción liberal de las relaciones sociales frente a esa visión estamental que ya censurara Moratín:

> Rompe, aniquila
> esos que contrajiste, horribles lazos.
> Los amantes son solos los esposos.
> Su lazo es el amor: ¿cuál hay más santo?
> Su templo el universo: dondequiera
> el Dios los oye que los ha juntado (III, vv. 155-160).

Macías es un postkantiano que reivindica su autonomía, la libertad de su yo, frente a la heteronomía de leyes tiránicas. Por tanto, como un buen liberal, anacrónico por supuesto, rechaza la superioridad de otro hombre y a Villena le contesta enfurecido:

> ¿Pensáis acaso
> que soy menos que vos? (III, vv. 278-279).

Si Macías permanece fiel a su sentimiento desde el principio hasta el final, Elvira evoluciona desde el amor inicial y la consiguiente repulsión hacia el matrimonio impuesto («¡Vínculos tristes / que antes de unirme acabarán mi vida!» [I, vv. 325-326]) al deseo de venganza cuando le comunican la falsa noticia de que Macías se ha casado («Ya quiero a Fernán Pérez, ya le adoro» [I, v. 500]), a la obstinada lealtad hacia su marido («insoluble lazo» [III, v. 193]; «ni ya uno de otro / podemos ser jamás» [IV, vv. 168-169]), a la compasión por su antiguo enamorado que la lleva a la cárcel, al cedimiento delante de sus protestas amorosas que le dictan palabras tan apasionadas como las de él:

> Sí; yo te amo; te adoro, ni me empacha
> el rubor de decirlo (IV, vv. 180-181).

> Mujer ninguna
> amó cual te amo yo (IV, vv. 186-187).

Cuando en fin no le queda otro recurso, busca la muerte como gesto supremo de amor, se hiere con la misma daga de Macías y a su marido declara:

La tumba será el ara donde pronta
la muerte nos despose (IV, vv. 285-286).

De esta forma, el vínculo, tan típicamente romántico, entre amor y muerte
aparece mucho más estrecho que en *La conjuración de Venecia,* abriendo el camino hacia tantas reelaboraciones del mismo motivo que confluirán en el final
trascendente del *Tenorio.*

Pero también encierra en sí el tema de la comunicación, que tanta importancia tendrá en los futuros dramas (y comedias, desde luego) del romanticismo español. Durante una larga parte de la obra Macías y Elvira parecen hablar
dos lenguajes diferentes, él invocando los derechos del amor y ella los del matrimonio; sólo al final, en la inminencia de la muerte, la mujer, como hemos
visto, adopta el mismo lenguaje de su amante. A partir de este momento, su
consonancia es total y se condensa en dos réplicas que no casualmente se refieren a la muerte próxima:

Primero que ser suya, entrambos juntos
muramos,

propone Elvira. Y Macías no duda en replicar:

Sí, muramos (IV, vv. 228-9).

Es la definitiva declaración de amor.

La muerte fue uno de los grandes descubrimientos de los románticos:
muerte como sublimación de los grandes valores que la existencia infeliz no
sabía realizar; muerte como superación del agobio del tiempo y del espacio
en el que el hombre romántico se encontraba desesperadamente encerrado.
Muerte por tanto no temida, sino deseada, amada en una nueva forma de misticismo laico.

Larra intuyó como artista el partido que se podía sacar de un motivo tan difundido en la época, que también sentía profundamente como hombre, ya que
la muerte fue para él, como para su Macías, una conclusión buscada autóno-
mamente para una vida ya insostenible.

Y como la había asociado con el amor, así la asoció con el tiempo, convir-
tiéndola en el punto de llegada y de superación de una existencia vivida bajo la
amenaza o, si se prefiere, la esperanza frustrada de un plazo. Por eso, conta-
minó el mito de Macías con el de los amantes de Teruel y concentró la trama
sobre el plazo de un año que Elvira le había pedido a su padre y que está expirando cabalmente en el momento mismo en que se levanta el telón.

El plazo se convierte rápidamente en el eje central de la acción y, por ser la
causa principal de la desesperación de los dos enamorados, el discriminante
entre la felicidad y la infelicidad y finalmente entre la vida y la muerte, en un
verdadero símbolo existencial.

Es el punto de referencia constante en los discursos de todos los personajes. Ya en la cuarta réplica Fernán Pérez le recuerda a Nuño (y, desde luego, avisa a los espectadores) que «Hoy [...] expira / el plazo que me pusisteis» (I, vv. 13-14). Nuño le echa en cara a su hija: «vos misma el plazo os pusisteis / de un año» (I, vv. 276-277); le pregunta luego, amenazador: «¿Más plazos me pedís?» (I, v. 396), para recordarle en seguida que se ha «cumplido el plazo» (I, v. 398). El plazo es el tema de la conversación entre Macías y su escudero al llegar al palacio de Villena, y de éste y Macías: el primero para subrayar su ineluctabilidad, el segundo para extrañar tanto rigor. La última alusión al plazo sale en fin de la boca de Vadillo, quien, al oír las palabras con que Elvira le confiesa que no le ama, prorrumpe:

> ¿Y para oír tal injuria
> un año entero esperé? (III, vv. 463-464).

A partir de este momento ya no se habla de este plazo, sea porque ha sido superado por los sucesos, sea porque otro plazo se cierne: el del desafío. Que será superado también por el último plazo, el de la muerte, que está en acecho en la celda donde Elvira y Macías tienen su último coloquio y que ya se ha anunciado en el acto anterior cuando Fernán manda a su criado que le busque cuatro sicarios, añadiendo: «Dentro de una hora [...]» (III, v. 530).

Nueve veces se nombra el plazo en la obra, pero las alusiones son más numerosas y sobre todo se crea la sensación de que la idea del plazo la recorre íntegramente. Brota, por ejemplo, de las palabras de Elvira, que opone un *ayer* a un *hoy*, un *entonces* a un *ahora* o que confía a los tiempos verbales la conciencia de la situación en que se encuentra:

> Que os amaba
> sólo os quise decir, mas no que os amo (III, vv. 145-146).

Por natural consecuencia, los personajes sienten la premura de un tiempo que se acerca o que parece que se escapa y llenan sus parlamentos de referencias temporales: «¡Presto!», «¡Oh, cuánto tarda!», «¡Es tarde, es tarde!», «Urge el tiempo», etc., hasta que, en los últimos catorce versos, aparecen cuatro réplicas que subrayan una angustiosa secuencia temporal: Elvira le espeta a su marido un irónico: «El punto ya es llegado.» «¡Ya no es tiempo!», grita poco después Fernán. En cambio, Beatriz exclama desde dentro: «Acaso es tiempo aún»; pero al entrar se corrige en seguida: «¡Ah! no. ¡Ya es tarde!»

Amor infeliz y apasionado, ansia de muerte, afán de comunicarse, sentimiento angustioso del tiempo y, sobre todo, enfrentamiento entre el yo y el mundo convierten esta tardía refundición estructuralmente clasicista en una pieza exquisitamente romántica, al punto que se le puede considerar el verdadero punto de arranque del drama romántico español, la obra modélica a la cual, consciente o inconscientemente, tendrán que mirar los futuros dramaturgos.

A esta función de modelo contribuye también la rica matización de los personajes, ya no tan denotativos como en *La conjuración* o en *Elena*. Hemos visto cómo Elvira conoce una evolución que nace de un debate interior; Macías en cambio es más lineal pero pasa del amor al furor, del furor a la desesperación y en fin a una turbia alegría, y, además, conoce también sus momentos de humana debilidad, sobre todo al final, cuando Elvira se le ha declarado y siente entonces un improviso apego a la vida:

> ¡morir no ha un hora
> desdeñado anhelaba, y tiemblo amado! (IV, vv. 261-262).[34]

La observación vale también para otros personajes, como Villena, tiránico sí, pero no exento de cierto sentido de la justicia.

Quizás se pueda considerar romántico también el lenguaje, por ser eminentemente coloquial, con la añadidura de ciertas expresiones modeladas sobre el romanticismo más manierista: «¡Tráguene antes el abismo!», «¡Caigan mil rayos / sobre mí!», «¡Maldición sobre ti!», que culminan en la amenaza pronunciada por Macías:

> Cuando olvidarme quieras en sus brazos,
> entre tu esposo y entre ti mi sombra
> airada se alzará, para tu espanto,
> de sangre salpicando todavía
> tu profanado seno (III, vv. 341-344).

En la puesta en escena del *Macías* la empresa siguió actuando con el esmero con que había realizado *La conjuración de Venecia*. El *Eco del Comercio* alaba «la propiedad y lujo con que decoró la escena».[35] Encarece las alabanzas el *Mensajero de las Cortes*, que en la reseña publicada el 28 de septiembre escribe:

> Este ensayo nos ha proporcionado ver el anhelo de la empresa por mejorar nuestra escena, y mejorarla como pide el siglo y nuestra cultura. Bonitas son las decoraciones y vistosos los trajes, y en ellas y en ellos se ha procurado acercarse todo lo posible a la verdad.[36]

Un mismo cuidado había puesto el autor en indicar los recursos escénicos que debían acompañar la ejecución de la obra. Larra se dio cuenta de la eficacia espectacular de las entradas y salidas por el horizonte de expectación que podían despertar en el público. En sus didascalias se nota un particular interés

---

[34] Por otro lado, ya Elvira había manifestado una improvisa debilidad frente a la muerte, exclamando: «¡Con tanto amor, morir!» Una prueba más, dicho sea de paso, de la perfecta consonancia conseguida por los dos amantes.

[35] El 26 de septiembre de 1834, cit. por G. TORRES NEBRERA, *op. cit.*, p. 298.

[36] *Ibídem*, p. 305.

por la función de las puertas y, paralelamente, del escenario vacío. Al levantarse el telón sobre el acto I no hay personajes en escena, pero de inmediato se abre una puerta en el foro por la cual aparece Nuño introduciendo a Fernán, con una fórmula muy coloquial, pero suficientemente arcaica como para una colocación temporal adecuada:

> Venid conmigo, el hidalgo.

Esa misma puerta se cerrará, al final del acto, detrás de Nuño, casi simbolizando lo ineluctable de su decisión de casar a Elvira, que, en efecto, corre hacia ella en la inane ilusión de parar los eventos:

> Esperad... Tened... ¡Partió! (I, v. 515).

En el acto II, por la puerta del centro, entra Fernán Pérez y, por la de la izquierda, Elvira y otros personajes: todos en traje de boda. Poco después, salidos los esposos, entra Macías que, en fuerte contraste con los anteriores, viene armado y todo de negro. Al final, después de que Villena, «*señalando la puerta*», le dice: «¡Mirad!», entra el cortejo nupcial dando lugar a una escena de gran movimiento en la que Elvira se desmaya, Macías se lanza sobre Fernán, se interpone Villena y todo termina con un sugerente *tableau*.

El acto III se abre también con una entrada: la de Macías que forcejea con Beatriz, quien pretende salirle al paso. Se complica con la entrada violenta de Fernán y se concluye con otra puerta que se cierra detrás de Elvira, la cual acaba de pronunciar palabras decisivas:

> o le salvaremos
> o moriremos con él (III, vv. 575-576).

Finalmente, en el acto IV, las puertas juegan un papel importante y de mucho efecto. Por una puerta secreta penetra Elvira, «*cubierta con un traje negro, y debajo de blanco, sencillamente; de una cinta negra trae colgada una cruz de oro al cuello*». Los dos amantes cierran luego apresuradamente las puertas para impedir la entrada de sus enemigos, pero Macías se precipita animosamente al encuentro de ellos y vuelve a entrar, herido de muerte. Los sicarios corren a abrir otra puerta para dar entrada a los demás.

Todo tiende a producir expectación y dinamismo. La escena raramente conoce momentos de calma, ya que también los coloquios son tempestuosos; a menudo los personajes luchan entre sí. El final es animadísimo: corre además mucha sangre, según el gusto de la época al cual Martínez de la Rosa no había querido pagar su tributo, que empero será una constante de los dramas más inmediatos.

Al lado de los movimientos de los personajes, Larra cuida también sus gestos, particularmente los de la protagonista, que lleva naturalmente el papel más conmovedor, como ya la Laura de Martínez de la Rosa. En el acto I Elvira se arroja dos veces en un sillón, coge la mano de su padre, se enjuga los ojos, corre a la puerta. En los actos siguientes sigue con gestos significativos como el de tomar la daga de Macías, una primera vez para impedirle el combate, una segunda para herirse ella misma.

En cuanto a la escenografía, el autor describe con atentos pormenores los cuatro ambientes en que se desarrolla la trama. Se detiene con interés sobre la decoración de la cámara de Villena, sobre todo de la parte que debe sugerir la presencia de un hombre culto: «*Mesa, escribanía, libros, papeles, reloj de arena* (¡por supuesto!), *instrumentos de matemáticas, química, etc.*»

6. LOS DRAMAS DEL DESTINO: *DON ÁLVARO* Y *ALFREDO*

La temporada 1834-1835 se cerró con las reposiciones de *Don Álvaro o La fuerza del sino* (estrenado en el Príncipe el 22 de marzo de 1835), que en el propio título remitía a las «tragedias del destino»; la siguiente, a distancia de un mes desde sus comienzos (y de dos después del estreno del *Don Álvaro*) llevaba a la escena otra pieza, el *Alfredo*, que, a pesar de la ausencia de referencias explícitas, desarrollaba con insistencia todavía mayor los temas propios de ese género. Así que, por lo que atañe a la producción romántica, el año 1835 puede considerarse bajo el signo de la dramaturgia del destino. Ya no se trataba, como en el año anterior, de convertir en románticos unos géneros tradicionales sino de aportar a la escena española un género nuevo, muy conocido en el resto de Europa: el romanticismo español ya tiene un respiro europeo.

La *Schicksalstragödie*, o tragedia del destino, había empezado su existencia con el estreno en 1810, en Alemania, de **El 24 de febrero** de Zacharias Werner, que muy pronto Mme. de Staël, habitual intermediaria entre la cultura alemana y la europea, dio a conocer a través de algunas páginas de su célebre ensayo *De l'Allemagne*.

Sobre un fondo que podía remitir a los más truculentos dramones sentimentales, Werner narraba una historia de «fatales» coincidencias.

En un lejano 24 de febrero Kuntz había provocado la muerte de su padre lanzándole un cuchillo que no le había herido pero que le había asustado mortalmente. Un 24 de febrero de algunos años después, su hijo Kurt había matado con un cuchillo a su hermanita, por lo cual Kuntz le había maldecido. Ahora Kuntz posee una fonda donde trabaja con su mujer Trude. Su situación económica es desesperada; para salvarse de la quiebra total los dos matan, con el fin de robarle, a un huésped recién llegado, que descubren ser su hijo Kurt. Es nuevamente el 24 de febrero.

«Ces situations son terribles», comentaba Mme. de Staël, que les reprochaba estar demasiado cerca de la verdad, «et d'une vérité atroce».[37] A pesar de

---

[37] *De l'Allemagne par la Baronne de Staël-Holstein*, Paris-Genève, Paschoud, 1814³, II, cap. XXIV, pp. 226-229.

estos aspectos negativos, o quizás también gracias a ellos, la obra tuvo mucho éxito y abrió el camino a infinidad de imitadores.

Seguramente contribuyó a su fortuna la propensión de los románticos a la idea de la fatalidad, que había encontrado sus mantenedores entre figuras importantes como Guillermo Schlegel y Giuseppe Mazzini. Este último, en 1836, presentando la traducción italiana de *El 24 de febrero* en un ensayo cabalmente titulado *De la fatalidad considerada como elemento dramático*, no sólo ensalzaba la obra de Werner y de sus seguidores, sino que afirmaba rotundamente:

> El Destino se ha consagrado otra vez rey de las escenas.[38]

Afirmación que podía ser sostenida por la presencia de la idea del destino en muchas obras contemporáneas, ya que, además de las *Schicksalstragödien* de Werner, Müllner, Houwald, Grillparzer, afrontaban de alguna manera el tema también *La novia de Messina* de Schiller, el *Hernani* de Hugo, el *Antony* de Dumas y otras varias obras de menor importancia.

La dramaturgia romántica aparecía, pues, saturada por la idea del destino que persigue al hombre cuando Ángel Saavedra, todavía exiliado en Tours, se aprestaba a componer su primera pieza romántica. No es, pues, de extrañar que se preocupase por explotar un tema tan corriente, que sin embargo quiso hispanizar insertándolo en el tronco de la tradición nacional recuperada a través de una ambientación inconfundiblemente española y de la reelaboración de algunas leyendas populares.[39] Y para que constase su adhesión al género teatral estrenado por Werner, escribió ese subtítulo de *La fuerza del sino* que tanto impresionó a público y crítica y que se convirtió en el título único del libreto que Piave escribió para la música de Verdi.

No sabemos si, y cuánto, Rivas conoció las tragedias del destino, pero seguramente tenía noticias de ellas, sobre todo de la obra de Werner,[40] de la cual repite algunos detalles esenciales, como la muerte accidental de un anciano, que influye hondamente en el desarrollo de la trama, y la secuencia de las muertes violentas vinculadas entre sí. Faltan en cambio, en el *Don Álvaro o la fuerza del sino,* las coincidencias temporales, pero están sustituidas por

---

[38] «Della fatalità considerata com'elemento drammatico», en *Scritti letterari* [...] *di G. Mazzini*, Imola, Galeati, 1910, II, p. 173. La traducción es mía.

[39] Se ha podido averiguar la existencia de al menos dos leyendas populares que Rivas pudo conocer y que se consideran entre las fuentes del drama: la de la «mujer penitente» y la del «salto del fraile», sobre las cuales véase A. GUICHOT Y SIERRA, *La Montaña de los Ángeles*, Sevilla, La Región, 1896. Muy dudosa es en cambio la leyenda del «Indiano», que aparece en una anécdota narrada en el *Diario de Cádiz* del 9 de febrero de 1898, citada por E. FUNES (*Don Álvaro o La fuerza del sino*, Madrid, Suárez-Cádiz, Álvarez, 1899, pp. 63-64), y recientemente descubierta por M. CANTOS CASENAVE, «La polémica sobre la influencia de Mérimée, en el Duque de Rivas: una pequeña aportación», *Draco*, 2 (1990), pp. 185-192.

[40] La obra citada de Werner, junto con otro drama suyo titulado *Luther* y con *La expiation (Die Schuld)* de Müllner, había sido traducida al francés y publicada en 1823 en París por el editor Ladvocat.

coincidencias de otra clase y por un sentido obsesivo del tiempo que coloca la obra en la línea dramatúrgica estrenada por Larra.

I. *En un aguaducho cerca del Guadalquivir varios ciudadanos de Sevilla conversan acerca de un cierto misterioso y apuesto don Álvaro (como se verá luego, un mestizo hijo de un gobernador español y de una princesa inca, venido a España para rescatar a sus padres de la cárcel a la cual han sido condenados por participar en una conjuración) y de sus amores con doña Leonor, hija del marqués de Calatrava, que se opone a sus relaciones con un «advenedizo». Es una tarde muy calurosa. Por la noche, don Álvaro llega al palacio de los Calatrava, con el intento de huir con su amada. Es sorprendido por el marqués y sus criados: intenta defenderse, pero se arrodilla delante del marqués y, para demostrar sus buenas intenciones, aleja de sí la pistola que, al caer, se dispara sola y hiere mortalmente al marqués, que muere maldiciendo a su hija. Estamos alrededor del 20 de julio de 1743.*

II. *En la cocina de un mesón de Hornachuelos un estudiante cuenta la fuga de los dos amantes y habla del deseo de venganza que empuja a los dos hijos del marqués a buscar a don Álvaro, en tanto que despierta su curiosidad cierto huésped que está encerrado en su habitación y que, como pronto sabremos, no es otro que Leonor disfrazada de hombre. La joven se aleja secretamente del mesón y llama a la puerta del convento franciscano de Hornachuelos. Pide al padre Guardián que se la acepte en la ermita donde vivió anteriormente una mujer penitente y donde ella se compromete a pasar el resto de su existencia. Es el 1 de agosto de 1744.*

III. *En un alojamiento de oficiales abandonados, cerca de Velletri, en Italia, don Carlos, el mayorazgo de los Calatrava, ayudante en el ejército español, es atacado a cuchilladas por unos tahúres. En una selva cercana sale don Álvaro, que milita en el mismo ejército como capitán de granaderos, con el nombre de don Fadrique; al oír el ruido de las espadas, corre en ayuda de don Carlos. Es la noche del 9 de agosto de 1744. La mañana siguiente, en un risueño campo de Italia, algunos oficiales asisten, desde lejos, a una batalla en la cual cae herido don Álvaro, que es salvado por el ayudante amigo suyo. Es hospedado y curado en el alojamiento de don Carlos, que descubre la verdadera identidad de su compañero, a quien se compromete a matar en cuanto recupere su salud.*

IV. *En una sala de un alojamiento militar don Carlos reta a don Álvaro. En la plaza principal de Velletri varios ciudadanos comentan el desafío en el que ha muerto el ayudante y la pena capital a que se ha condenado a su rival. Don Álvaro está preso en el cuarto de un oficial de guardia a la espera de ser ajusticiado, pero un improviso ataque de los austríacos lo libera. Es alrededor del 20 de septiembre de 1744.*

V. *En el interior del convento de Hornachuelos, en tanto que se distribuye la sopa a los pobres, el padre Guardián y el hermano Melitón hablan del santo padre Rafael, que no es otro que don Álvaro, que ha tomado el hábito franciscano. A turbar el recogimiento de su celda llega don Alfonso, el menor de los Calatrava, que le reta. Los dos salen a un valle rodeado de riscos inaccesibles, entre truenos y relámpagos, en un turbio anochecer y se baten. Don Alfonso es herido de muerte: don Álvaro llama a la ermita, de donde sale Leonor. Imaginando una intriga amorosa entre los dos, don Alfonso, con*

sus últimas fuerzas, apuñala a su hermana. Don Álvaro, enajenado, se tira desde lo al-
to de un risco lanzando anatemas, mientras los frailes se acercan asustados a la escena.
Estamos en septiembre u octubre de 1748.[41]

Como se puede desprender de este resumen, las huellas del destino son visibles a lo largo de toda la pieza. Se trata de una predestinación a la desgracia
que además se anuncia desde el principio en las palabras de la gitana Preciosi-
lla, que ha leído en la mano de don Álvaro un porvenir infeliz; es la desaven-
tura que el propio protagonista atribuye a haber nacido «en signo terrible» y
que le persigue y le burla con atroz ironía (romántica, por supuesto), desde el
momento inicial en que el gesto humilde de arrojar el arma le convierte en asesino hasta el final, en que entrevé a su amada un instante antes de que el puñal
de Alfonso se la arranque para siempre. Entre un momento y otro, toda la historia es punteada por coincidencias fortuitas y desgraciadas, entre las cuales
sobresale el encuentro amistoso con don Carlos, que se transforma en una nueva ocasión de muerte. Con estos ingredientes, Rivas lograba convertir un tema
literario a la moda en un recurso dramático de gran efecto, ya que la presencia
oculta pero constante del destino (un destino que con su agresividad parece
adquirir los rasgos de lo que Cardwell llama «la injusticia cósmica»)[42] en la escena acaba por atribuirle la consistencia de un actante. Es en efecto el verdadero rival de don Álvaro, en tanto que los Calatrava o los austríacos no son nada
más que sus emisarios. El protagonista traba con él una lucha titánica, durante la cual a cada derrota sigue una recuperación, hasta que, al darse cuenta de
la derrota definitiva, en esa noche borrascosa en que el destino parece mate-
rializarse en la furia de los elementos, don Álvaro recurre al suicidio como a la
sola arma que le queda para sustraerse a esa fuerza superior y reivindicar por
última vez su dignidad de hombre.[43]

Pero si el destino constituye el núcleo dramático de la obra, el amor es el tema dominante y la pieza contiene esencialmente una romántica historia de
amor y muerte. Don Álvaro es, sí, un luchador titánico, pero es sobre todo, como su antecesor Macías, «un hombre que ama»: las batallas que él lleva a cabo
contra el destino las afronta en defensa de su amor o a consecuencia de él.

El sentimiento que le une a Leonor es impetuoso en la primera jornada,
nostálgico, pero igualmente intenso, en las demás (no le paran tampoco las paredes de una celda conventual: «decidme que me ama y matadme», exclama el
piadoso padre Rafael) y desesperado y delirante al final. Es la única luz que
pudo aclarar por un instante la existencia atormentada de don Álvaro:

[41] Las fechas que se indican no aparecen en el drama. Se trata de una atenta reconstrucción
llevada a cabo por J. DOWLING, «Time in *Don Álvaro*», *Romance Notes*, XVIII (1978-79), pp. 355-
361.

[42] R. CARDWELL, «*Don Álvaro* or the force of cosmic injustice», *Studies in Romanticism*, XII
(1973), pp. 559-579.

[43] El suicidio de Don Álvaro, afirma NAVAS RUIZ, «supone la afirmación de la libertad individual», *op. cit.*, p. 184.

> risueño un día,
> uno solo, nada más,
> me dio el destino, quizás
> con intención más impía;
> así en la cárcel sombría
> mete una luz el sayón
> con la tirana intención
> de que un punto el preso vea
> el horror que le rodea
> en su espantosa mansión (III, 3).

Es un sentimiento que, por otro lado, tiende a trascender la contingencia y convertirse en una suerte de amor universal que él ofrece a los dos hermanos Calatrava, naturalmente con éxito negativo. Es el sentimiento de un hombre nuevo, un mestizo profundamente liberal, que opone una visión existencial fundada sobre el amor a otra fundada sobre el odio —del cual el pundonor no es más que una extensión metonímica— y defendida por unos aristócratas decadentes, perfectos intérpretes de ese antiguo régimen que el propio autor había contribuido a derrocar.

Profundamente matizado, el drama es la expresión romántica de ese apego a la connotación que ya hemos relevado en el *Macías* y que se manifiesta también en la polimetría, en la alternancia de prosa y verso (la prosa esencialmente en los episodios costumbristas), en la complejidad de los personajes y en el consiguiente perspectivismo, que es quizás uno de los mayores atractivos.

Junto con el amor y el destino, recorre toda la obra un sentido agobiante del tiempo y el espacio. En cada jornada, después de las pausas representadas por los cuadritos costumbristas (el aguaducho, el mesón, el alojamiento de los oficiales estafadores, la plaza de Velletri, el convento durante la distribución de la sopa), todo adquiere un dinamismo excepcional: la escena se desplaza continuamente y los personajes, sobre todo el protagonista, aparecen como corriendo hacia una meta que no alcanzarán jamás. El tiempo urge en la primera jornada cuando don Álvaro insta a Leonor para que se apreste a huir con él («El tiempo no perdamos»); urge en la segunda, cuando Leonor llama al convento tan a deshora («¡Qué caridad a estas horas!», refunfuña el hermano Melitón) y también en la tercera y en la cuarta, en las que los sucesos se encadenan vertiginosamente. En la última, cuando don Álvaro parece haber derrotado al tiempo y al espacio exterior, encerrándose en esa celda donde parecen borrarse el uno y el otro, irrumpe el pasado primero en la memoria («¡Santo Dios! ¡Qué he recordado!») y luego con la entrada tumultuosa del joven don Alfonso, que reproduce en sus facciones «la viva imagen» del difunto marqués.

Al mismo tiempo, la mente del protagonista se dirige de vez en cuando hacia un porvenir, soñado e inalcanzable, de una felicidad que los astros le han negado.

Claro está que, con tanta mezcla de elementos heterogéneos, el drama se desarrolla en un continuo desplazamiento de perspectivas que pudo ser la causa principal de la desorientación que afectó a los espectadores en las primeras representaciones: «estaban llenos de extrañeza durante la representación del drama», afirmaba Alcalá Galiano.

Es que por fin Rivas había roto los últimos diques impuestos por la larga tradición clasicista y había ido mucho más allá de los autores que le habían precedido. Con sus escenas costumbristas, que eran una innovación absoluta y sustituían ventajosamente las exposiciones de los sucesos que pertenecen a la «historia» y no se manifiestan en la escena, con sus 56 personajes que abarcan a toda la sociedad española de entonces, con sus 14 mutaciones (que de propósito se han subrayado en el resumen), el *Don Álvaro* se presentaba realmente como la obra de ruptura, revolucionaria: «Quien niegue o dude que estamos en revolución —comentaba Alcalá Galiano en una célebre reseña que publicó en la *Revista Española* a raíz del estreno—, que vaya al teatro del Príncipe y vea representar el drama de que ahora me toca dar cuenta a mis lectores.»

Lo novedoso de esta obra no era por otro lado gratuito sino que se reflejaba ventajosamente en la eficacia espectacular. Podemos imaginar la sorpresa de los espectadores al ver levantarse el telón sobre un escenario tan minuciosamente cuidado conforme a las indicaciones muy pormenorizadas que el autor había confiado a la acotación inicial:

> *El teatro representa la entrada del puente de Triana, que estará practicable a la derecha y en primer término: al mismo lado un aguaducho o barraca de tablas y lonas; en ella un mostrador rústico con cuatro grandes cántaros, macetas de flores [...] Al fondo se descubre de lejos parte del arrabal de Triana, la huerta de los Remedios, con sus altos cipreses, el río, varios barcos en él con flámulas y gallardetes [...] Varios habitantes de Sevilla cruzarán en todas direcciones [...].*

De sorpresa en sorpresa irían cuando, después de una admirada presentación a través de las palabras de algunos parroquianos, comparece el protagonista:

> *Empieza a anochecer y se va oscureciendo el teatro.* DON ÁLVARO *sale embozado en una capa de seda, con un gran sombrero blanco, botines y espuelas. Cruza lentamente la escena mirando con dignidad y melancolía a todos lados y se va por el puente. Todos le observan en silencio.*

No se puede negar que lo que sugiere la didascalia sea una pequeña obra maestra de montaje escénico dirigido a ensalzar la figura del protagonista, que domina la escena en el silencio general de los asistentes, mientras que el cielo le proporciona un trasfondo adecuado. El dramaturgo ha conseguido de esta forma también crear una fuerte dosis de expectación.

Se trata de recursos que reaparecen continuamente, en algún caso de manera más sobresaliente como en la tercera salida de don Álvaro:

El teatro representa una selva en noche muy oscura. Aparece en el fondo don Álvaro, vestido de capitán de granaderos; se acerca lentamente y dice con gran agitación.

Es el momento central del drama (lo es también desde el punto de vista estructural: la centralidad ideológica es subrayada por la centralidad material), en el que, en esas décimas que pretenden rivalizar con las célebres del monólogo del calderoniano Segismundo, don Álvaro expone su concepción de la existencia y al mismo tiempo da constancia de la fuerza hostil del sino que le persigue:

> ¡Qué carga tan insufrible
> es el ambiente vital
> para el mezquino mortal
> que nace en signo terrible!
> ....
> Parece, sí, que a medida
> que es más dura y más amarga,
> más extiende, más alarga
> el destino nuestra vida.

Después de sus primeras apariciones al oscurecer, y de la siguiente en una noche muy oscura, la última salida de don Álvaro se produce en una noche borrascosa, donde, entre relámpagos y truenos, termina campeando solitario con su protesta prometeica y blasfema:

> Infierno, abre tu boca y trágame; esparce por el mundo tus horrores; húndase el cielo; perezca la raza humana... Exterminio, destrucción, exterminio.

Y con ese amor al contraste, tan propio del romanticismo y tan eficaz en la escena, Rivas añade una sola réplica, que opone a las blasfemias del solitario protagonista —aislándolo, para ensalzarle mejor— la plegaria de la comunidad:

> TODOS. ¡Misericordia, Señor, misericordia!

De contrastes, por otro lado, está cargado el *Don Álvaro*. Contraste entre la relativa estaticidad de las escenas costumbristas y el dinamismo de los episodios siguientes, como ya se ha puesto de relieve. Contraste entre la impetuosidad extrovertida del protagonista y la tímida reconcentración de Leonor; entre la luminosa, juvenil personalidad del mestizo y la escuálida figura de «vejete roñoso» del marqués; entre el ánimo atormentado de Leonor y la paz solemne del patio, donde, debajo de «una gran cruz de piedra tosca y corroída por el tiempo», confía sus penas al padre Guardián; entre el «risueño campo de Italia al amanecer» y la batalla que se combate en los alrededores, y así sucesivamente.

No renuncia en fin nuestro autor a los eficaces recursos, ya explotados en los dramas anteriores, de luces y sonidos: no sólo truenos y relámpagos, como hemos visto en la última jornada, sino también «el resplandor de hachones de viento y galopar de caballos» que anuncian la llegada improvisa del marqués en la primera jornada; la luz que se filtra a través de la claraboya de la iglesia, el canto coral de los *Maitines* que sale igualmente de la iglesia, el sonido de la campanilla con que Leonor llama a la puerta del convento, el resplandor improviso del farol que le da en el rostro, en la segunda; los tiroteos y el ruido de espadas en el ambiente militar de la tercera y la cuarta. En la jornada postrera, con un contraste muy efectista, a los ruidos naturales se agregan repiques de campanas y cantos litúrgicos. En la escena final anota el autor:

> *Los truenos resuenan más fuerte que nunca; crecen los relámpagos, y se oye cantar a lo lejos el Miserere a la comunidad que se acerca lentamente.*

Como las jornadas anteriores (con exclusión de la tercera), también la última termina con un toque de religiosidad, que añade otro matiz al sugerente perspectivismo que recorre el drama.

> No es cosa de poca monta su aparición en la escena con sus frailes y sus soldados, con sus extravagancias y sus lugares comunes, con sus altos y sus bajos, con sus burlas y sus veras [...] con sus resabios de española antigua y sus señales de extranjería moderna. [...] lo cierto es que *Don Álvaro* es obra de especie muy distinta de cuanto hemos visto de algún tiempo acá y estamos viendo en nuestro teatro (*Revista Española*, 25-III-1835).
>
> tal vez *la fuerza de su sino* dio ocasión a que generalmente disgustase a todo el mundo [...] todas las críticas vinieron a confesar que el autor había llevado hasta tal punto, a tal grado de exageración la libertad romántica, que tocaba, mal dije, que pasaba la raya de todo lo permitido y tolerado (*Correo de las Damas*, 7-IV-1835).
>
> el estandarte, digámoslo así, de una escuela nueva, pero nacional. [...] su aparición ha sido un acontecimiento literario de mucha magnitud, y [...] con sus graves defectos y sus muchísimas bellezas es quizá un presagio de que va a nacer entre nosotros una poesía dramática nacional, o por mejor decir, a renacer con las ventajas del siglo presente el teatro antiguo español (*La Abeja*, 10-IV-1835).

Más abiertamente ligada a los estereotipos de la *Schicksalstragödie*[44] resulta el *Alfredo* de Joaquín Francisco Pacheco (5 actos en prosa), estrenado en el Príncipe el 23 de mayo de 1835.

---

[44] En efecto, la pieza reúne en sí los cinco elementos que, según O. GÖRNER (*Vom Memorabile zur Schicksalstragödie*, Berlin, 1931, cit. por W. KAISER, *Interpretación y análisis de la obra literaria*, Madrid, Gredos, 1961, p. 508), caracterizan el género, a saber: incesto, profecía de una desgracia, maldición de una familia, asesinato de parientes, regreso.

I. El presentimiento. En un castillo siciliano Alfredo ansía partir para Palestina en busca de su padre Ricardo, que fue allá como cruzado y del cual no se tienen noticias. Inútilmente interroga a un peregrino que canta sus alabanzas. Por fin llegan al castillo la esposa de Ricardo, Berta, y su hermano Jorge, que le anuncian su muerte.

II. La pasión. Alfredo se ha vuelto intratable: es atormentado por la pasión que siente por Berta, a la cual al fin se declara. Mientras se están abrazando son sorprendidos por Jorge: Alfredo le traspasa con su daga. Han pasado pocos días. Desde antes de la puesta del sol a la salida de la luna.

III. El remordimiento. Berta oye voces que la acusan de incestuosa y fratricida, pero un griego amigo suyo la consuela refiriéndole que ha organizado la celebración religiosa de las bodas. Escandalizados, los más íntimos entre los vasallos abandonan el castillo. Al acercarse los novios a la capilla, les detiene la sombra de Jorge. Algunos días después.

IV. La confusión. A la casa rústica en que viven los tres vasallos que han abandonado a Alfredo llega Ricardo, que se les revela. A la misma casa llegan, durante una partida de caza, Berta y Alfredo: el encuentro con Ricardo es angustioso para todos. Han pasado varios días.

V. El crimen. El Griego sugiere a Alfredo la idea de matar a su padre. Berta pide perdón a Ricardo, mientras que Alfredo se niega a humillarse delante de él. Por fin se mata. Es una noche de tormenta.

Aparte la ambientación en la Edad Media (según los cálculos de Menarini la acción se desarrolla entre 1191 y 1192)[45], el *Alfredo* remite fácilmente, como se aludía, a las tragedias del destino. Tal vez una investigación atenta pueda poner de relieve una fuente directa, aunque ya se entrevea cierto posible influjo, al menos en el argumento inicial, de *La vuelta a casa (Die Heimkehr)* de Christoph Ernst von Houwald. De todas formas, prescindiendo de modelos más inmediatos, lo que seguramente se nota es la presencia de rasgos muy propios de ese teatro del destino que hacía dos meses ya se había presentado en las tablas madrileñas.

En primer lugar, la insistencia sobre la fatalidad, a menudo sin que haya motivos profundos para tantas referencias.

—El mismo hecho... el mismo principio en todas partes.... —reflexiona Alfredo al sentirse presa de la pasión por Berta—. ¡La fatalidad!... ¿Será, por ventura, la fatalidad la única ley del mundo? ¿No seremos todos sino débiles instrumentos de su poder; vanos juguetes de sus arcanos misteriosos? (II, 4).

Concepto que remata poco después:

¡La fatalidad, Rugero, la fatalidad!... ella domina el universo... ¡ella sola! (*ibidem*).

---

[45] P. MENARINI, «Un drama romántico alternativo: *Alfredo* de Joaquín Francisco Pacheco», *Actas del I Coloquio de la SLES XIX*, Barcelona, Publicacions Universitat, 1988, p. 173.

A la fatalidad Alfredo le atribuye el amor apasionado que les arrastra a él y a Berta:

> mi corazón ha incendiado el tuyo... ése es nuestro destino... la fatalidad de nuestra estrella... (II, 6).

Toda la pieza prosigue con expresiones del mismo jaez:

> ¡Fatalidad de maldición! (III, 9).

> ¿Estará por ventura determinada nuestra suerte por un destino inexorable, imposible de doblegar...? (IV, 2).

> La maldita estrella que me ha conducido por el mundo... (V, 1).

Pero también el presentimiento, que tanto espacio ocupa al principio y que brinda el título al acto I, es un componente característico de las tragedias del destino:[46] el presentimiento se esconde en las voces interiores que Alfredo oye, en las fantasías que le acosan, hasta que, mezclándose con la idea dominante de la fatalidad, se hace simbólicamente concreto en el canto de un trovador (cf. I, 2 y V, 7) —que, dicho sea de paso, pudo tener un modelo en el arquetipo de la *Schicksalstragödie*, el célebre *24 de febrero* de Werner— y en el espectáculo que describe Alfredo de una garza atraída por un cuervo (cf. II, 4).

Se trata de motivos que, por otro lado, ya pertenecen al romanticismo, como romántica es la pasión exorbitante y transgresiva («no es una pasión humana; es un amor frenético, infernal: es una llama irresistible: es un ascua de hierro candente, enterrada dentro del corazón» [II, 4]; «yo llevo el infierno mismo, el infierno del amor, dentro de mis entrañas...» [II, 6]), que emparenta el *Alfredo* con la *Elena* del año anterior. Como lo es el misterio que todo lo envuelve, incluso a ciertos personajes, desde la enigmática Berta al insinuante Griego.

Para darle más fuerza, Pacheco introdujo también el elemento sobrenatural, haciendo aparecer el espectro de Jorge; refiriendo, por boca de Roberto, que en el castillo «hay fantasmas, ruido de cadenas, apariciones misteriosas» (IV, 1); atribuyendo, en fin, al Griego rasgos diabólicos. Fue ésta quizás la parte que menos gustó al público y que una reseña del *Eco del Comercio* del 25 de mayo criticó abiertamente.[47]

En realidad, Pacheco había sido muy prudente haciendo suponer que la aparición de Jorge fuera una simple visión de Alfredo y Berta, tal vez también

---

[46] Es la *Ahnung*, sobre la cual véase G. GABETTI, *Il dramma di Zacharias Werner*, Torino, Bocca, 1916, p. 316 y *passim*.

[47] No se entendió el significado profundo de estos aspectos, afirma MENARINI (art. cit., p. 170), que los justifica con una sugerente interpretación psicoanalítica, como proyecciones del yo de los personajes: el Griego, por ejemplo, sería el doble del protagonista.

del Griego («*los demás* —avisa la acotación— *manifiestan no ver nada*» [III, 7]); atribuyendo a Roberto la responsabilidad de la noticia sobre los acontecimientos misteriosos en el castillo, y limitándose a anotar que, al final, el Griego «*aparece de repente en el fondo: vese un momento sobre sus labios una sonrisa infernal, y desaparece*».

Podía ser el camino idóneo para la creación de una sugerente atmósfera incierta entre real y trascendente —el camino en que se pondrá ventajosamente Zorrilla— que sin embargo se malogró por no estar el público preparado todavía o tal vez por un exceso interpretativo del director de escena, que, por ejemplo, recargó los rasgos infernales del Griego haciéndole estremecer al oír el nombre de Ángela y hundirse por un escotillón, como nos refiere el *Eco del Comercio*.

La obra posee una discreta teatralidad que se realiza ante todo con la aparición repentina de ciertos personajes: Berta y Jorge al final del acto I; Jorge al final del II, en el momento en que Alfredo y Berta se abrazan con «el mayor delirio»; Alfredo, Berta, el Griego y unos criados, asomándose sobre una colina y luego bajando en el acto IV. También de mucho efecto es la salida de Alfredo en el acto II, escena 4.ª, cuando, sumido en sus pensamientos, atraviesa callado la escena y «se sienta al otro extremo», lo que recuerda la primera aparición de don Álvaro.

Muy efectistas, quizás demasiado, son ciertos finales de acto: del II con el asesinato de Jorge; del III con la aparición de la sombra del mismo; del IV con el encuentro entre Ricardo y Berta, que también le cree una sombra; del V con el suicidio de Alfredo.

La escenografía, al lado de ambientes muy de época, como el interior del castillo, presenta, en el último acto, escenas «sublimes», con el volcán expulsando fuego que se divisa por una ventana, en tanto que truenos y relámpagos acompañan el desarrollo final de la tragedia.

Ruidos contribuyen a crear un clima: cascos de caballos, cornetas de caza, cantos.

A pesar de las críticas del *Eco del Comercio*, la obra no era despreciable, como reconocieron otras reseñas; sin embargo, no tuvo más que dos reposiciones y desapareció definitivamente de las carteleras. Atribuir el fracaso solamente a la presencia de lo sobrenatural sería excesivo, ya que eso atañe a episodios marginales; tal vez fueron culpables, como en *Elena*, las tintas recargadas y cierto descuido en la motivación de las acciones y los gestos de los personajes: desde luego, el asesinato de Jorge es injustificado, aunque (pero esto no podía hacer mella en los espectadores) el homicidio casi fortuito fuese una de las características de la *Schiksalstragödie*. Quizás también haya escandalizado el tema del incesto, que no reaparecerá en lo sucesivo, al menos a nivel consciente.

Sin embargo, el error capital de Pacheco no fue, como él mismo afirmó en el intento de justificar el fracaso, haber escrito el drama en prosa, sino haber trasplantado la tragedia del destino sin el menor esfuerzo para «arreglarla a la escena española» con una ambientación o con algunos detalles que la acercasen más a la sensibilidad del público, como en cambio había hecho el Duque de Rivas con su trasfondo andaluz y sus escenas costumbristas.

> en una larguísima representación nos ha sucedido lo que dicen los románticos puros que les acontece con las obras clásicas: fastidiarnos y poco menos que dormirnos. [...] es una serie de diálogos lánguidos y monótonos, escenas insignificantes. [...] Las inmoralidades y crímenes es lo único que el autor ha tomado de la escuela romántica (*Eco del Comercio*, 25-V-1835).
>
> Alfredo es el hombre de nuestro siglo: activo e indolente al mismo tiempo. [...] el joven autor de *Alfredo* es digno de dos coronas; y si se atiende al entusiasmo con que todos aplaudieron el acto segundo, y sobre todo el quinto, al religioso silencio inspirado por la admiración con que fueron escuchados los otros, no cabe duda de que el público de Madrid aceptará esta sentencia (DONOSO CORTÉS, *La Abeja*, 25-V-1835).
>
> el señor Pacheco ha presentado en Alfredo los arrebatos de una verdadera pasión [...] la voz lisonjera de la pasión criminal de Alfredo se presenta en escena, personificada en un griego misterioso que es, sin duda, la concepción más atrevida del drama [...] y las escenas en que entra este personaje fantástico han sido las que más han agradado (ESPRONCEDA, *El Artista*, I, pp. 263-264).

7. LA SÍNTESIS: *EL TROVADOR*

El *Don Álvaro* fue por un momento objeto preferente de las charlas de los madrileños («por un momento —comentaba *La Abeja* del 10 de abril de 1835— ha hecho olvidar los intereses del día, y callar las cuestiones políticas»), lo cual naturalmente contribuyó también a la difusión o, por decirlo mejor, a la aclimatación de la dramaturgia romántica. Por otro lado, sabemos que después de las perplejidades que produjo entre el público del estreno, la obra de Rivas consiguió muy pronto una acogida favorable generalizada que determinó ocho reposiciones seguidas con un total, pues, de nueve representaciones («nueve, digan cuanto quieran los detractores del drama, nueve muy concurridas todas, y acabadas», subrayaba Alcalá Galiano en la *Revista Española* del 12 de abril de 1835); y si no hubo más fue simplemente porque terminaba la temporada. El *Don Álvaro* había cumplido, pues, con su función de hacer aceptar el nuevo evangelio teatral a amplios sectores del público madrileño.

En consonancia con este afirmado clima cultural, las compañías se animaron a llevar a las tablas las traducciones de dos dramas atrevidos de Víctor Hugo (*Lucrecia Borgia* y *Ángelo*), derribando finalmente todas las prevenciones y los tabúes.

De manera que cuando, en el Teatro del Príncipe, el 1 de marzo de 1836 —al finalizar la temporada que en sus comienzos había visto representar el *Alfredo*— se estrenaba **El trovador**, el público de la capital de España ya estaba, en su mayoría, orientado favorablemente hacia el romanticismo. El drama, que era una amalgama de los motivos más corrientes de la nueva escuela, llegaba en el momento más idóneo para satisfacer un horizonte de expectación muy bien definido y les ofrecía a los espectadores lo que ellos cabalmente deseaban. No hay, pues, que extrañarse de que obtuviera un éxito asombroso y de que el público pidiese a gran voz que el autor saliera a las tablas.[48]

El trovador desarrollaba una historia de amor y muerte, como todos los dramas que le habían precedido; tenía como protagonista a un joven apuesto, de origen desconocido (aunque se descubrirán sus nobles orígenes) y por tanto socialmente marginado, como en *La conjuración de Venecia*, *Macías* y *Don Álvaro*; estaba ambientado en la Edad Media, como *La conjuración*, *Macías* y *Alfredo*, y en España, como *Don Álvaro* y *Macías*; llevaba los títulos de cada jornada, como *Macías* y *Alfredo*; estaba escrito en prosa y verso, como *Don Álvaro*. Trataba en fin un argumento que se parecía mucho al de *Macías*,[49] hasta el punto de que puede hablarse, seguramente, no de un plagio, pero sí de una auténtica refundición.[50]

I. *El duelo. En el palacio de la Aljafería en Zaragoza algunos criados recuerdan la historia de una gitana que robó y quemó, cuando niño, al hermano del actual conde de Artal, o de Luna, don Nuño, y comentan la rivalidad entre éste y un oscuro trovador por aspirar los dos a la mano de Leonor de Sesé. Recuerdan también un encontronazo entre los dos, acaecido en la noche anterior, en el jardín del palacio, durante el cual el trovador había desarmado al conde. En la cámara de Leonor, que se opone con firmeza al deseo de su hermano de casarla con el conde, penetra secretamente, por estar proscrito en cuanto partidario del conde de Urgel, pretendiente al trono de Aragón, Manrique, el trovador, que, sorprendido por el conde, le desafía. Es de día.*

II. *El convento. Con tal de no casarse con don Nuño, Leonor, que desde hace un año no tiene noticias de Manrique (se dice que ha muerto en un combate), decide profesar. Algunos criados del conde quieren sacarla a la fuerza del convento en que ha pronunciado los votos, pero se topan con Manrique y huyen despavoridos. Manrique se revela a Leonor, que cae desmayada a sus pies. Es de mañana.*

---

[48] Esta llamada forma parte del anecdotario de *El trovador*, y se recuerda sobre todo porque se trataba de un hecho bastante raro. Quizás haya influido sobre la benevolencia del público el saber que se trataba de un joven pobre y desconocido que para ganarse el pan se había alistado en la milicia, con cuyo uniforme se presentó, aunque con la chaqueta de Ventura de la Vega, que, siendo un oficial, la tenía algo más elegante.

[49] La tesis es defendida con mucho rigor por C. A. REGENSBURGER, *Über den «Trovador» des García Gutiérrez, die Quelle von Verdi Opera «Il Trovatore»*, Berlin, Ebering, 1911. Que Larra no lo hubiese puesto de relieve, como anotan algunos para negar que García Gutiérrez se haya inspirado en el *Macías*, indica sencillamente que se portó generosamente con el joven ingenio.

[50] Cf. C. CECCHINI, «Il manierismo romantico nel *Trovador* di García Gutiérrez», en *Letterature* 16 (1993), pp. 71-72. Sobre *El trovador* como punto de llegada de la evolución que caracteriza a los primeros dramas románticos, véase P. MENARINI, «Hacia el *Trovador*», en *Romanticismo* 1 (1982), pp. 95-108.

III. La gitana. En una cabaña, cerca de una hoguera, la gitana Azucena cuenta a su hijo Manrique cómo el viejo conde de Artal condenó a su madre a morir en la hoguera por bruja y cómo ella, para vengarse, robó y quemó al hermano de don Nuño; pero se confunde y deja intuir a los espectadores que en realidad ha matado a su propio hijo, de manera que Manrique sería el primogénito de los condes de Artal. Manrique penetra en el convento y convence a Leonor de que huya con él. Es la tarde o la noche.

IV. La revelación. En el campo de las tropas leales al rey de Aragón, donde militan don Nuño y el hermano de Leonor, don Guillén, es apresada Azucena, en la que un antiguo servidor del conde reconoce a la gitana que robó al hermano de éste. En la torre de Castellar, donde se han refugiado los rebeldes al servicio del conde de Urgel, Manrique revela a Leonor que es hijo de una gitana, pero la joven le confirma a pesar de ello su amor; informado de la captura de la que cree su madre, se despide apresuradamente para acudir en su ayuda. Es de mañana.

V. El suplicio. Después de apurar un pomo de veneno, Leonor se presenta a don Nuño, prometiéndole su amor a cambio de la liberación de Manrique. Con el permiso del conde, entra en la cárcel donde Manrique está consolando a Azucena, encerrada con él y despavorida: le insta para que se marche y muere dándole la mano. Al encontrar su cadáver, don Nuño ordena que se ajusticie a Manrique y obliga a Azucena a asistir al suplicio. Cuando se oye el ruido de la cuchilla que decapita al trovador, Azucena revela al conde que la víctima era su hermano. Expira luego pero antes se dirige a su madre anunciándole: «Ya estás vengada.» Es de noche.

Creo que no es difícil encontrar en esta trama las líneas esenciales de la del *Macías*, pero elaboradas y, conforme al criterio que desde el Siglo de Oro informaba las refundiciones, puestas al día: lo que en la época significaba caracterizadas más abiertamente en sentido romántico.

García Gutiérrez consiguió tal caracterización en primer lugar a nivel estructural, a través de abiertas violaciones de las unidades, que en cambio, como hemos visto, Larra había respetado escrupulosamente.

Un año media entre la primera y la segunda jornada, y las demás están separadas por intervalos de algunos días; pero la historia se dilata notablemente a través de los recuerdos que, como veremos, son una constante de la pieza.

Doce son las mutaciones, una de las cuales está repetida: sala en el palacio de la Aljafería, cámara de Leonor (I); cámara de don Nuño, locutorio de un convento (II); cabaña, celda de un convento, calle (III); campamento, habitación en una torre (IV); exterior del palacio de la Aljafería, cámara de don Nuño, calabozo (V).

En segundo lugar también la consiguió añadiendo, entre las *dramatis personae*, la acertadísima figura de la gitana y caracterizando con más precisión la del trovador.

En Azucena García Gutiérrez crea un personaje complejo, de claro abolengo romántico en su amor ilimitado hacia la libertad («yo no ambiciono alcázares dorados; tengo bastante con mi libertad y con las montañas donde vivieron siempre nuestros padres» (III, 1) es su ideal existencial; «correremos por la montaña, y tú cantarás» (V, 6) es su aspiración suprema poco antes de morir), en su obsesivo recuerdo del fuego de la hoguera en que murió su madre y en su gesto salvaje y primitivo de venganza. Pero con ese gusto por los matices que ya se había notado en los personajes del *Don Álvaro*, el autor le atribuye también un sentimiento maternal, en realidad primitivo y egoísta, que la empuja a aceptar como suyo al hijo de su enemigo y a buscar en él cariño y protección. Es un amor que choca, involuntaria e inconscientemente, con el de Leonor, al punto que Manrique siempre tiene que despedirse de la una para ir en busca de la otra, hasta que al final comparte la muerte con las dos.

En Leonor, García Gutiérrez da otro paso más hacia la sensibilidad romántica que todavía faltaba en la Elvira de Larra y que encontrará su máximo desarrollo en la zorrillesca doña Inés. Verdadera heroína romántica en su dedicación total y transgresiva al amor, Leonor se apropia el lenguaje y los sentimientos de rebeldía que habían caracterizado a los protagonistas masculinos del *Don Álvaro* y del *Macías*. Por el amor que la liga a Manrique y que la empuja a elegir la muerte como prueba de amor («la muerte / a tu lado ha de encontrarme» [IV, 8, vv. 316-317]), ella no duda en caer en el sacrilegio y hasta retar a Dios,[51] gritándole que su poder no es bastante para separar de ella la imagen de su amado y proclamar en fin una blasfema religión del amor:

> Tus brazos son mi altar (III, 5, v. 155).

Combatido entre esos dos amores, Manrique parece por eso mismo una figura más rica de connotaciones, pero es también más atractivo por ser un trovador más legítimo que Macías, ya que se porta realmente como tal, tocando su laúd en los momentos esenciales de la trama, al punto que ese sonido se identifica con él, preanuncia su llegada o anuncia su presencia («Era tu voz, tu laúd» [I, 4, v. 135], le dice Leonor evocando el episodio de la noche anterior); con el canto acompañado por el laúd invoca desde la cárcel la presencia de Leonor, y con el laúd canta en la cárcel las endechas por la muerte de su amada. Es también un guerrero, eso sí, y por supuesto un guerrero románticamente rebelde, pero el recuerdo que tiende a dejar en el espectador es más bien el de un cantor enamorado y melancólico.

Ese aspecto «musical» de la figura del protagonista, además de influir sobre las futuras elaboraciones de Verdi-Cammarano, debió de contribuir también al éxito del drama en una época en que la ópera italiana se había hecho tan popular y el público se pasmaba al oír las notas de Rossini o Donizetti. Y hay que agregar que muchas de las réplicas que figuran en el drama no desfigurarían en cualquier ópera:

> Vengo, señor, de Vizcaya;
> que la luz primera vi

---

[51] Acertadamente afirma Javier Herrero que se crea una verdadera rivalidad, ya no política, sino teológica, entre el hombre y Dios (cit. por D. L. SHAW, en V. GARCÍA DE LA CONCHA, *Historia de la literatura española*, cit., p. 339).

> en sus áridas montañas.
> Por largo tiempo he vivido
> en sus crestas elevadas (IV, 3, vv. 80-84).

> Manrique, espera... Partió
> sin escucharme... ¡Inhumano!
> ¿Por qué con delirio insano
> mi corazón lo adoró? (IV, 9, vv. 324-327).

Claro está que los ejemplos podrían multiplicarse, pero baste la muestra para constatar cómo todo esto le confiere al drama ese toque de lirismo que, como justamente se ha notado, junto con «la habilidad con que se articula la trama», «compensa descuidos y defectos».[52] Un lirismo, por otro lado, que no nace solamente del lenguaje sino que brota a menudo de la peculiar actitud de muchos personajes, los protagonistas sobre todo, de vivir su experiencia existencial encerrados en el mundo evanescente de los recuerdos.

La relación amorosa entre Manrique y Leonor, eje principal de la trama, se entreteje casi totalmente de recuerdos; en otros términos, vive casi exclusivamente en el pasado, con la lógica consecuencia de que los dos personajes aparecen constantemente sumidos en la evocación más que proyectados hacia la acción. Ya el primer encuentro entre los dos se resuelve en el recuerdo de la noche anterior, cuando Leonor oyó «cantar una trova» y

> me pareció verte allí
> con melancólica frente,
> suspirando tristemente,
> tal vez, Manrique, por mí (I, 4, vv. 147-150).

En la jornada siguiente la sierva Jimena alude a su amor nuevamente como a un recuerdo: «recuerdo funesto» (II, 6, v. 116).

En la tercera el recuerdo le sugiere a Leonor amargas meditaciones sobre el tema del *Ubi sunt?*:

> Tiempos en que amor solía
> colmar piadoso mi afán,
> ¿qué os hicisteis? (III, 4, vv. 37-39).

Poco después, el coloquio de amor entre ella y Manrique consiste esencialmente en la evocación, de parte de él, de una lejana «noche plácida y tranquila» en que se declararon el mutuo sentimiento; en respuesta, Leonor no le dice «te amo», sino, significativamente, «te adoro *aún*», agregando: «aquí en mi pecho / [...] eternos viven / tus recuerdos de amor».

---

[52] Cf. la introducción de L. F. Díaz Larios a A. García Gutiérrez, *El Trovador, Simón Bocanegra,* Barcelona, Planeta, 1989, p. XXIII.

En la jornada siguiente Manrique le cuenta un sueño que, entre otras cosas, contiene la evocación de una escena de amor claramente asimilable a un recuerdo:

> Sentado allí en su orilla, y a tu lado,
> pulsaba yo el laúd, y en dulce trova
> tu belleza y tu amor tierno cantaba (IV, 6, vv. 189-191).

La última declaración amorosa de Leonor, moribunda, también se articula hacia el pasado:

> ¿No sabes que te quería
> con todo mi corazón? (V, 7, vv. 374-375).

Igualmente sumida en el pasado está Azucena: un pasado, en su caso, dolorosamente trágico, del cual asoma obsesivamente el recuerdo del fuego en que murió su madre y del fuego en que ella quemó a su hijo. «¿No podéis olvidar todo esto?», le pregunta Manrique en una de las escenas postreras (V, 6).

Sin embargo, a pesar de vivir los personajes principales encerrados en sus recuerdos, lo cual le resta parcialmente dinamismo a la acción, la obra no se estanca nunca; antes bien, el joven dramaturgo da la impresión de tener un feliz instinto teatral que le sugiere escenas llenas de interés y de eficacísimos golpes de teatro.

Desde el principio se aprecia la habilísima conducta escénica del protagonista, que en su primera salida aparece «*rebozado*», despertando, naturalmente, expectación y curiosidad. El *rebozo* es una variante del disfraz o de la máscara que tanto éxito lograban en las piezas cómicas contemporáneas, pero se carga también de valores emblemáticos, ya que es una clara alusión a su situación de proscrito. Igualmente alusivo, esta vez al valor que le caracteriza, es el gesto siguiente de descubrirse a don Nuño, preguntándole arrogantemente:

> ¿Me conocéis?,

donde la consonancia entre verbal y paraverbal es perfecta.

El mismo juego escénico se repite en la jornada segunda (escena 7.ª) cuando, después de un momento de suspensión en que «*queda la escena sola*» (situación inacostumbrada la cual rompía con una tradición que exigía una escena constantemente poblada) entra Manrique «*con el rostro cubierto con la celada*». Poco después, mientras la procesión de las monjas hace su ingreso en la escena con una solemnidad que es subrayada por el acompañamiento de cantos litúrgicos, nuevamente Manrique se descubre, levantando la visera y provocando una zozobra que eficazmente contrasta con la calma anterior: Leonor «*cae desmayada a sus pies*», Jimena grita «¡Qué veo!» y los criados del conde huyen asustados.

Un recurso parecido es adoptado por Leonor, que, en la jornada quinta (escena 5.ª), entra también embozada en la cámara de don Nuño y se le descubre de repente, preguntándole también:

> ¿Me conocéis?

La espectacularidad se consigue, entre otras cosas, «sobre la sucesión de diversos escenarios, el último de los cuales consiste en la prisión [...], muestra fiel de *color local* y también tributo a un tópico sobre los lugares siniestros españoles»,[53] que entraban, pues, en el horizonte de expectación del público.

Un papel de peculiar importancia lo juegan en este drama, más que en los anteriores, luces y sonidos, que a menudo coinciden logrando un sentido agresivo. Al final de la tercera jornada Leonor y Manrique huyen acompañados por un «*ruido lejano de armas*» y por campanas que tocan a rebato, en tanto que un «resplandor», unas «luces que se divisan a lo lejos» amenazan la llegada de los enemigos, que en efecto llegan («*soldados con luces*») y los atacan.

Con intensidad todavía mayor, el final del drama se juega primero entre el «lúgubre gemido» de Leonor moribunda y el «funesto resplandor» de las teas que llevan los verdugos; luego, con efecto verdaderamente «sublime», entre el golpe de la cuchilla y las luces que don Nuño pide para atormentar a Azucena («Alumbrad a la víctima, alumbradla») y que se convierten en causa de dolor para él:

> Sí, sí... luces... él es... ¡tu hermano, imbécil!

Luces y sonidos, todavía juntos y agresivos, pueden también asombrar al espectador por medio de las palabras pronunciadas por los personajes. Un ejemplo interesante lo ofrece la narración del sueño de Manrique:

> De pronto el huracán cien y cien truenos
> retemblando sacude,
> y mil rayos cruzaron,
> y el suelo y las montañas
> a su estampido horrísono temblaron (IV, 6, vv. 206-210).

En cambio, al final de la segunda jornada luces y sonidos se juntan para proporcionar un clima de recogimiento piadoso; las religiosas que acompañan a la novicia llevan velas encendidas, en tanto que se oye, dentro, el canto de un responso.

Un sonido, este último, triste y melancólico, en armonía con el momento peculiar en el que Leonor pronuncia esos votos que Manrique definirá «indiscretos» y con la atmósfera general de la pieza. Como lo es también el sonido del

---

[53] L. ROMERO TOBAR, *Panorama*, cit., p. 308.

laúd tocado por Manrique o, con la añadidura de un toque macabro, la voz del
pregón que se oye cerca de la torre en que está encerrado el trovador:

> Hagan bien para hacer bien
> por el alma de este hombre (V, 2, vv. 83-84).

En cuanto a las luces, hay que recordar además el sentido hostil que adquiere el reverbero rojizo de la llama de la hoguera, tan estrictamente ligada
a Azucena, que aparece tanto materialmente en la escena al principio de la
tercera jornada como en las obsesivas evocaciones del suplicio al que fue
condenada su madre.

Otras luces, simplemente evocadas como acaece en los recuerdos de la gitana, se imponen a la mente del espectador: la, nuevamente agresiva, de la luna
que, en la narración del siervo Guzmán, «hizo brillar un instante el acero del
celoso cantor delante del pecho de mi amo» (I, 1), y la triste luz de la «luna moribunda» que, como recuerda Leonor, iluminaba el penacho del sombrero de
su amado.

A pesar de ser animado por varios lances, que llegan de improviso y co-
gen de sorpresa al público, el drama procede con cierta lentitud, debido esencialmente a la ausencia de esos diálogos concitados que caracterizaban por
ejemplo muchas partes del *Don Álvaro*. En general, las réplicas son expresiones líricas de sentimientos e influyen de forma limitada en el desarrollo de la
acción. Todo esto sin embargo no es negativo, ya que favorece ese clima, por
decirlo así, «premusical» de melancolía y ensueño que tal vez sea el principal
encanto de *El trovador*.

La acción encierra mucho interés, y éste crece por grados hasta el desenlace.
[...] Ha imaginado un plan vasto, un plan más bien de novela que de drama, y ha
inventado una magnífica novela; pero al reducir a los límites estrechos del teatro una concepción demasiado amplia, ha tenido que luchar con la pequeñez del
molde (LARRA, *El Español*, 4-III-1836).

---

8. LA «TRAGEDIA BURGUESA»: *INCERTIDUMBRE Y AMOR*

Otro camino intentó el joven Eugenio de Ochoa, estrenando el 1 de junio de
1835, en el Teatro de la Cruz, **Incertidumbre y amor,** dos actos en prosa que se
repusieron 8 veces hasta 1838. La obra pertenecía a ese género que Schiller había definido como «tragedia burguesa» y que se remontaba también al drama
burgués de Diderot. La pieza fundamental del poeta alemán, a este respecto,
era esa *Luisa Miller* que rápida y definitivamente se rebautizó como *Kabale und
Liebe* y que, a pesar de las diferencias, parece haber influido en la pieza de
Ochoa, tanto por tratar el problema del amor entre personas de diferentes condiciones como por encontrar en el veneno la solución de la intriga, como, en

fin, por la evidente afinidad estructural de los títulos (quizás también por el nombre de la protagonista).[54]

Ernesto va a casarse con una tal Isabel, a pesar de seguir enamorado de la pobre Luisa, hija de un valeroso combatiente de la guerra de la Independencia. Los dos se encuentran un momento antes de las bodas y cuando Ernesto se aleja, Luisa se envenena. El joven, arrepentido, regresa y le confiesa que ha renunciado a Isabel, pero es demasiado tarde.

La obra presenta varios motivos de los que ya el romanticismo se había apoderado, como un sentimiento agudo del tiempo como plazo (Ernesto: «prometí que en el término de quince días firmaría el contrato de boda. Hoy se ha cumplido este término», II, 1), como la añoranza de una felicidad perdida (Luisa: «aquellos sitios en que fuimos tan felices, aquellas deliciosas orillas del Guadalquivir», I, 11), y como el remordimiento (Ernesto: «hay uno entre esos recuerdos que me persigue noche y día como un atroz remordimiento», I, 3).

Sobre todo, no falta el final melodramático con esa exclamación ritual que se convertirá en un tópico. Cuando Ernesto comunica a Luisa moribunda su decisión, ella exclama:

> ¡Yo...! ¡yo seré tu esposa... en la eternidad!

La réplica siguiente (la postrera, por supuesto) es:

> TODOS. ¡Oh!!!

El nuevo género, emparentado por otro lado con el teatro sentimental, no tuvo mucho séquito, superado como fue por el gran alud de los dramas históricos, pero la pieza de Ochoa pudo contribuir por su parte a difundir los motivos propios del movimiento. No podemos excluir que el propio García Gutiérrez se haya inspirado en ella por el tema del veneno.

Entre 1834 y 1836 se había desarrollado y fortalecido la dramaturgia romántica, acumulando temas y experimentando tonalidades, liberándose definitivamente de los prejuicios clasicistas y apoderándose de la simpatía del público. Con la última temporada (1835-1836) podemos, pues, considerar concluida felizmente la etapa experimental.

El camino está abierto para nuevas experiencias.

---

[54] El drama de Schiller, nos informa PEERS (*op. cit.*, I, p. 135), había sido traducido del francés con el título de *Amor e intriga*, y se había representado «a intervalos» en Madrid, pero «poco se supo de él hasta 1830, aproximadamente».

IV. EL FLORECIMIENTO

1. UNA TEMPORADA DE TRANSICIÓN

Tres dramas históricos se representaron durante la temporada 1836-1837 (5 de abril de 1836-19 de marzo de 1837), compuestos por dos jóvenes ingenios que apenas se asomaban al mundo del teatro: *Elvira de Albornoz* y *Felipe II* de José María Díaz, y *Los amantes de Teruel* de Juan Eugenio Hartzenbusch. El primero y el último se colocan en la estela de los célebres dramas representados en las temporadas anteriores, recogiendo y remedando temas y tonalidades, según el modelo de *El trovador*. Su trama pertenece por tanto a la línea de esa orientación semihistórica o histórico-legendaria que se había apoderado de la escena romántica española. Ninguna novedad, se diría, a no ser que una de las dos obras, *Los amantes de Teruel* —por otro lado, una obra maestra—, procedía más allá, llevando a sus extremas consecuencias, y hasta cierto punto a una conclusión (aunque, desde luego, provisional), ciertos temas ya tan usuales como la muerte por amor y la obsesión espacio-temporal.

Si las dos piezas ahora citadas miraban hacia el pasado, colocándose de cierta forma en un punto de llegada, la tercera *(Felipe II)* abría una senda o al menos indicaba un camino en el que se pondrán casi todos los dramaturgos de las temporadas inmediatas: el de la búsqueda de una historicidad más auténtica y más evidente, a conseguir a través de la dramatización de acontecimientos reales y sobre todo de figuras históricas de primer plano.

Esta temporada, tan típicamente de transición, contribuyó también a una mayor familiarización con la dramaturgia romántica gracias a la introducción en el repertorio de las compañías de algunos de los dramas ya clásicos del romanticismo huguiano y dumasiano. Se estrenaron en efecto *Antony* y *La tour de Nesle* (este último con el título de *Margarita de Borgoña*) de Alejandro Dumas, y el celebérrimo *Hernani* de Víctor Hugo; a los cuales se podría añadir también el huguiano *Lucrecia Borgia*, que, estrenado en la temporada anterior (el 18 de julio de 1835), se mantuvo en el cartel pocos días, para empezar una vida larga y afortunada solamente a partir del 9 de septiembre de 1836.

El primer drama histórico de la nueva temporada, **Elvira de Albornoz** (5 actos en verso que respetan bastante la unidad de lugar, violando en cambio la de tiempo) es el que mayor dependencia revela de las fórmulas estereotipadas, con sus personajes ficticios y su trama inventada colocados sobre un fondo que evoca una Edad Media tópica: unas justas, un trovador, un salón gótico, la vuelta del cruzado y nombres ilustres del pasado hispánico.

Tello de Meneses, vencedor en unas justas celebradas en honor de su amada Elvira de Albornoz, se separa de ella para ir a guerrear en Tierra Santa. A pesar de seguir enamorada de él, Elvira se casa con don Pedro de Quiñones, que lamenta su frialdad y tiene celos del inocente paje y trovador Armando. Vuelve de Palestina Tello y explica a Elvira el misterio de su huida: es templario y por tanto vinculado al voto de castidad. Pero ahora es tal su pasión que está dispuesto a huir con su enamorada. Sorprendido por Pedro, los dos se desafían y Pedro es herido de muerte. Elvira, sintiéndose culpable, se suicida con un cuchillo de monte.

Un amor imposible, pues, según un estereotipo ya variamente experimentado en las escenas románticas, que llevará, como siempre, a la muerte; que, además, se alimenta de melancólicas evocaciones y provoca acentos intensamente transgresivos.

En uno de los pasos más acertados de la pieza Tello recuerda a Elvira el momento lejano de su enamoramiento:

> Daba la media noche, y profanando
> el templo del Señor, en él entraba
> y no la religión me conducía;
> el amor solamente me guiaba.
> Allí, dejando tu aposento, Elvira,
> bajabas tú como deidad del cielo (IV, 2).

Naturalmente, se trata de una pasión que condiciona la entera existencia:

> dos años nos amamos
> y estos dos años existí en el mundo (*ibídem*).

Y que, desde luego, como la de Macías, de don Álvaro, de Manrique, no acepta las convenciones sociales:

> Huye conmigo, y la existencia juntos
> disfrutaremos en nación remota,
> y lejos de Castilla viviremos.
> ....

Ardiente frenesí, llama ardorosa
por nuestras venas correrá inflamadas.

....

El amor es la vida (V, 3).

Son algunos de los momentos más felices de la pieza, pero representan también su límite, ya que lo que prevalece en general es justamente ese tono lírico que le dicta al poeta varios parlamentos muy largos en que los personajes hablan más consigo mismos que con el interlocutor y tienen muy escasa función diegética. El aspecto más vistoso en esta perspectiva nos lo ofrece el trovador Armando, que o canta o expresa sus sentimientos a través de auténticas composiciones líricas: ejemplos típicos, en el primer acto, la larga descripción del torneo, modelada sobre tantas análogas del teatro del Siglo de Oro, o la «trova» que recita a petición de Elvira al principio del tercero.

Por eso el drama procede lento, con poca acción y escasos efectos teatrales.

Tampoco tienen relieve los personajes, estáticos y previsibles, a pesar de alguna caracterización bastante acertada como la de Pedro, figura doliente y melancólica que más que el honor y los celos siente el dolor de un amor no correspondido.

Tuvo muy poco éxito: se estrenó el 23 de mayo de 1836, en el Príncipe, y se repuso solamente el día 25.

> La intriga del drama, de puro sencilla, raya en pobre. [...] El asunto no puede ser más manoseado. [...] El desenlace es inesperado y bueno. [...] El pajecillo Hernando *(sic)* [...] es una figura graciosa en un cuadro frío (*Semanario Pintoresco*, 29-V- 1836).

Al terminar su reseña, el crítico del *Semanario Pintoresco*, que había aludido a *Elvira de Albornoz* como a un «primer ensayo de un ingenio español», concluía:

Esperamos al autor para su próxima obra [...] Su primer drama promete; el segundo cumplirá.

Cumplió, en efecto, ya que el 17 de diciembre enviaba a las tablas del Príncipe un drama mucho más maduro, que debió de gustar más que el anterior, visto que se repuso cuatro veces en el espacio de un mes: *Felipe II*.

La nueva obra, en verso y prosa, respetuosa de la unidad de tiempo y bastante liberal con la de lugar, inauguraba ese nuevo tipo de drama en el cual las referencias históricas son concretas y los personajes que actúan conocidos en su mayoría. Además empezaba esa revisión de la historia a la luz de las doctrinas del liberalismo que culminará justamente en el año siguiente, no sin escándalo por parte de los ambientes más conservadores o moderados.

Ahora Díaz, posiblemente influido por Alfieri, reconstruía la historia de las relaciones entre don Carlos y su padre en clave romántica y liberal, de la cual el «Rey prudente» y su entorno salían decididamente malparados.

I. En el día de la fiesta de San Isidro, dos espías están escuchando las conversaciones de varios transeúntes, poniendo de relieve, entre sí, las frases y alusiones que puedan sonar anticonformistas, particularmente si son favorables al príncipe Carlos. Al final sale el propio don Carlos, que, en un diálogo con el francés Monvel, hace alusiones indirectas a su amor por la reina. Los espías notan también cierto ademán extático del príncipe frente a la reina misma, que sale de la ermita de San Isidro.

II. En la capilla del Palacio, por la tarde, varios cortesanos comentan los hechos del día, aprovechando cualquier ocasión para adular al rey. Felipe II comenta con el secretario Rui Gómez el comportamiento irregular de don Carlos. Por la mañana se encuentran la reina doña Isabel y don Carlos, quien pide a su madrastra que interceda ante el rey para conseguirle el permiso de salir de España. Son sorprendidos por Rui Gómez, que los delata al rey.

III. En la cámara del rey Rui Gómez y el licenciado Briviesca discurren acerca de don Carlos, al que el segundo defiende. La reina pide a Felipe el permiso para el hijo, pero el rey insinúa la posibilidad de una intriga amorosa entre los dos. En un coloquio con Rui Gómez, Felipe expresa ya abiertamente la decisión de ajusticiar a su hijo.

IV. En la habitación de don Carlos están reunidos varios conjurados que intentan derribar a Rui Gómez, pero llegan algunos soldados que prenden al príncipe. En el panteón del Escorial, Felipe reúne a sus consejeros para juzgar a su hijo. Todos se muestran hostiles al príncipe, exceptuado Briviesca. El rey decreta la muerte de Carlos.

V. En la cámara de la reina, Carlos, que se ha liberado, le declara su amor, logrando al fin que Isabel le corresponda. En este momento llegan Felipe y Rui Gómez con el verdugo. Al sacar éste la espada, cae el telón.

En el intento de dibujar un cuadro de la corte de Felipe II y sobre todo de realizar una atmósfera de intrigas y sospechas, tal vez el autor se haya dejado arrastrar hacia una trama demasiado larga y pormenorizada, mucho más de lo que se puede desprender del somero resumen que acabamos de trazar. Hay momentos, como por ejemplo todo el primer acto, en que comparecen tantos personajes que seguramente el público no los memorizaría tan fácilmente. A pesar de esto, no se puede negar que haya sabido crear un fresco matizado e interesante del mundillo cortesano de la época (1568, como se precisa al final del reparto), donde todo está sometido a la voluntad despótica del rey y al deseo de todos de congraciársela.

Los efectos teatrales son por consiguiente bastante ricos, sobre todo por el suspense que crea en el público la conciencia de que cualquier gesto o cualquier palabra puede conllevar la persecución y la condena. El público está advertido de la situación desde el principio, cuando el escenario aparece como dividido en dos espacios: el de los transeúntes que tranquilamente intercambian opiniones y el de los dos espías que todo lo observan y todo lo anotan. Lo cual, naturalmente, lleva a golpes de teatro por la improvisa intrusión de los perseguidores en el espacio de los «buenos», defensores de la libertad y dignidad humanas.

Entre la notable cantidad de personajes (dieciocho, además de numerosas comparsas) destacan algunas personalidades bien definidas.

En primer lugar, el protagonista: un Felipe II suspicaz, sutil inquisidor, frío y egocéntrico, animado por una religiosidad deshumana, que le lleva a exclamar, en su última réplica, cuando sorprende a Isabel y Carlos:

> Sobre ellos caiga la ley...
> ¡Dios los salve!

Y, desde luego, la pareja Carlos-Isabel, sumidos en su amor imposible que los llevará románticamente a la muerte (contra la misma verdad histórica, ya que Isabel no murió en aquella circunstancia) y que, aunque lleve todos los matices de la pasión romántica, prefiere en general los tonos recogidos y elegíacos.

> Vivir la vida de amar
> es vivir en otra esfera,
> en otro mundo habitar,
> en la mansión hechicera
> de Dios eterno morar

son las palabras con que Carlos conquista definitivamente el corazón de Isabel, que, al aparecer Felipe, Rui Gómez y el verdugo, no se contiene más y exclama:

> ¡Dios eterno!... están allí...
> Carlos, Carlos... yo te adoro (V, 5).

Conforme a una tradición ya asentada, el amor se revela frente a la muerte. En un drama que iba repitiendo, aunque sea con cierta originalidad, los tópicos del romanticismo no podía lógicamente faltar el tema angustioso del tiempo, que aquí es llamado a la memoria, sobre todo al final, por referencias a las horas que faltan para la salvación del príncipe o para su muerte. En su religiosidad hipócrita Felipe, a las ocho de la tarde, comenta, refiriéndose a Carlos:

> Gozará dentro de muy pocas horas un descanso eterno (IV, cuadro 6.º, esc. 4.ª).

En cambio, en la cámara de la reina, al oír el toque de las doce («Las doce», comenta explícitamente Isabel), Monvel recuerda, aludiendo a la fuga que se ha organizado para don Carlos:

> Tres hora nada más nos quedan.

Descargado el drama de multitud de alusiones históricas, minuciosas e inútiles, la acción hubiera caminado más desembarazada. [...] Los caracteres están bien sostenidos, y si no están dibujados con gran profundidad, hay por lo menos rasgos muy felices y contrastes bien entendidos (LARRA, *El Español*, 20-XII-1836).

Sin embargo, antes de que los autores teatrales recorrieran el camino abierto por el joven Díaz, otro joven ingenio cerraba la primera etapa de la dramaturgia romántica con una obra que todavía buscaba su inspiración en el inagotable caudal de las leyendas. El tema que afrontaba ya había sido tratado en el teatro anterior, sobre todo en la época barroca, donde había dado vida a dos comedias, respectivamente, de Tirso y de Montalbán: la obra se presentaba, pues, como una refundición, desde luego muy libre, cabalmente en la dirección indicada por el *Macías,* aunque con más aperturas hacia el romanticismo.

Al mismo tiempo afrontaba de manera directa y específica ese tema del tiempo que tanta importancia había adquirido, desde sus comienzos, en el teatro romántico español.

El 19 de enero de 1837 Juan Eugenio Hartzenbusch estrenó en el Príncipe **Los amantes de Teruel**, con un éxito muy diferente al de su obra anterior, *Las hijas de Gracián Ramírez,* que no había tenido más que dos funciones,[1] puesto que la nueva pieza conoció más de 30 reposiciones en el período romántico. El autor la reelaboró varias veces, reduciéndola a 4 actos de los 5 originarios, cambiando el nombre de algunos personajes y variando a veces notablemente el texto. Por tanto disponemos de diversos manuscritos y diversas ediciones que atestiguan varias etapas de esa labor de ajustamiento y que han sido estudiadas por los críticos, para terminar en la ejemplar sinopsis elaborada por J. L. Picoche. Sin embargo, la obra que se estrenó y que se representó a lo largo de los diez-doce años siguientes fue con mucha verosimilitud la que corresponde aproximadamente a las dos primeras ediciones, de 1836 y de 1838, sustancialmente idénticas, ya que la edición sucesiva pertenece al 1850. A ésas por consiguiente nos atendremos (eligiendo, en el caso de variantes, la de 1838), aunque sin olvidar que el texto conoció seguramente modificaciones en el curso de los años.

Se trata de un drama en 5 actos en prosa y verso, cuya trama se desarrolla en seis días y conoce numerosas mutaciones.

I. Valencia, 1217. Al lado de la cama en que yace, narcotizado, el cautivo cristiano Diego Marsilla, y sobre la cual puede verse un lienzo escrito en español con letras de sangre (en el cual, como sabremos luego, Marsilla denuncia una conjura contra el rey de la que se ha enterado casualmente), la sultana Zulima y su fiel Adel comentan la decisión de la primera de trasladar al cautivo desde la mazmorra al harén, con grave peligro de ser descubiertos por el sultán. Entra Zeangir, que, conociendo el español, lee lo escrito en el lienzo y se aleja rápidamente. Cuando Marsilla se despierta, contesta a

---

[1] El 8 y el 9 de febrero de 1831 (Teatro de la Cruz). Era una tragedia en la que se alternaban celos y venganzas, en el trasfondo de la lucha entre moros y cristianos. Éstos, al final, gracias a la protección de la milagrosa imagen de la Virgen de Atocha, logran liberar Madrid del yugo musulmán. Llevaba el subtítulo *La restauración de Madrid.* Véase el artículo de J. ESCOBAR «Del XVIII al XIX: Una reseña de Ramón de Mesonero Romanos sobre *Las hijas de Gracián Ramírez, o la Restauración de Madrid,* de Juan Eugenio de Hartzenbusch, refundición de un drama de Manuel Fermín de Laviano», *Signoria di parole, Studi offerti a Mario Di Pinto* (ed. G. CALABRÒ), Napoli, Liguori, 1998, pp. 233-243.

las preguntas de Zulima revelándole el gran amor que le liga a una cristiana, cuyo padre se la ha prometido, con tal que se enriquezca en un plazo de seis años que va a expirar justamente dentro de seis días. Zulima le declara su amor, que Marsilla rechaza. Llega la noticia del improviso regreso del rey: Adel se lleva Marsilla a otro sitio. Aparece de improviso Zeangir, que prende a Zulima como partícipe en la conjuración.

II. Tres días después, en la casa de don Pedro Segura, en Teruel. Don Pedro, de regreso de la batalla de Monzón, narra a su hija Isabel cómo, salvado por Rodrigo de Azagra, le ha prometido su mano. Se presenta don Martín Marsilla, padre de Diego, que le había retado por ser la causa del alejamiento de su hijo: quiere reconciliarse por haber sido curado por Margarita, la mujer de don Pedro. En un coloquio con su madre, Isabel consigue que ésta se oponga a las bodas con Azagra. Pero éste le hace chantaje a Margarita, amenazándola con entregar a su marido unas cartas que prueban un adulterio de ella.

III. Zulima, disfrazada de caballero aragonés, se apea en casa de los Segura y anuncia a Isabel la muerte de Diego, ajusticiado por adúltero con la reina de Valencia. Isabel se desespera y, al confiarle su madre el chantaje de Azagra, decide casarse con él.

IV. Mari-Gómez, la criada, viste para las bodas a Isabel, sumida en el más profundo abatimiento. Se le presenta Azagra, que le entrega las cartas comprometedoras y la invita a decidir libremente. A su vez, don Pedro le recuerda varios episodios desconocidos de la generosidad de Azagra. Isabel por fin juzga que ése es el esposo que el destino le ha procurado y acepta. Pero Pedro quiere que se espere hasta el toque de vísperas, que es cuando vence cabalmente el plazo. El cortejo se dirige hacia la iglesia. Margarita, habiéndose enterado de que Marsilla vive y se está acercando a Teruel, llega corriendo, avisa a don Martín y le insta a dirigirse a la iglesia para interrumpir el rito. Pero el toque de vísperas anuncia que el plazo ha expirado. Entre tanto, en un bosque cercano, algunos bandidos, avisados por Zulima, detienen a Marsilla y Adel, despojándolos de todas las riquezas que el sultán ha regalado al primero en compensación por haber denunciado la conjura. Cuando ya se ha oído el toque de vísperas, llega Zulima y libera a Marsilla. Adel se libera por su cuenta y la mata, cumpliendo así un encargo de su rey.

V. Por la noche, Marsilla penetra en la habitación de Isabel y la regaña. Después de un largo coloquio en que alternan amor, desesperación y conciencia de la realidad, Marsilla llega a la persuasión de que Isabel le aborrece y muere desesperado. Pocos instantes más tarde, muere también Isabel.

La trama desarrollaba uno de esos casos de amores imposibles y, por consiguiente, de amor y muerte que se habían convertido en el tema casi obligatorio de todo drama histórico. Particularmente saltaba a la vista cierto parecido con el *Macías*, casi obvio en el drama de un joven ingenio, como ya había manifestado *El trovador*. Por otro lado, el propio autor se había dado cuenta de tantos puntos de contacto y, a pesar de haber compuesto el drama ya en 1834, no lo había puesto en escena justamente por haberse representado anteriormente la obra de Larra.

Posiblemente para distanciarse de manera más acusada del supuesto modelo, Hartzenbusch dibujó una trama más complicada, creando una intriga amorosa mucho más matizada (con el amor vengativo de la mora, el chantaje de Margarita y las deudas morales hacia Azagra), introduciendo motivos inusuales pero muy calados en el gusto romántico, como el exotismo, las letras escritas con la sangre y los bandidos (aunque estos últimos tenían un antecedente, quizás ya olvidado, en la *Elena* bretoniana).

Sin embargo, sus innovaciones no afectaron solamente a la trama, con la presencia de ingredientes insólitos, sino también a aspectos estructurales como la unidad de tiempo, que el *Macías*, como hemos visto, seguía respetando: en este sentido, *Los amantes de Teruel* era la primera refundición totalmente romántica.

Además, profundizaba e intensificaba motivos que desde tiempo recorrían el teatro romántico español, llevándolos a sus extremas consecuencias.

Ante todo, la muerte por amor, que aquí se vuelve, por así decirlo, quintaesenciada, no siendo provocada por algún agente externo: los dos amantes no mueren por obra de los consabidos puñales o venenos, sino matados directamente por la misma pasión. Marsilla, imaginando que Isabel le aborrece, cae «como herido de un rayo», murmurando:

> ella me aborrecía... ella me mata (V, 3).

Pronto le sigue Isabel, que «espira quedando de rodillas, abrazada con él» y gritando su pasión inextinguible:

> Tú me lloraste agena, tuya muero, (V, 4),

que se convertirá en la edición de 1850 en un más significativo

> en pos del tuyo
> mi enamorado espíritu se lanza.

Es una solución que Hartzenbusch ya encontraba tanto en sus modelos barrocos como en las obras anteriores, desde *Los amantes* de Rey de Artieda hasta la supuesta fuente primaria de la novela de Boccaccio dedicada a *Girólamo y Salvestra*, donde la muerte del protagonista tiene el aspecto de un suicidio por autosugestión:

> [...] concentrados en sí los espíritus, sin decir palabra, cerrados los puños, a su lado murió.

Lo mismo ocurre a Salvestra, ya que

> como al joven el dolor quitara la vida, así se la quitó a ella.[2]

---

[2] Traducción mía.

No fue, pues, una invención de Hartzenbusch, el cual empero tuvo el mérito de introducir una preciosa variante, de indudable eficacia teatral, en el tema ya muy manoseado de la muerte por amor.

Siguiendo la tradición, este amor adquiere esos rasgos transgresores que desde el *Macías* se habían hecho constantes en toda pasión romántica, a los cuales nuestro autor añade también un interesante toque de rebeldía prometeica. Entre Marsilla y su padre se desarrolla un diálogo concitado en que el joven declara su intención de matar al rival. Entre otras cosas, don Martín le recuerda el sagrado vínculo matrimonial que une a Isabel con Azagra:

> MARTÍN.   Respeto te merezca
>   un vínculo...
> MARSILLA. Es sacrílego, es injusto.
> MARTÍN.   En presencia de Dios formado ha sido.
> MARSILLA. Con mi presencia queda destruido (IV, 4).

Y a Isabel, que le recuerda su nueva posición social («Estoy casada... Tengo esposo»), no duda en reivindicar los superiores derechos del amor contra los de la ley humana:

> Tus bodas a la ley de Dios ultrajan.
> Mía es tu mano, me la dio el cariño,
> y de un usurpador vengo a cobrarla (V, 3).

Sin embargo, la más importante contribución del autor fue el tratamiento masivo y obsesivo del tiempo y el espacio fuertemente entrelazados.

Alejándose de los modelos que insistían sobre todo en los antecedentes (desde la concesión del plazo por parte del padre de Isabel a las aventuras afrontadas por Marsilla en el intento de enriquecerse con el fin de cumplir con las condiciones impuestas para su enlace con la amada), Hartzenbusch concentra toda la acción en los días inmediatos a la expiración del plazo, con una secuencia agobiante de fragmentos temporales que se van haciendo cada vez más pequeños: desde los seis días que faltan cuando Marsilla se encuentra todavía en tierra de moros hasta los tres días del momento en que don Martín regresa a su casa, a las pocas horas de cuando Isabel se está preparando para las bodas, a los pocos minutos de cuando el cortejo se dirige hacia la iglesia, a los pocos instantes del episodio en que Marsilla aparece atado en el bosque y del momento simultáneo en que Margarita avisa a Martín, hasta que la señal convenida del toque de vísperas irrumpe concretamente en la escena como la misma personificación del plazo expirado.

Desde luego, el plazo adquiere en el drama la característica de un actante, algo como el destino en el *Don Álvaro*; verdadero protagonista de la obra, como lo define Salvador García,[3] y fuente de esa «tensión emocional» de que

---

[3] En el estudio preliminar a J. E. HARTZENBUSCH, *Los amantes de Teruel*, Madrid, Castalia, 1971.

trata Peers.[4] «Aun más que el amor, les une el tiempo —afirma Casalduero—, ese momento fatal al cual se dirigen sus vidas.»[5]

El clima de suspensión creado por ese agobio temporal resulta intensificado por el apoyo concreto de motivos espaciales que corren paralelamente. La distancia entre Valencia y Teruel se hace enorme en la mente del espectador por encontrarse los dos lugares respectivamente en tierra de moros y de cristianos, y por tanto los seis días adquieren una dimensión mucho más amplia. Lo mismo vale para el bosque, que está, sí, inmediato a la ciudad pero que, dada la particular situación en que se agitan Marsilla y Adel, parece que se encuentra a una distancia insuperable.

Espacio y tiempo coinciden luego con una exactitud geométrica en el breve diálogo entre Margarita y Martín: la primera ha sabido que Marsilla está cerca de Teruel y ruega al padre del protagonista que corra a la iglesia. En su réplica se alternan las alusiones al plazo que va a expirar («Va a sonar al punto») y a la distancia que los separa de la iglesia («La iglesia está a un paso»), que confluyen en el ansioso imperativo: «Corred vos.»

El impacto sobre el público fue notable, como sabemos por las reseñas y por el número de reposiciones, que fueron ocho inmediatamente después del estreno. Lo que debió de impresionar, además de la tensión creada por el agobio espacio-temporal, fue el dinamismo de escenas a menudo pobladas por varios personajes y el pasaje repentino de un lugar a otro a veces muy diferente, en un juego sugerente de interiores y exteriores, seguramente muy efectista.

> Preside al drama no la maldad, repugnante siempre cuando se presenta en las tablas fría y estéril, sino la fatalidad, la hermosura misma de Isabel, que le acarrea sus desventuras todas. [...] El autor ha sabido hacer interesantes a todos sus personajes, y esta verdad resultaría más palpable si el drama hubiera sido bien representado (LARRA, *El Español*, 22-I-1837).
>
> trasporta al espectador a la época a que se refiere y que muestra, como en un espejo, las costumbres de la sociedad en aquellos tiempos, el espíritu que la dominaba, y las virtudes y defectos del carácter nacional. [...] El público pidió que saliera el autor a las tablas, pero su extremada modestia le había alejado de aquel paraje (*Gaceta de Madrid*, 22-I-1837).
>
> El autor con sobra de ingenio y de conocimiento de la escena ha sabido crear incidentes tan naturalmente unidos a la historia principal, que se hace difícil deslindar dónde calla la historia para dar su lugar a la rica fantasía del poeta. [...] Los caracteres de todos los personajes están admirablemente delineados. [...] [el autor] en casi todo el drama parece revelar un alma del temple de los Rojas y Calderones (*Semanario Pintoresco*, 5-II-1837).

---

[4] *Op. cit.*, I, p. 355.
[5] J. CASALDUERO, *Estudios sobre el teatro español*, Madrid, Gredos, 1967², p. 233.

Los *Amantes de Teruel* es la primera obra de un autor sublime. [...] El drama
pinta con los colores más fuertes y naturales la más fuerte y natural de las pasiones (SALAS Y QUIROGA, *No me olvides*, 1837, n.º 5).

2. EL ROMANTICISMO LIBERAL

Fue en la temporada 1837-1838 (27 de marzo de 1837 a 7 de abril de 1838)
cuando se produjo una verdadera inundación de dramas históricos, caracterizados casi todos por un compromiso político que imprimía en los acontecimientos del pasado el sello de las preocupaciones presentes. Se amalgamaba el
programa historicista duraniano de la unión de lo pasado con lo presente con el
principio huguiano de la identificación entre liberalismo y romanticismo.

Alternaron en la escena madrileña *El paje* de García Gutiérrez (22 de mayo
de 1837), *La corte del Buen Retiro* de Patricio de la Escosura (3 de junio), *Doña
María de Molina* de Mariano Roca de Togores (24 de julio), *Fray Luis de León* de
José Castro y Orozco (15 de agosto), *Antonio Pérez y Felipe II* de José Muñoz
Maldonado (20 de octubre), *Carlos II el hechizado* de Antonio Gil y Zárate (2 de
noviembre), *Bárbara Blomberg* de Escosura (19 de noviembre), *Don Fernando el
emplazado* de Bretón (30 de noviembre), *El rey monje* de García Gutiérrez (18 de
diciembre), *Don Jaime el Conquistador* (8 de febrero de 1838), *La vieja del candilejo* de Diana, Romero Larrañaga y González Elipe (8 de marzo), *Adel el Zegrí*
de Gaspar Fernando Coll (28 de marzo). Además se estrenó la tan discutida
obra de Víctor Hugo, *Cromwell* (13 de enero), y se repusieron varios dramas estrenados en las temporadas anteriores: *La conjuración de Venecia, Macías, Don
Álvaro, El trovador, Los amantes de Teruel.*

Para completar el cuadro hay que añadir que se estrenó también la comedia
de Bretón de los Herreros *Muérete y ¡verás!*, que los propios contemporáneos
juzgaron como una verdadera comedia romántica (27 de abril de 1837).

Arrastrados por tanto entusiasmo hacia la producción romántica, varios
jóvenes ingenios aprovecharon el momento mágico para entrar en el mundo
teatral y otros, como García Gutiérrez , empezaron una larga carrera dramatúrgica. Pero lo que más salta a la vista es un proceso de renovación y/o profundización que afecta a casi toda la producción de esta temporada y en parte
la separa de las primeras manifestaciones.

Dejando a un lado, de momento, *El paje,* que parece todavía bastante ligado
a los temas semihistóricos, la primera legítima novedad de la temporada fue
La corte del Buen Retiro, 5 actos en verso (Príncipe, 3 de junio de 1837), primer ensayo dramático del joven Patricio de la Escosura, cuya acción dura casi
dos días y se desarrolla en varios ambientes de la Corte.

I. *El incendio. El conde de Villamediana, acompañado por el de Orgaz, salva de
un incendio que ha estallado en el palacio real a la reina doña Isabel de Borbón, de la
cual está platónicamente enamorado. En los jardines del Buen Retiro le confiesa su*

amor y es sorprendido por el bufón. El rey Felipe IV les da las gracias a los dos. Es de noche.

II. *El rey poeta.* Don Luis de Haro siembra sospechas contra sus enemigos en el Conde-Duque de Olivares; éste hace lo mismo con el rey. Calderón, Góngora, Quevedo, Villamediana y el rey mismo participan en una justa literaria sobre tema amoroso, siendo juez la reina, que otorgará al vencedor una banda verde. El soneto de amor recitado por Villamediana es un acróstico del cual sale el nombre de «Isabel de Borbón». Turbado, el rey interrumpe el certamen, rasga el soneto y revela a la reina su intención de castigar al poeta.

III. *La reina.* En el estudio de Velázquez se encuentran la reina y Villamediana, al que el pintor retrata en un cuadro en el que figuran respectivamente Diana y Acteón: el joven aprovecha la ocasión para declararle nuevamente su amor a la reina. En el tocador de ésta, el rey, al cual Luis de Haro ha entregado el soneto que Villamediana ha rehecho quitando el acróstico, reconoce que se ha equivocado. Pero el enano, que ha recogido los pedazos de la hoja que el rey había rasgado, le hace chantaje a la reina para que se rinda a sus deseos lascivos: Isabel le pide el plazo de una noche.

IV. *La verbena.* La víspera de San Juan varios personajes del pueblo bailan y cantan en el soto de Manzanares. Embozados, Villamediana y Orgaz discurren de lo ocurrido en el día anterior y Orgaz le reprocha a su amigo la imprudencia de su conducta. Un mensajero entrega a Villamediana una carta de la reina que le insta para que se aleje de Madrid. Llega, tapada, la reina misma acompañada por dos damas, que renueva a Villamediana la invitación a alejarse. Igualmente embozados, el rey, el de Haro y el bufón intentan seguir a las damas pero se lo impiden Villamediana y Orgaz, hasta que, a la llegada de un alguacil, todos se descubren y cesa la riña. Las damas se han escabullido, pero el bufón ha logrado seguirlas.

V. *Villamediana.* La reina penetra en la habitación del bufón dormido y le arranca el soneto que él aprieta en su mano: el enano se despierta y amenaza a la reina. Luego revela al rey que Velázquez está pintando el cuadro de Acteón y Diana —lo cual le confirma el propio pintor— y que en el soto de Manzanares la reina se ha encontrado con Villamediana. El rey obliga a la dueña Guiomar a entregar a Villamediana una llave fingiendo que es de orden de la reina. Cuando el conde, sumido en la más intensa felicidad, abre la puerta, un ballestero le mata, ante la desesperación de la reina, que había acudido inútilmente para salvarle.

El argumento básico es el de siempre: un amor imposible (bastante parecido, por los elementos circunstanciales, al de don Carlos en el *Felipe II*), como por otro lado subraya el mismo protagonista, que cabalmente presenta el soneto que va a leer durante la justa poética con estas significativas palabras:

Amor imposible: habla el amante (II, 6).

Sin embargo, lo relativamente novedoso es que se trata de un amor platónico, y no de esa pasión desbordante que se había convertido ya en un tópico: «Mi amor es puro, celeste», proclama Villamediana a su amigo el conde de Orgaz:

no es fuego como aquéste,
lo juro al cielo y a vos,
el que en la corte se encubre
de fino amor con el nombre
brutal afecto del hombre
que engañoso velo cubre (I, 7).

La contraposición muy evidente entre el amor platónico y el amor cortés (el «fino amor») ya en su decadencia y corrupción, bastante en consonancia con la época representada,[6] se inserta en el marco de una atenta reconstrucción ambiental que caracteriza la obra y que, por la amplitud del cuadro y el cuidado de los pormenores, es una novedad, aunque sea en la línea indicada por Martínez de la Rosa y Rivas.

Es evidente que Escosura se ha documentado, como atestiguan las acotaciones muy detalladas acerca de los ambientes y de los trajes: el tocador de la reina, el estudio de Velázquez, la fiesta popular del soto de Manzanares se describen con mucha detención y suponen una escenografía refinada de la cual se ocupó largo tiempo el célebre arquitecto Lucini.

Pero a la vez que el ambiente exterior, el poeta se ocupó de reconstruir también el ambiente cultural que rodeaba a Felipe IV, y que aquí aparece en primer lugar a través del certamen poético que ocupa el acto II, en el cual Góngora, Calderón y Quevedo leen composiciones poéticas que realmente escribieron, cuyas fuentes el autor se preocupa de indicar en las notas. En segundo lugar, con la representación de Velázquez trabajando y, entre otras cosas, del rey que, según una famosa anécdota, dibuja la cruz de Santiago en la figura del pintor autorretratado en el célebre cuadro de *Las meninas*.

Desde luego se trata de una reconstrucción romántica, caracterizada por el sentido de la lejanía y por una vaga aureola de idealismo y exquisitez que tiene mucho de la *rêverie*, aunque sobre un fondo histórico indiscutible. Pero es interesante anotar que no es gratuita, sino funcional al desarrollo de los acontecimientos, ya que la justa sirve para que Villamediana imprudentemente revele su amor y la pintura de Velázquez para traicionar el amor de la reina y Villamediana, representados en el simbólico cuadro de Acteón y Diana. De manera que el desenlace trágico está en relación de dependencia con los aspectos culturales de la vida del Palacio: el rey descubre el amor de los dos justamente gracias al soneto y al cuadro.

El clima idealista y estetizante que de esta forma domina la pieza, junto con el estallar de los celos y de los problemas de honra, puede remitir al teatro del Siglo de Oro, a pesar de la presencia de motivos que le separan netamente de él. El propio Escosura confesó que había perseguido el intento de «amalgamar el romanticismo de Calderón con el de Dumas y de Víctor Hugo».[7] En cuanto

---

[6] Quizás con algún anacronismo, ya que la sustitución del amor cortés por el platónico se remonta más bien al siglo XVI.

[7] En el prefacio a *Jaime el Conquistador*, Madrid, Hijos de Piñuela, 1838, p. 3.

a la parte dumasiana y huguiana de la obra, creo que hay que buscarla por un lado en los motivos típicamente románticos que ya se han puesto de relieve, y por el otro en la figura del enano bufón con el cual se realiza ese contraste entre sublime y grotesco que era uno de los postulados fundamentales del célebre prefacio al *Cromwell*. Una figura nueva en el drama español, a la cual no se puede buscar otro antecedente, si no es, muy a lo lejos, la gitana de *El trovador*. Es una mezcla de rebeldía («Mal haya el haber nacido / a servir y a ser bufón» [V, 1]), de envidia («¿Por qué un cuerpo no me distes, / Señor, comparable a aquél?» [I, 3]), de sensualidad y de malicia diabólica que le insta a chantajear a la reina, meciéndose en el sueño lascivo de una relación carnal que la «pasión brutal» sugiere a su fantasía perversa:

> ¡Qué contraste! Su blancura
> con mi atezada negrura,
> mi fealdad con su hermosura...
> El demonio se reirá *(Carcajada)* (V, 1).

La figura deforme del bufón contribuye también a la espectacularidad de la obra, que es muy intensa, aprovechando todos los recursos idóneos, desde el fuego a gritos en la noche, a cantos y música y a un sonido de campanas que va aumentando paulatinamente hasta convertirse en un angustioso estruendo («*el que debieran producir todas las campanas de la Corte tocando a un tiempo*» [I, 2, 2]), a la sugestión de los trajes («*El Rey de negro en cuerpo, el Toisón pendiente de una cadena de oro, y gorra de terciopelo también negra*» [II, 2], etc.), a la frecuente presencia de tapadas y embozados, y sobre todo a un intenso movimiento escénico. El escenario se llena a menudo de grupos destinados a atraer la atención del espectador, como ocurre, al principio, con la entrada solemne del rey que la didascalia describe minuciosamente:

> *Precedido por pages con hachas encendidas y un destacamento de la guardia alemana, entra el Rey en escena lleno de agitación y pena, con el Conde-Duque de Olivares, don Luis de Haro, Grandes, Gentiles hombres, etc. Cierra la comitiva otro destacamento de la misma guardia alemana* (I, 4).

Más animado todavía es el movimiento escénico al principio del acto IV, con los bailes, los cantos y las ocurrencias de los transeúntes en el soto de Manzanares. Muy hábil en fin, tanto por el juego en sí como por la suspensión que determina en el público, es el juego escénico entre el grupo del rey y sus acompañantes y el de Villamediana y Orgaz, que se oponen mutuamente entre el gentío de la fiesta hasta que la llegada de los alguaciles complica y luego resuelve la situación.

Las escenas nocturnas ocupan, naturalmente, un espacio adecuado, abriendo y cerrando la pieza y acompañando los acontecimientos más trágicos: el incendio del palacio en la noche del primer acto debió de ser muy efectista.

Mucha atención puso Escosura también en la gesticulación, que aparece indicada con detalles bastante inusuales. Será suficiente recordar, entre tantas acotaciones de esta clase, la del acto II, al final de la lectura del soneto de Villamediana:

> *Góngora y Quevedo se miran entre sí con malignidad, ocultándose del Rey: éste presta la mayor atención como quien no comprende bien; la Reina tiene los ojos clavados en el suelo procurando reprimir su agitación; Calderón es el único que oye esta composición como las demás sin otro interés que el de literato. Concluyendo, levántase el Rey como distraído, etc.* (II, 6).

Seguramente, la obra merecía un éxito superior a las tres representaciones que alcanzó en total.

Posiblemente las referencias literarias no hicieron mella en el gran público y los matices sentimentales tampoco lograron la participación de unos espectadores acostumbrados a los contrastes fuertes de las pasiones profundas. Quizás también la figura de Felipe IV pudo aparecer demasiado blanda y humana a quien deseaba ver en la escena a déspotas como Felipe II luchando contra los héroes paladines de la libertad.

> Escosura ha escogido lo bueno de nuestro teatro antiguo, y lo ha unido a lo bueno del moderno, y de esta unión, de este compromiso ha resultado un drama escrito en lenguaje digno de nuestros antiguos poetas con situaciones que no dirían mal en una obra de Dumas o de Víctor Hugo. [...] El drama se puso en escena con un lujo desusado [...] decoraciones nuevas que nos parecieron de mucho efecto (*Gaceta de Madrid*, 7-VI-1837).
>
> El público ha aplaudido esta obra de verdadero mérito, y nosotros no seremos quienes censuremos su fallo (SALAS Y QUIROGA, *No me olvides*, 1837, n.º 6).

Algunos meses después, exactamente el 20 de octubre,[8] un coetáneo de Escosura (habían nacido los dos en 1807), José Muñoz Maldonado, conde de Fabraquer, empezó también su carrera de dramaturgo (en realidad muy corta, ya que terminó en 1840 con un segundo y último drama), estrenando en el Cruz *Antonio Pérez y Felipe II*, en cinco actos en prosa y verso. En la primera escena un cortesano, en el intento de adular al rey, recuerda, como ejemplo de integridad, la condena a muerte de don Carlos por enemigo de la religión:

> ¡Y cómo supo acallar
> la voz de naturaleza!

a diferencia de «su madrastra hermosa»,

---

[8] Deduzco el dato de la citada *Cartelera*; pero en la portada de la edición de 1842 se indica como fecha de estreno el mes de septiembre.

que enamorada de él
debió haber sido su esposa

y que murió

Pura víctima inocente
del dolor.

Tal vez se trate de algo más que de una simple relación de antecedentes; la impresión, consideradas las circunstancias, es que Muñoz pretendiera enlazarse con el *Felipe II* estrenado el año anterior. En efecto, había una consonancia ideológica con la pieza de Díaz, y la nueva obra podía presentarse como un segundo episodio de la tiranía del Rey Prudente y de su encono con los defensores de la libertad.

I. *31 de marzo de 1591. En la antecámara del rey éste conversa con su secretario Antonio Pérez, refiriéndole sus recelos acerca de don Juan de Austria, de quien sospecha que aspire a la corona, y hablándole de sus amores con Ana de Éboli, que al mismo tiempo le consuelan y le dan remordimientos. Recibe luego a Juan de Escobedo, secretario de don Juan, al cual otorga, escrita de su puño, la orden de reforzar el ejército de Flandes. Escobedo insinúa sospechas sobre Pérez y Ana, que el rey ve confirmadas al escuchar una conversación amorosa entre los dos. Como en realidad no quiere que la orden dada a Escobedo se ejecute, ordena a Pérez que envíe sicarios a matarle. Muerto Escobedo, su mujer, Laura, pide justicia al rey acusando a Pérez. Felipe hace prender a su secretario.*

II. *Enero de 1592. Pérez está preso en la torre de Luján. El juez le somete al tormento para que confiese el nombre del mandante del asesinato, pero él, que ha jurado al rey no revelarlo, no despega los labios. Embozado, Felipe II visita a Pérez, como acostumbra desde hace casi dos años, pidiéndole consejos para la gestión del estado. Al salir, manda al carcelero que deje entrar a doña Ana y que luego, a las once, lleve a los dos al patíbulo. Pero la mujer conoce una puerta secreta que abre tocando un resorte y se escapan. Al cerrarse la puerta tras ellos, entra el verdugo. Es de noche.*

III. *El carcelero Fortún lleva al Escorial la noticia de la fuga. Imaginando que los dos se refugiarán en Aragón, Felipe decide aprovechar la oportunidad para anular los fueros de esta región. Envía por tanto a Fortún con el encargo de hacerse amigo de Pérez y fomentar una revolución. Es de noche.*

IV. *Diciembre de 1592. En el palacio del virrey en Zaragoza, Felipe y el prior don Alfonso Vargas comentan los últimos sucesos, con la derrota de los sublevados y la fuga de Pérez a Francia. Ha sido capturada en cambio Ana de Éboli, a la que el rey manda presentarse ante él. La mujer intenta apuñalarlo, pero se detiene al oír el cañonazo que anuncia la muerte de Lanuza, Justicia de Aragón. Felipe la entrega a la Inquisición y manda a Fortún a Francia para que recupere la esquela que había entregado a Pérez con la orden de matar a Escobedo.*

V. *Es el 1598. Pérez, cansado por la implacable persecución de Felipe II, busca amparo en una ermita cerca de Roma. El ermitaño, que es en realidad Fortún, le acoge y le ofrece un vaso de vino envenenado. Un legado pontificio lleva el indulto para Pérez, ya que Felipe ha muerto revelando su inocencia. Pero es demasiado tarde y el veneno acaba con la vida de Antonio Pérez.*

En la perspectiva del autor, Pérez y Ana interpretan el papel de los liberales democráticos que se sacrifican por sus ideales. Resume así su vida Antonio Pérez:

> Joven era todavía
> cuando la espada empuñé;
> la libertad proclamé
> en la infeliz patria mía:
> mas venció la tiranía (V, 1).

Y Ana, después de intentar apuñalar a Felipe, habla como una Mariana Pineda *ante litteram*:

> Sólo yo os he ofendido
> pues a mi patria he querido
> libertar hoy de un tirano (IV, 3).

Frente a ellos, Felipe II es la encarnación de la tiranía, pero de manera muy diferente a la de esos superhombres que poblaban las tragedias neoclásicas: conforme a la fórmula introducida por el romanticismo, es un personaje matizado, odioso, sí, hipócrita, cruel hasta el sadismo («¡Mi alma en su dolor se goza!» [IV, 1]) y egocéntrico, pero también con sus toques de humanidad, que le llevan a envidiar al «infelice que oprime / el insolente poder», el cual encuentra alivio en el seno de su familia, en tanto que, dice,

> Yo tan solo sobre el trono
> busco amor y no le encuentro:
> de mi familia en el centro
> gimo en mísero abandono (I, 3).

Héroes de la libertad que sucumben aplastados por la prepotencia del tirano: un programa abiertamente liberal, y claramente anacrónico, que se complica, románticamente, con la burla atroz del destino que, como en el *Don Álvaro*, deja entrever la realización de un sueño en el momento mismo en que le destruye.

Tal vez gracias a sus proclamas libertarias la obra encontró cierto favor y se repuso siete veces después del estreno. No era sin embargo una obra maestra: su defecto principal, además de cierta «ampulosidad melodramática» y algún «episodio violento u horripilante»,[9] estribaba en una escasa plausibilidad de la

---

[9] PEERS, *op. cit.*, I, p. 364.

trama, cuyas peripecias tienen su punto de arranque en la casualidad del coloquio entre Pérez y Ana que es escuchado por el rey, ya que tiene lugar absur-
damente en su misma antecámara. Además, una excesiva cantidad de apartes
le resta vivacidad al diálogo y verosimilitud al desarrollo general.

Sin estos inconvenientes, quizás habría encontrado más interés en el público,
puesto que no le faltaban recursos muy positivos en la eficacia teatral.

Los ambientes, por ejemplo, eran del gusto corriente en la época, sin ser, sin
embargo, demasiado trillados: la corte de Felipe II, el Escorial, el campo con
vistas sobre las ruinas romanas, la ermita con su diabólico falso ermitaño.

Pero sobre todo se insinúa en todas partes un sentido angustioso del tiempo. Un toque de campana le recuerda al rey que es la hora de la oración; un instante después, Felipe decreta la muerte de Escobedo para «antes de las nueve»
y Pérez, mirando el reloj, percibe el agobio de un plazo amenazador:

> ¡El reloj marca ya las ocho de la noche...!, ¡una hora más y ya no existirá uno de
> los hombres más poderosos de la monarquía...! (I, 9).

Cambiadas las suertes, ahora le toca a Pérez la condena a muerte, y el rey
la decreta para las once, como le manda a Fortún:

> Cumplida la ejecución
> ha de quedar a las once,

y agrega una cita:

> ¡Las tres en el monasterio
> te han de dar...! (I, 9).

Y el carcelero de la torre les recuerda a Pérez y Ana «que a las once han de
cortar / una cabeza en la torre».

Y por fin estas once fatales, tan a menudo aludidas, se presentan concretamente en la escena a través del tañer de las campanas y de la explícita referencia en las palabras de Ana, llenas de pesadilla:

> ¡El reloj del Salvador
> las once está dando ya! (II, 12).

Los dos, como hemos visto, consiguen fugarse, pero el agobio del tiempo
sigue su curso para llegar al punto más alto del clímax cuando el verdugo entra en la celda acompañado por «un religioso de San Francisco» que, con cierto
efectismo macabro, quizás también algo ingenuo, reza la didascalia, «dice con
voz espantosa»:

> ¡Pérez... tu última hora...! (II, 13).

Poco después, una campana que toca a maitines le recuerda al rey que ya ha pasado la hora en que Fortún tenía que anunciarle la muerte de Pérez:

> ya las tres han sonado (III, 2).

En Zaragoza, el rey nuevamente decreta una muerte, la de Lanuza,

> ante que hoy de su carrera
> el sol marque la mitad.

Le toca ahora a Vargas subrayar la angustia temporal en que se mueven:

> ¡Apenas falta una hora
> para ese fatal momento! (IV, 1).

Esta vez no será el tañido de las campanas el que acompañará el vencimiento del plazo sino el estampido de un cañón, igualmente eficaz y de seguro efecto también por la influencia que ejerce en el proceder de la acción dramática.

Podemos decir que en cada acto se advierte la amenaza cercana de un plazo mortal que va a expirar: única excepción, el quinto, en el cual asistimos en cambio al apagarse penoso y cansado de la vida de Pérez, que el veneno trunca a la postre definitivamente.

Tanta eficaz insistencia sobre un tema tan propio de la época pero no adecuadamente rodeado por un desarrollo libre y desenvuelto de la trama se podría considerar como una feliz oportunidad perdida.

---

el público de Madrid ha dado una prueba de su sensatez aplaudiendo lo que aplausos merece, y perdonando en gracia de lo primero lo que es digno de censura. [...] el primer acto es bueno [...], el segundo admirable [...] Comienza a declinar desde el tercer acto [...] mas en el quinto es donde cae completamente. [...] Ha recargado el autor a todos sus personajes con tan sombríos colores que el ánimo se fatiga de no hallar más que monstruos y verdugos (*Gaceta de Madrid*, 26-X-1837).

pocas obras conozco, por mejor decir ninguna, en que el carácter cierto o supuesto que el siglo presente da al sombrío y tiránico Felipe II esté mejor trazado y más sostenido (SALAS Y QUIROGA, *No me olvides*, 1837, n.º 26).

No era en cambio un novato Antonio Gil y Zárate, quien, el 2 de noviembre, estrenó en el Príncipe *Carlos II el hechizado*; era menos joven que los anteriores (había nacido en 1793) y ya había compuesto comedias y tragedias neoclásicas. Ahora, «en un momento de satánica tentación», según comenta Mesonero Romanos, «se lanzó a ofrecer a la vista de un público extraviado por la pasión política un drama de carácter terrorífico»[10] que, a pesar de algunas

---

[10] *Memorias de un setentón*, cit., p. 490.

críticas negativas, encontró el favor de los espectadores, siendo repuesto por diez días consecutivos y por un total de cerca de 30 representaciones en el período de que nos estamos ocupando. La obra, en 5 actos, estaba escrita totalmente en verso.

I. *Carlos II confía al padre Froilán, su confesor, su temor a estar hechizado y su remordimiento por ser padre de una niña que tuvo en una aventura juvenil y de la cual no sabe nada. Mientras que varios cortesanos intentan atraer al rey al partido francés o al austríaco, entra el paje Florencio, que le presenta a su novia, Inés, la cual reconoce en Froilán a un ser monstruoso que la persigue desde hace años. Froilán la amenaza y Florencio la ampara.*

II. *En la sacristía del convento de Atocha, Froilán y otros prelados convencen a Carlos de que está endemoniado por causa de un hechizo puesto en el chocolate y que tendrá que someterse a exorcismos. Froilán obliga con un chantaje al vicario a señalar, en el momento oportuno, a Inés como la hechicera. El rey sale pasmado de la ceremonia y cuando se recobra encuentra a su lado una carta del papa, que Froilán ha colocado cerca de él a hurtadillas, en la que le impone apoyar, para su sucesión, al partido francés. Carlos, creyendo que se trata de un indicio divino, se declara dispuesto a obedecer. En las últimas escenas va oscureciendo hasta llegar la noche.*

III. *En el palacio del conde de Oropesa, que las apadrina en nombre del rey, van a celebrarse las bodas de Florencio e Inés, en tanto que se oye pasar en la calle la procesión de un auto de fe. De improviso, Froilán se asoma a la sala del banquete e Inés se desmaya. Se persona el mismo rey, que de repente cae en un delirio del que se recobra al oír a Inés cantar acompañada por el arpa. Cuando se encaminan para la ceremonia del desposorio, comparece Froilán con los corchetes de la Inquisición y prende a Inés por hechicera. Las protestas de Florencio, que acusa a Froilán de insidiar a Inés, escandalizan al rey, que abandona a los dos al poder de los inquisidores.*

IV. *En la cárcel de la Inquisición Froilán intenta vanamente conseguir el amor de Inés. Un carcelero piadoso permite que Inés y Florencio se encuentren. En una plaza varios amotinados, capitaneados por el Tremendo, asaltan las tiendas y el palacio de Oropesa. Otros se dirigen a atacar la cárcel de la Inquisición. Liberados, Florencio e Inés intentan escapar a sus perseguidores; Florencio coge una espada y se defiende, pero cae herido e Inés es capturada. Va oscureciendo hasta llegar la noche.*

V. *En el Panteón del Escorial Carlos se resiste a firmar el acta de sucesión en favor de Francia, pero al final se deja convencer por el cardenal Portocarrero. En un salón regio, mientras está pasando en la calle la procesión de la Inquisición, entra Inés, que ha conseguido soltarse, y suplica al rey que la ampare. Gracias a un anillo y a un medallón, Carlos reconoce en ella a su hija y decide salvarla, pero es incapaz de oponerse a Froilán y a los demás inquisidores y la abandona. En el momento en que van a llevarla, sale de entre los esbirros Florencio, que apuñala a Froilán y, a la invocación de éste, que le pide: «¡Compasión!», contesta: «¡Venganza!»*

Dejando a un lado por un momento las implicaciones políticas, que le colocan perfectamente en el clima de esta temporada, el drama era también el índice de un gusto que iba cambiando y que se afirmará de manera más concreta en los años inmediatos: tonos novelísticos y sentimentales, triunfo final de los buenos (aquí todavía relativo, pero claramente nuevo respecto a la derrota total que caracterizaba a los demás dramas) y castigo de los malvados. Además, un retorno a una clase de dramas constantemente apetecida por el gran público, con una trama que remitía de manera bastante explícita al teatro sentimental, en su vertiente más terrorífica (es el adjetivo usado por Mesonero) y con todos los ingredientes más característicos (desde la monstruosa persecución sexual a la pureza e inocencia de la víctima, a la honradez del joven enamorado, a la anágnorisis y a la muerte del malvado), que traen fácilmente a la memoria *Elena* o hasta *La huérfana de Bruselas*. Desde luego, ya que estamos hablando de posibles influencias, habrá que recordar también esa *Cornelia Bororquia* que narra una historia muy parecida y que justamente había conocido dos recientes ediciones en 1835 y 1836 (respectivamente en París y en Madrid), después de un silencio de 13 años.[11]

Todos estos ingredientes seguramente contribuyeron al indudable éxito, aunque el mayor atractivo de la pieza fuera debido a esa «pasión política» de que habla Mesonero, tan viva en la época. Es evidente que lo que recorre todo el drama es sobre todo una feroz polémica contra la tiranía de un poder que ya no es el monárquico, como en las obras anteriores, pero que procede de la monarquía gracias a la debilidad enfermiza y a la mente trastornada del último de los Austrias.

Por otro lado, la figura de Carlos II, más allá de los intentos de propaganda política, era presentada con particular eficacia y no sin algún toque de humana piedad en sus ademanes de fantoche en las manos impías de los inquisidores, y sobre todo de ese don Froilán Díaz que es otra figura eficazmente lograda (aunque, a lo que parece, gracias a un falseamiento de la historia). Los diálogos entre los dos, en los que el rey suplica un apoyo espiritual y el confesor se aprovecha despiadadamente de él, representan ciertamente uno de los aspectos de mayor interés teatral de la obra. El sabor de actualidad de estas escenas era tanto más vivo en cuanto que, si los dramas anteriores parecían atacar una política absolutista como la de don Carlos, el de Gil polemizaba con el dominio del clero reaccionario tan propio del carlismo, que era el blanco de las críticas de los liberales.

Al lado de Froilán se levanta todo el aparatoso y espeluznante ritual de los exorcismos y los autos de fe, de gran impacto sobre el público, a pesar de ser narrados o evocados (si bien en un trasfondo de cantos, sonidos y proclamas), lo cual no deja de reducir un poco la teatralidad.

En medio de un ambiente tan supersticioso y cobarde se levanta la figura anacrónica, pero muy en simpatía con los sentimientos de los espectadores, de

---

[11] En la reseña publicada en el *Semanario Pintoresco* del 3 de diciembre se comenta que «los que hayan leído la *Cornelia Bororquia* o recuerden la pasión de Claudio Frollo hacia la gitana Esmeralda de Víctor Hugo encontrarían [...] muy poca novedad».

Florencio, un auténtico liberal que no duda en reprochar a los cortesanos su te-merosa conformidad con los más monstruosos atropellos de la dignidad hu-mana perpetrados por la Inquisición:

> ¡Y ante un tribunal injusto
> siempre siervos temblaréis!
> Esos nobles infanzones
> que conquistaron el mundo
> a los pies de un fraile inmundo
> hora humillan sus blasones.
> ¡O mengua! ¡o torpe baldón!
> ¡Cómo España ha de ser grande
> si consiente que la mande
> quien le imprime tal borrón? (III, 10).

Versos que debieron de sonar parenéticos para unos espectadores en su gran mayoría adictos al partido de Cristina.

La crítica (Ruiz Ramón,[12] Peers,[13] Shaw[14]) no ha sido en general muy favo-rable a la obra, que fue acusada de improvisación y vulgaridad, en tanto que recibió juicios muy positivos de parte de algunos contemporáneos.

> es sin duda uno de los mejores dramas representados en la escena española (*El Siglo XIX*, 1837, p. 175).

> es el verdadero drama del siglo XIX: grande y filosófico como éste, es una lección del gran libro de la historia, que no caducará (*Gaceta de Madrid*, 8-XI-1837).

> el concurso fue numeroso desde sus primeras representaciones. [...] el drama pertenece entera y completamente a la moderna escuela. [...] La historia no ha impedido el vuelo a la imaginación del autor, pues no ha titubeado a dar una hi-ja al impotente [...] y en hacer inquisidor tirano, fraile impío y sacrílego, mons-truo sangriento y feroz, al buen padre Maestro Fr. Froilán Díaz (*Semanario Pinto-resco*, 3-XII-1837).

Don Manuel Bretón de los Herreros, que en 1834 ya había tocado la cuerda ultrarromántica en el melodramático *Elena*, se presentaba en 1837 como defini-tivamente conquistado por la nueva escuela, dando a luz, separadas por una distancia de siete meses, dos obras plenamente románticas: una comedia, *Mué-rete y ¡verás!*, y un drama histórico, **Don Fernando el emplazado**, totalmente asimilado, este último, a las más recientes manifestaciones dramatúrgicas. Y si la comedia remitía evidentemente, como veremos, a *Los amantes de Teruel*, el drama se presentaba, según la fórmula ya experimentada en *Antonio Pérez*, co-

---

[12] Cf. *Historia del teatro español*, Madrid, Cátedra, 1986, I, p. 333.
[13] Cf. *Historia del movimiento romántico*, cit., I, pp. 365-368.
[14] Cf. V. GARCÍA DE LA CONCHA, *Historia de la literatura española*, cit., pp. 343-344.

mo la continuación de *Doña María de Molina*, pieza estrenada cuatro meses antes, que por cuestiones de método será analizada más adelante.[15] En efecto, era la historia, muy novelada, del final de la vida de ese Fernando IV que el drama anterior presentara en el momento de la primera infancia. Eran 5 actos totalmente en versos, cuya acción se imaginaba desarrollada en Martos y en Jaén en el año 1312.

I. En el palacio real, en Martos, Pedro Carvajal pide a Juan Antonio Benavides la mano de su hermana Sancha, que el altanero rico-hombre le niega desdeñosamente. Su hermano Gonzalo Carvajal lleva al rey Fernando IV una embajada de la reina María de Molina en que ésta le pide el permiso de reunirse con él. Fernando, apoyado por su tío el Infante don Juan, no sólo se niega a acceder a los deseos de su madre, sino que destierra también al mensajero. Los hermanos Carvajales, a los cuales se ha juntado un tercero, el sacerdote Juan, maestre de Calatrava, se despiden mutuamente. Estalla un tumulto en el cual son apresados Pedro y Gonzalo y es muerto Benavides: oculto placer del rey que así ve allanado el camino hacia Sancha, a la que quiere convertir en su amante. La escena se va oscureciendo progresivamente.

II. En la torre inmediata a la cárcel don Juan intenta corromper a dos plebeyos para que atestigüen contra los Carvajales: uno acepta, pero el otro se rebela. Sancha se presenta al rey para pedir justicia en favor de los Carvajales, que no sólo no participaron en el motín sino que intentaron frenarlo. Pero el rey ve en su ruego un gesto de amor hacia Pedro y se enfurece. Sancha convence al carcelero a dejarla ponerse en contacto con los presos. Juan bendice las bodas de la joven con su hermano.

III. En una colina, mientras el rey está disfrutando voluptuosamente de los placeres de unos jardines árabes, los soldados llevan al suplicio a los dos Carvajales. No valen las súplicas de Sancha y del pueblo: el rey se mantiene firme en su decisión. Se desata una terrible tormenta, todo se oscurece, pero Fernando se queda, tercamente, para asistir a su muerte. Juan Carvajal le reta ante del tribunal de Dios dentro de treinta días. Con un último trueno espantoso, los dos hermanos son despeñados y el rey se desmaya.

IV. En una arboleda cerca de Jaén, tres días ante del vencimiento del plazo, los cortesanos intentan inútilmente animar al rey Fernando, que está gravemente desmejorado. Llega Sancha, a la que ha liberado de la cárcel y que le echa en cara su maldad. Fernando manda ajusticiar a don Juan (que sin embargo logrará fugarse) para ofrecerlo como víctima expiatoria a la venganza divina. Disfrazado de peregrino, Gonzalo Carvajal se acerca a Sancha, se le revela y la lleva consigo. Es una noche de luna.

V. En la cámara del rey en Jaén, el 7 de septiembre, día en que va a expirar el plazo. Fernando parece que se ha recuperado y está participando en un banquete. Pero un mal repentino le sobrecoge y el médico anuncia su próxima muerte. Se llama para confesarle a un religioso, que no es otro que Gonzalo Carvajal disfrazado, quien le recuerda todas sus fechorías hasta que el rey muere y él se aleja rápidamente. Se proclama rey a Alfonso Onceno.

---

[15] PEERS cita el antecedente barroco de *La inocente sangre* de Lope de Vega (*op. cit.*, I, p. 369).

La pieza resultó bastante exitosa de momento, pero no consiguió una vida escénica muy larga, ya que, estrenada el 30 de noviembre de 1837 en el Príncipe, sobrevivió sólo hasta 1838. Era una hábil amalgama de varios ingredientes de éxito, compuesta por un poeta que ya llevaba años de experiencia teatral y por tanto sabía dosificar oportunamente todos los secretos del oficio. No añadía, en cambio, nada propiamente nuevo, y por consiguiente su desenlace, como apuntaba maliciosamente Salas y Quiroga en *No me olvides*, era fácilmente previsible.[16]

Se trataba de la enésima historia de un amor purísimo contrastado por la lujuria de un poderoso, pero, como ya ocurría en *Carlos II* y se hará todavía más corriente, con un final semifeliz por el castigo que afecta al malvado antes de que baje el telón.

Por supuesto, en la obra latía un fondo ideológico liberal y antiabsolutista que tampoco era, a estas alturas, ninguna novedad, y que se manifestaba en varios parlamentos hasta culminar en la sentencia pronunciada por Sancha:

> Libertad es don de Dios (IV, 5).

Uno de los mayores atractivos de la pieza estuvo quizá representado por una eficaz recuperación de esas tragedias del destino que habían salido a escena en 1835, y que ahora, oportunamente entrelazadas con el tema del plazo, pudieron crear un conjunto exquisitamente espectacular. Como en el modelo sumo de Werner, aquí el destino coincide con una fecha, el 7 de septiembre, que es el día en el que expira el plazo y en el que el destino de Fernando se cumple inexorablemente. Como en *Los amantes de Teruel*, el autor crea expectación a través de tres parcelas temporales: los treinta días establecidos por Juan Carvajal, los tres días que faltan en el acto IV, y el día fatal del último.

Y como en el drama de Rivas, el destino se hace visible en la escena a través de los truenos y relámpagos que acompañan la muerte de los dos hermanos (tal vez por pura casualidad, en ambos dramas los personajes se despeñan), en tanto que una mano invisible obliga al rey a quedarse hasta el final («¡La mano de Satanás / me clava aquí!» [III, 8]).[17]

Bastaría esta escena para asegurarnos acerca de la adhesión de la obra al romanticismo,[18] pero hay varios motivos más. En primer lugar el amor, sentido como pasión intensa («amor que es ya frenesí, / le rinde mi corazón, / y con

---

[16] Véase la reseña en la p. 122.

[17] La idea del destino aparece también en la pasión que arrastra a Fernando y que le lleva a exclamar: «esa mujer es mi signo» (IV, 2).

[18] Cf. PEERS, *op. cit.*, I, p. 370: «la parte verdaderamente romántica (por no decir melodramática) de la obra comienza con la escena del emplazamiento, montada convincentemente con gran aparato de truenos y relámpagos, y sólo termina con el asesinato de Fernando a mano de Don Gonzalo» (en realidad, el protagonista muere por causas naturales).

la misma pasión / el suyo late por mí», declara Pedro a Benavides [I, 1]) y unido con la muerte, ya desde el principio, cuando Pedro se despide de Benavides con esta sombría amenaza:

> O el altar para los dos
> o tumba para los tres (I, 1).

Amor y muerte reaparecen estrechamente enlazados en las palabras finales de Pedro, un instante antes de morir:

> ¿Quién dijera que en mis bodas
> fuera esta peña el altar,
> ....
> y áspero derrumbadero
> mi tálamo conyugal! (III, 8).

Mucho espacio se concede también al sentimiento del tiempo, entendido no sólo como plazo, sino también como tedio existencial, que le dicta a Fernando versos ricos de reminiscencias manriqueñas:

> ¡Horas amargas!
> ¡para el tormento tan largas,
> para la vida tan breves! (IV, 2).

Con un sentido igualmente intenso de desengaño, Pedro Carvajal se queja de

> nutrir risueña esperanza
> y verla agostada en flor (II, 15),

en tanto que Sancha reflexiona sobre la falta de placer en los recuerdos de un tiempo feliz:

> Si recuerdo que mi infancia
> meció cuna de marfil,
> ni aun me sirve de consuelo
> el recordar lo que fui (IV, 11).

Muy en consonancia con las orientaciones propias de la dramaturgia romántica es también el dinamismo escénico, logrado a menudo por medio de la irrupción de personajes que se abren camino entre los demás, como ocurre con Sancha, o de los episodios en que la escena se ve poblada por turbas en continuo movimiento, con intervenciones de personajes anónimos que atraen la atención ahora a un lado ahora al otro (por ejemplo, al final del acto III).

Habrá en fin que recordar los sonidos de los atabales acompañados por los pregones que anuncian la condena a muerte, la gritería y los murmullos contenidos del pueblo y, desde luego, la violencia de los truenos, uno de los cuales acompaña el suplicio de los dos hermanos.

Por lo que atañe a los juegos de luz, Bretón emplea el método, ya adoptado en *Carlos II*, de la disminución paulatina de la luz que lleva a la oscuridad nocturna al final del acto (actos I y IV); lo cual, si no era una novedad absoluta (se daba, por ejemplo ya en la cuarta jornada del *Don Álvaro*), indicaba de todas formas un refinamiento de las técnicas escénicas, creando en el público una particular expectación de uno de esos acontecimientos trágicos que ya desde la época de los dramas sentimentales estaban asociados comúnmente con la oscuridad, como había teorizado Burke.

> Nosotros le hallamos el defecto de no tener un plan bien combinado, de tener personajes que para nada hacen falta, de no tener más que dos caracteres bien designados: el de Sancha que es excelente y el del Rey (*Eco del Comercio*, 3-XII-1837).
>
> Todos los Reyes que han sido despóticos y perversos, hallan favorable acogida por los autores románticos [...]. Otro cargo no menos grave [...] es el haber dos acciones totalmente distintas: la muerte de los *Carvajales* y la de *D. Fernando* (*Gaceta de Madrid*, 7-XII-1837).
>
> Los dramas del día se parecen tanto unos a otros que, teniendo esto presente, la desgracia de los hermanos Carvajales y el emplazamiento del rey de Castilla, sabíamos casi a punto fijo la marcha de la obra del Sr. Bretón. [...] El final sobre todo es incomprensible. La revolución que en él estalla es un misterio... (SALAS Y QUIROGA, *No me olvides*, 1837, n.º 32).

Aunque no fuera la última obra de la serie (se estrenó el 24 de julio en el Príncipe), **Doña María de Molina** —otro fruto de un ingenio novel, don Mariano Roca de Togores, marqués de Molins— podría interpretarse como la conclusión del ciclo histórico-político y la apertura hacia nuevas experiencias. De cierta forma, inaugura un nuevo filón que será explotado a fondo por Zorrilla y Rubí, el del drama patriótico con final alegre y victoria de los buenos, que ya tenía una tímida premisa en *Carlos II*.

I. La proclamación. *Se celebran las Cortes en Valladolid, con fiestas, justas y general alegría. El procurador Alfonso Martínez y otros hombres del pueblo observan y comentan, manifestando su devoción a la reina regente, doña María de Molina, y a su hijo, el niño Fernando IV, que acaba de ser proclamado rey. Entre músicas y bailes entra la reina en el Campo de la Verdad, recibiendo las felicitaciones de Alfonso y de Diego López de Haro. Fingiéndose respectivamente enviados por el rey de Portugal y por el de Aragón, llegan el pretendiente don Juan, infante de Castilla, y Pedro, infante de Aragón, que son acogidos cordialmente por doña María. Quedándose solos con el abad de Sahagún, discurren planes para quitarle el trono a Fernando.*

II. Don Enrique. *A la espera de que empiece el torneo, el infante Pedro, enamorado de la reina, sondea el ánimo de Haro, que le descubre su amor por la misma. El viejo Enrique, que también aspira al trono, piensa envenenar a doña María con la ayuda del médico judío Tubal, pero antes intenta vanamente convencer a la reina de que se case con Pedro. A Enrique, que le recuerda su pobreza, la reina le replica despojándose de todos sus ornamentos y rogándole que los venda. Don Juan, don Pedro y don Enrique manifiestan su mutua desconfianza.*

III. El banquete. Durante un banquete en el palacio de don Enrique, éste presenta a la reina una copa ricamente labrada, que contiene el veneno preparado por Tubal, invitando a beber tras ella a don Juan y don Pedro. Pero la reina la subasta y quien ofrece más entre todos es el mercader Alfonso, al cual la reina entrega la copa. En un gesto simbólico, Alfonso derrama el contenido, afirmando que el pueblo está dispuesto a derramar su sangre. Haro, que ha sido el vencedor del torneo, reta a don Pedro, que le provoca. Don Pedro se acerca a la reina y le propone abiertamente el casamiento, que ella rechaza. La reina descubre la traición de Enrique, pero éste la persuade de que es amigo suyo y de que sus verdaderos enemigos son don Juan y don Pedro.

IV. La conjuración. En la iglesia de las Huelgas se reúnen, de noche, los conjurados. El abad encarga a dos sicarios la muerte de Diego de Haro, que va a venir a las doce. Celebra la ceremonia de la coronación de don Juan, quien jura absoluta fidelidad a la Iglesia. De improviso, aparece en un nicho la reina acompañada por Enrique, Haro, Alfonso, etc., y don Juan se asusta. Tubal se lanza contra ella, pero es detenido por Alfonso, que le mata. Enrique susurra a don Juan: «Confía en mí. Ya eres rey.»

V. Las Cortes. En el vestíbulo de las Cortes, diálogo concitado entre Alfonso y Enrique, en el que éste intenta en balde sobornar al otro, en su favor, contra la reina. Luego entrega al sicario Lope la llave de la cárcel de don Pedro y don Juan. En el salón de las Cortes la reina preside una asamblea en la que se juzga a los conjurados, pero llega el anuncio de que éstos se han fugado y capitanean una insurrección. Desesperación de doña María, que ya no encuentra a su hijo. Cuando parece que los insurrectos van a vencer, llega la noticia de que Alfonso, llevando al combate al niño, ha conseguido levantar los ánimos y derrotar a los enemigos. Entra por fin el propio Alfonso con el niño en brazos, gritando: «¡Viva el rey!» La reina pone la corona en la cabeza de Fernando.

La trama era bastante complicada y para su entera comprensión tal vez hiciera falta cierto conocimiento de los hechos y de la situación, lo cual consiguió en parte Roca publicando la obra antes de su estreno y enriqueciéndola con notas que responden también al intento de demostrar la sustancial autenticidad de los acontecimientos representados o justificar las violaciones del dato histórico. En efecto, el autor se había documentado con escrúpulo quizás excesivo en la *Historia* del Padre Mariana, sin tener en cuenta, en cambio, *La prudencia en la mujer* de Tirso, de cuya existencia se enteró solamente después de escribir el drama; por tanto, y a pesar de ciertas obvias coincidencias, no podemos considerar *Doña María de Molina* como una refundición más.

El lector moderno no sabría apreciar el importante éxito de este drama,[19]

---

[19] Por otro lado no exento de defectos que PEERS, quizás con demasiada severidad, identifica en los flacos de la trama y lo tedioso de los diálogos y los personajes (*op. cit.*, I, p. 361).

atestiguado por las reseñas y por el número de reposiciones (7 seguidas y otra quincena en el período romántico), sin reflexionar sobre su valor circunstancial, que inducía a los espectadores a comparaciones entre las regencias de María de Molina y de Cristina, igualmente acosada por un pretendiente ilegítimo y por cortesanos infieles.[20] Por otro lado, Roca, como subrayaba el recensor de la *Gaceta de Madrid*, había esparcido alusiones muy explícitas «para más asegurar el éxito de la obra»; de manera que bien podía Donoso Cortés, en el prefacio a la edición de 1837,[21] afirmar que el poeta «ha elegido un asunto que, perteneciendo a lo pasado, pertenece también a lo presente»: que era, en fin, el propio programa del *Discurso* de Durán.

Hábilmente, Roca inserta de vez en cuando expresiones destinadas a conmover a los espectadores, como «gloria española», «libertad», «española libertad», o afirmaciones muy comprometidas, puestas en la boca de la protagonista, como «que trono y libertades son lo mismo» (II, 4) o que de ella su hijo sólo mamó

> el odio a la opresión, al despotismo,
> a los tiranos (V, 8).

Ni titubeaba en lanzar explícitas referencias a la regencia de Cristina:

> llegará un día,
> y una Reina, una madre, el cetro mismo
> sostendrá que me usurpas, y su pueblo
> libre, felice, victorioso, unido,
> su nombre aclamará cual la divisa
> de libertad y amor... (V, 8).

Era un cambio de rumbo respecto a tantos dramas antimonárquicos, al cual se asociaba otra novedad destinada a perpetuarse a lo largo de las temporadas siguientes: la diferente figura del héroe romántico, aquí encarnado en Alfonso. Ni triste, ni fracasado, ni perseguido por un destino hostil, ni tampoco noble, el nuevo héroe es emprendedor, incorruptible, hábil, valeroso, y al final vencedor: encierra en sí los ideales burgueses de las nuevas generaciones, más o menos los mismos que desde hacía algunos años venían caracterizando a varios protagonistas de las comedias contemporáneas. No es casual que los llevara a la escena un joven de 25 años, como era a la sazón don Mariano Roca.

Todo debía ser diferente en esta obra: también lo era la trama, que por primera vez renunciaba a narrar una historia de amor para tratar un asunto esencialmente político. El amor existe, sin embargo: es el amor mudo e introvertido

---

[20] La obra se estrenaba además en ocasión del cumpleaños de Cristina, con evidente intencionalidad, como subraya el crítico de la *Gaceta de Madrid* del 27 de julio: «Nada más propio para solemnizar los días de la inmortal Cristina, que la elección de este drama, cuyo argumento tiene tanta analogía con las presentes circunstancias.»

[21] Página 31.

de Haro y el impetuoso de Pedro, ambos pintados con gracia, pero sin particular influencia en el desarrollo de la acción.

No por eso faltan los motivos románticos como la explotación de los ambientes lúgubres (la iglesia de las Huelgas con el sepulcro de la reina a medio labrar) o de la oscuridad; la misma lucha por la libertad, aunque anacrónica (Donoso habla al respecto de «bastardo filofismo»),[22] se inserta muy bien en la sensibilidad de la época. Asimismo, remite al movimiento romántico una historia que siempre roza los límites entre la vida y la muerte, y que tiene su momento más espectacular en el acto II, cuando la copa con el veneno está siempre a punto de ser apurada hasta que Alfonso derrama su contenido. Lo cual podrá ser, como mantiene Peers, uno de «los flacos de la trama»,[23] pero debió de procurar un momento de intensa emoción, que Donoso describe, preguntando:

> ¿quién pudo mirar sin estremecimiento y pavor volando de mano en mano aquella pérfida copa?[24]

Joven e inexperto, sin embargo, Roca no desconocía la capacidad de crear intriga o sorpresa, como demuestra, entre otras, la escena «de gran espectáculo» en que la reina interrumpe la ceremonia de la coronación de don Juan, que la didascalia describe con atentos pormenores:

> *Cuando don Juan va a subir al altar y a poner sobre su cabeza la corona, y al mismo tiempo que resuena por la iglesia el viva de los conjurados, el cuadro que cubre el nicho del retablo se desploma con estrépito: la Reina aparece en él con una antorcha en la mano y en hábito de religiosa: detrás un caballero armado y encubierto.*

en otras circunstancias no hubiera obtenido los aplausos entusiásticos que ahora ha conseguido, y mucho se engaña el que todos aquellos los atribuya al drama, y no a las alusiones que encierra (*Gaceta de Madrid*, 27-VII-1837).

pensamiento altamente político y moral, y que a par del interés histórico reúne en sí todo el que pudiera apetecerse en las más dramáticas creaciones (*Semanario Pintoresco*, 30-VII-1837).

El drama pertenece a la escuela moderna: que imitando a la nuestra del siglo XVII, pero no copiándola servilmente, forma y asimila a nuestra época las creaciones de aquel tiempo (*Observatorio Pintoresco*, 30-VII-1837).

Influido tal vez por la obra anterior, Patricio de la Escosura hizo su segunda prueba como dramaturgo estrenando el 19 de noviembre, en el Cruz, esa ***Bárbara Blomberg*** en la cual el propio autor encontraba «cierta languidez»

---

22 En el citado prefacio, p. 32.
23 *Op. cit.*, I, p. 361.
24 *Op. cit.*, 22.

debida al «deseo de evitar exageraciones» que había surgido en él al darse cuenta de que, al representarse *La corte del Buen Retiro*, «el público, indulgente en estremo con el drama, repugnó sin embargo abiertamente todo lo que en él halló de transpirenaico».[25]

Efectivamente, esta segunda experiencia fue notablemente inferior a la primera. Siguiendo la pauta de Roca pero llevando a las extremas consecuencias, de manera bastante simplista, las innovaciones introducidas por él, Escosura nos da un drama de pretensiones históricas (se refiere a los amores de Carlos V con una dama alemana, de los cuales nació Juan de Austria)[26] pero en realidad abiertamente novelesco, en el cual campea como auténtico protagonista (a pesar del título) un Carlos V caballeroso, espadachín y exasperadamente clemente.

Para salvar el honor de su amiga la duquesa Blanca, casada con un ilustre personaje de la Corte y amante de Carlos V, que se encuentra ahora embarazada, Bárbara Blomberg acepta la propuesta del mismo emperador de atribuirse la maternidad del que va a nacer, despertando así la desesperación y los celos de Blomberg, su padre, y de Roberto, su novio, persuadidos de que ésa sea la verdad. Carlos entonces otorga la gracia al padre y al novio, condenados a muerte por luteranos. Pero Roberto no puede hacer uso de ella porque se ha envenenado. La escena tiene lugar en Ratisbona en el palacio real, en la casa de Blanca y cerca de una ermita, a «mediados del siglo XVI»: dura varios meses.

Fundado en un juego bastante sencillo de apariencias y realidad, procede a través de situaciones efectistas: Carlos afronta solo a Roberto y le desarma; entra en la casa de Blanca pasando por una puerta secreta; los conjurados se reúnen en una ermita adonde llega Carlos, enfrentándose solo a sus enemigos; Blomberg pide a su hija explicaciones acerca de sus relaciones con el emperador, y ella no puede mostrar su inocencia por estar ligada a la promesa de no revelar el secreto.

Y, como ya en *Doña María*, aunque con menos intensidad y frecuencia, resuenan esas frases destinadas a hacer mella en el sentido patriótico del auditorio, como la pronunciada por Quijada, gentilhombre del emperador, que, al expresar Blomberg admiración por su bondad, le contesta:

> Soy noble y castellano (V, 1).

O como la del mismo Carlos, que proclama:

> Propios y estraños
> saben que más que Rey, soy caballero (V, últ.).

---

[25] En el prefacio a *Don Jaime el Conquistador*, cit.

[26] Se aparta de la tradición que atribuye la maternidad del célebre bastardo a Bárbara Blomberg, para seguir, como afirma el *Semanario Pintoresco*, «algunas opiniones de que no fue ésta la verdadera dama de Carlos V» y por tanto «se ha valido de esa obscuridad y dudas [...] para inventar su acción y hacerla interesante».

O, finalmente, como otra declaración de Carlos:

> De lealtad fue modelo
> siempre mi pueblo Español (I, 3).

El drama presenta recursos escenográficos felizmente logrados, como el juego de luz que, inversamente a lo que ocurría en otros dramas, va aumentando gradualmente, de manera que se pasa de la noche al día. Esto se produce en el acto IV, cerca de la ermita «desmantelada pero no ruinosa», que es un toque de originalidad dentro del manierismo.

También vale la pena anotar la hábil explotación de dinamismo y estaticidad en la escena novena del acto III, donde varios conjurados cruzan el escenario, algunos ocultamente, hasta que, reza la acotación:

> *Antes de concluirse la escena cesa el movimiento, y hay gran silencio.*

Un silencio rico de expectación que prepara la llegada repentina de Carlos.

Sin embargo, a pesar de estos recursos que pudieron influir en el éxito, por otro lado no asombroso (5 representaciones en 1837 y una en 1839), la obra procede estancamente a lo largo de los 4 actos, todos en verso, tanto por la escasa verosimilitud de los lances (dos veces Roberto consigue esconderse, una primera en el propio palacio real y una segunda en casa de Blanca; Carlos se aleja solo de sus tropas y se encuentra rodeado por sus enemigos) como de la causa que los determina: un malentendido que lleva a creer que Bárbara es la amante del emperador.

Asimismo, las figuras han perdido esos matices connotativos que habían caracterizado a los primeros dramas, para volverse monótonas en su perfección, desde la clemencia desorbitada de Carlos V, que revela tonalidades melodramáticas (no casualmente llama a la memoria la metastasiana *La clemencia de Tito*), a la terca fidelidad a la palabra de Bárbara, al integrismo fanático de Roberto, que sin embargo tiene trazos logrados, sobre todo en la orgullosa reivindicación de su fe («Soy rebelde y luterano», proclama delante del emperador).

No faltan sin embargo raros momentos en los que la rigidez del personaje se atenúa. El perfectísimo Carlos advierte el contraste entre su personalidad pública y la privada:

> Entrambos mundos temblarme,
> y una muger sujetarme (I, 2).

También el inflexible Roberto se ablanda al final, poco antes de morir, y estrecha la mano del odiado enemigo:

> Dame tu mano, Emperador. Venciste (IV, últ.).

es un drama que no da lugar a grandes encomios, ni mucho menos a severa crítica: el público ha dado una prueba de su justicia aplaudiéndolo, y creemos que el Sr. Escosura habrá quedado satisfecho. No puede ciertamente competir con su anterior producción *La Corte del Buen Retiro* (*Gaceta de Madrid*, 22-XI-1837).

se descubre el talento poco común de su autor y su conocimiento del teatro y del corazón del hombre. [...] Mayor defecto es a nuestro juicio el de hacer fundar el interés del drama sobre un adulterio [...] porque hay ciertas cosas que o no se entienden o cubren de rubor al oírlas la frente de una señorita (*Eco del Comercio*, 22-XI-1837).

La acción es interesante, la verdad histórica no está alterada, hay situaciones dramáticas, caracteres contrapuestos y bien sostenidos, conocimiento del corazón humano y bella versificación. [...] [Ha] pasado este drama con mucha aceptación, sí, pero sin grandes y extraordinarios aplausos en la parte del público menos inteligente (*Semanario Pintoresco*, 20-XII-1837).

Escosura intentó un tercer ensayo dramático al finalizar la temporada, el 3 de febrero de 1838 (Teatro del Príncipe), con los cinco actos en verso de ***Don Jaime el Conquistador***, ambientado «*en Zaragoza y sus inmediaciones, a principios del siglo XIII*». En esta obra, conforme declara el autor en la introducción, intentó evitar tanto los excesos de *La corte del Buen Retiro* como la languidez de *Bárbara Blomberg*, «dejando al ingenio seguir la senda que le marcaba la inspiración del momento»: es decir, si no se trata de afirmaciones genéricas, aplicando enteramente el programa del subjetivismo romántico.[27]

I. La reina doña Leonor tiene celos de Teresa de Vidaura, a quien efectivamente el rey don Jaime hace requerimientos amorosos que la dama sin embargo rechaza, del mismo modo que niega orgullosamente las acusaciones de la reina. Ésta, después de pedirle inútilmente a Jaime que la destierre, la echa del palacio.

II. Gran vaivén en el castillo de doña Teresa: el mayordomo del rey, el escudero Sancho, el conde de Ampurias (que aspira a la mano de Teresa), el rey mismo, un legado del papa, el obispo de Gerona, y finalmente la reina. El legado anuncia que el papa ha concedido el divorcio a don Jaime por haberse casado sin licencia con una parienta de tercer grado. Teresa se alegra de la humillación de Leonor.

III. Han pasado tres años. Es de noche. En el Alcázar de Zaragoza don Jaime espera a Violante de Hungría, con quien va a casarse. Pero antes quiere librarse de Teresa (que ahora es su amante) y de la promesa de matrimonio que le hizo. Teresa recibe del conde de Ampurias —que sigue enamorado de ella— la noticia del próximo casamiento del rey y se lo echa en cara a Jaime, el cual alega el pretexto de la razón de estado.

---

[27] Peers afirma que en esta obra Escosura «ha logrado crear una variante del drama romántico nada desacertada que incorpora algunos de los mejores elementos del arte clásico» (*op. cit.*, II, p. 208). También Alborg ve cierto aspecto de tragedia clásica en la rigurosa unidad de acción» (*op. cit.*, p. 623).

IV. Teresa busca la alianza del conde de Ampurias y del obispo de Gerona contra el rey. Don Jaime manda al conde que se case con Teresa, pero él se niega. Al obispo, que, habiendo sido testigo de la promesa de matrimonio, lo proclama públicamente, el rey le hace prender por sus soldados.

V. Hierven los preparativos para las bodas de don Jaime con doña Violante. El rey pacta con el legado pontificio la suspensión del entredicho que se le ha aplicado por encarcelar al obispo. Mientras se celebra el rito en la capilla, entran doña Teresa, tapada, y el obispo con el conde de Ampurias, que le ha liberado. Cuando Teresa se dispone a impedir las bodas, sale el cortejo y ella se desploma. Don Jaime proclama a Violante reina de Aragón.

Drama histórico que, dentro de la libertad concedida a la fantasía, reproduce hechos y situaciones reales, se pone en la línea de la dramaturgia de la época y pinta, por enésima vez pero con fuertes trazos, a un tirano que todo lo atropella con tal de satisfacer su inconstancia amorosa: un carácter que se impone por lo tenso y agresivo, pero que no conoce esos matices que eran uno de los productos más refinados del romanticismo.

Y, en efecto, muy poco tiene ya de romántico este drama en el que no aparece otra pasión que la ambición y en el que el amor es sustituido por el capricho erótico; en el que todos los personajes son planos en su perfección: desde la orgullosa y tenaz Teresa hasta el cándido obispo terco en su amor a la verdad, el conde de Ampurias, netamente contrapuesto a don Jaime en su constancia amorosa, el diplomático legado del Papa, etc. Tampoco aparecen ni ese sentido del tiempo que caracterizara a tantos productos del romanticismo, ni la angustia existencial, ni la conciencia de la muerte.

Para Peers se trata de «aquel tipo de obra peculiarmente ecléctica que entonces sustituye en gran medida al drama romántico, hasta el advenimiento de Echegaray».[28] Quizás se podría afirmar más sencillamente que Escosura quiso dramatizar un suceso histórico sin algún prejuicio estético, como parece indicar en el prefacio ya citado. Naturalmente, no salió de su propia época, ya que cierto parentesco con la producción contemporánea es igualmente visible; lo que le faltó fue la capacidad o quizás la voluntad de adecuarse a ciertas premisas culturales que por otro lado ya se habían convertido en estereotipos.

Sin embargo, el resultado no fue un producto de segundo orden. Sobre todo hay motivos de interés que mantienen despierta la atención del espectador y cierta sensibilidad espectacular que se manifiesta esencialmente, pero con gran riqueza, en el último acto. Es aquí donde las acotaciones menudean, atentas no sólo al montaje escenográfico sino también al movimiento de los actores.

Merece la pena reproducir la didascalia inicial, que revela una singular competencia técnica:

---

[28] *Op. cit.,* II, p. 207.

Galería del Palacio de Zaragoza. Decoración con rompimiento después del segundo bastidor.—En el fondo (cuarto bastidor) puerta de la Capilla real que a su tiempo debe abrirse y dejar ver lo interior.—Puerta a la derecha (del actor) que es la entrada general; a la izquierda otra de la cámara del Rey, el espacio entre el rompimiento y el telón de foro es la comunicación con lo interior del Palacio. La galería estará adornada con lujo y elegancia, e iluminada con muchas bujías: adviértense los preparativos de una gran función.

Igual minuciosa atención se dedica al movimiento de los actores. En la escena primera:

Al levantarse el telón aparecen los indicados en grupos. Los demás Caballeros van entrando sucesivamente todos por la puerta de la derecha quedándose unos en la primera galería y yéndose otros a pasearse entre el rompimiento y el telón del foro.

Lo mismo ocurre a cada cambio importante de escena: el autor indica no sólo la colocación y el movimiento de los personajes sino que también les sugiere los gestos adecuados: los caballeros hacen plaza y saludan a don Pedro (esc. 2.ª); el rey y la infanta «se descubren e inclinan» (esc. 3.ª); el rey «clava la vista» en el legado (esc. 5.ª); doña Teresa habla al oído del portero (esc. 10.ª), y así sucesivamente, en un acumularse de indicaciones pormenorizadas (de las cuales se ha dado aquí una mínima muestra) hasta el golpe de teatro del cuadro final, con la aparición de los esposos, el grito y la caída de Teresa y el acudir de los asistentes.

Cuadros de conjuntos y gestos individuales cargados de mucha teatralidad, los cuales demuestran que, si Escosura había en parte descuidado ciertos ingredientes propios del romanticismo al nivel de la trama y del texto en general, no había por otro lado olvidado la lección de interés por el montaje y por el espectáculo en general que le venía de los primeros románticos: de Martínez de la Rosa, en particular, y sobre todo del Duque de Rivas.

(...) el fallo del público, aunque poco favorable para el autor, ha sido justo sin embargo. El drama es malo, y no debía esperarse otro resultado. La acción es lánguida y fría; los caracteres, mal trazados, sin haber uno solo que interese; la mayor parte de los versos, duros (*Gaceta de Madrid*, 13-II-1838).

Quizás merezca un apartado particular García Gutiérrez, que en esta temporada empieza verdaderamente su carrera de dramaturgo, que no terminará sino después de unos treinta años y decenas de obras. Alentado por el éxito triunfal de *El trovador*, estrenó en 1837 otros dos dramas, que denuncian cierta oscilación en la búsqueda de una línea personal. Con el primero, *El paje* (4 jornadas en prosa y verso), que en la estructura del propio título parecía remitir a la obra anterior y que se representó por primera vez el 22 de mayo de 1837 en el Príncipe, el joven autor quiso probar los colores fuertes, con ciertas tonalidades «transpirenaicas», que diría Escosura, las cuales le venían de esa dumasiana *Margarita de Borgoña*, alias *La Tour de Nesle*, que, estrenada en París en

1832, había pasado a la escena española el año anterior, justamente en la tra-ducción del propio García Gutiérrez.

El autor hizo una labor de reducción y atenuación con respecto al modelo francés, pero le salió igualmente una trama complicada en la que el manieris-mo romántico, ya presente en *El trovador*, aparecía ahora tan exasperado que rayaba en la caricatura.

I. En la casa de don Martín Sandoval, conde de Niebla, en Córdoba, el 20 de marzo de 1369. El impulsivo paje Ferrando está enamorado profundamente de su ama, doña Blanca. Ésta recibe la visita de don Rodrigo, su antiguo amante, del cual ha tenido un hijo, cuyo paradero ambos ignoran. Don Rodrigo entrega a don Martín unas cartas de su hermano y se aleja. El escudero Bermudo revela a Martín que Rodrigo ha sido el amante de Blanca y le insta a vengar su honor.

II. Bermudo prepara una trampa para don Rodrigo, y con este intento le entrega la llave del oratorio de doña Blanca. En tanto que Ferrando canta una trova y evoca con Blanca su niñez y a la que cree su madre, llega de improviso Rodrigo con su escudero Farfán e invita a Blanca a huir con él, pero son sorprendidos por Martín y Bermudo. Se retan mutuamente.

III. Después de un coloquio entre pescadores en que se comenta la muerte del rey don Pedro en Montiel y la subida al trono de Enrique (se trata de una referencia cronológica: la jornada de Montiel ocurrió el 24 de marzo), llega, en busca de su hijo, Rodrigo, que se encuentra con Nuño, el pescador, ahora bandido, al cual había confiado el niño, y le pide su ayuda para continuar la búsqueda. En casa de Martín, mientras el dueño está en la ca-ma, herido de resultas de la pelea con Rodrigo, Ferrando se declara a Blanca, la cual le promete su amor si él apuñala a su marido: el joven lleva a cabo el asesinato, pero llega Rodrigo y ella se va con él, perseguida por las maldiciones de Ferrando.

IV. En Sevilla, Ferrando, en fuga después del delito, se entera de que Rodrigo es su padre y de que se va a casar con Blanca. Consigue alejarle de la casa donde se celebran las bodas y penetra en ella, llegando hasta el cuarto de dormir donde, cansada de la fiesta, se refugia también Blanca. Ferrando quiere matarla para que no ocupe, al lado de Martín, el lugar de su madre. Antes bebe un veneno y, cuando va a matarla, no tiene el valor sufi-ciente. Blanca, por ciertos indicios, descubre que Ferrando es su hijo y se lo comunica. Pe-ro el joven muere mientras regresa Rodrigo, que, desesperado, maldice a Blanca.

Vale la pena ofrecer un resumen bastante pormenorizado para darse cuen-ta de la complicación de los lances y de lo hoscamente melodrámatico de las situaciones: la obra, sostiene Peers, contiene «todos los defectos del drama romántico de tercera categoría».[29] En busca de variaciones sobre el tema tan manoseado del amor imposible, el autor introduce el incesto y, para más com-plicación, un asesinato que oscila entre el uxoricidio y el parricidio y, en fin, un suicidio que hace imposible también el amor entre Blanca y Rodrigo: «Tú», le grita en efecto a su amante este último,

---

[29] *Op. cit.*, I, p. 358.

> Tú una maldición pusiste
> y una tumba entre los dos.

Sobre esta réplica tan cargada de lo más típico del léxico romántico no puede más que bajar el telón.

Por otro lado, no deja de tener su encanto ese amor de un adolescente por una mujer madura, que llegará a formas paroxísticas, aunque en un primer momento se manifiesta líricamente con una trova entonada por Ferrando acompañándose, desde luego, con un laúd:

> Donosa señora
> de un alma inocente,
> que tierna te adora,
> consuela el dolor.
> Tristura me aqueja
> que quiero decilla:
> de amor es la queja;
> que muero de amor (I, 5).

El autor quiso repetir unos recursos que habían contribuido de manera relevante al éxito de su primer drama. Por tanto, inserta todavía otros cantos que acompañan el desarrollo de la acción en el acto final: son los que resuenan durante la fiesta de bodas, y que no hacen más que llevar a la desesperación a Ferrando, que ha llegado hasta el lecho nupcial.

Un episodio, éste, muy recargado de valores simbólicos y de efectos espectaculares: el lecho nupcial se levanta en el fondo, a mano derecha, y hacia él se dirige Ferrando, que, decepcionado en su ilusión amorosa, se desespera ahora al pensar que Blanca (todavía no sabe que es su madre, mientras, en cambio, sabe que Rodrigo es su padre) ocupará el lugar que era de su madre (que él cree muerta). Los dos sentimientos, el amoroso y el filial, se mezclan en un soliloquio que Ferrando pronuncia, después de correr la cortina de la cama y encontrarla vacía, en perfecta *langue* romántica:

> está su lecho desierto,
> desierto como una tumba.
> ....
> Mucho te engañas, mujer,
> si de mi madre en el lecho
> te pensaste adormecer;
> que no hay placer sin virtud...
> Tú mi corazón llenaste
> de dolorosa inquietud;
> tú, tirana, me engañaste...
> Ven; allí está tu ataúd (V, 7).

A pesar de lo farragoso de la trama, se conoce que el autor poseía la capacidad de pintar al vivo una sensualidad revuelta y atormentada que debió de resultar todavía más intensa después de las frecuentes alusiones al lecho matrimonial (ocupado en este caso por Martín) que aparecían en la jornada anterior y que se ligaban estrictamente con la idea del asesinato: idea que el público debió asociar instintivamente con el lecho que aparecía en el episodio posterior.

Lo cual demuestra que a García Gutiérrez no le faltaba ciertamente ese sentido de la teatralidad que favorecería su larga carrera en las tablas.

Ni faltan, por otro lado, otros recursos que apoyan este juicio. Bastaría pensar en la hábil explotación de sonidos y luces que se encuentran a lo largo de la pieza y en las escenas efectistas que cierran la segunda y la tercera jornada (por no hablar del final catastrófico de la postrera).

En la segunda, durante el diálogo entre Rodrigo y Blanca, ésta se asusta por un ruido que oye y Rodrigo, jactanciosamente, la tranquiliza:

> No temas, estoy aquí.

A este punto, reza la acotación,

> *se abre la puerta del fondo, y aparecen* DON MARTÍN *y* BERMUDO; *al mismo tiempo sale* FARFÁN *por la de la izquierda con la espada desnuda.* DOÑA BLANCA *se precipita a su oratorio, y* DON RODRIGO *acomete al Conde.*

> BERMUDO. ¡Vedlos!
> DOÑA BLANCA.   ¡Piedad!
> DON MARTÍN.   No hay piedad.
> DON RODRIGO. Pídela a Dios para ti.

Más trágico todavía es el final de la jornada tercera, en la que Blanca insta a Ferrando a matar a don Martín en su cama; el paje se retira y, después de un momento de silencio lleno de suspense (el público se está preguntando si Ferrando realmente obedecerá), se oye, dentro, un «¡Ay!» de don Martín que Blanca fríamente comenta:

> Es la voz de la muerte.
> ¡Don Martín, dormid en paz!

Y es aquí cuando se desata lo imprevisto, conforme avisa la acotación:

> *En este momento se oye rumor en la puerta del fondo, entrando después por ella* DON RODRIGO; DOÑA BLANCA *corre a su encuentro para ocultarle al* PAJE, *que pálido y azorado se presenta en la puerta de la derecha; la del fondo se cierra detrás de los dos amantes, y* FERRANDO, *que se arroja sobre ellos, clava en una de las hojas de la puerta su puñal.*

Después de un diálogo rápido y concitado en que doña Blanca le dice a Rodrigo «Ya te sigo», el telón baja sobre el grito de Ferrando:

¡Maldita seas, mujer!

Posiblemente gracias a estos recursos la obra se mantuvo en cartel otras cuatro veces seguidas y otras dos en el mes siguiente. Claro que no era el éxito de *El trovador*, pero bastaba para convencer al joven autor de que no se había equivocado al elegir la carrera de dramaturgo y a empujarle hacia la composición de otro drama, *El rey monje*, que salió a las tablas a finales del año. Tal vez hayan contribuido a animarle ciertas consideraciones del crítico del *Semanario Pintoresco*, posiblemente Mesonero (se firma *M.*), el cual, después de los reparos, no titubeaba en manifestar también su admiración.

> se limitó al objeto de tejer una fábula que le ofrecía situaciones de efecto, y el cuadro de una sociedad que afortunadamente tiene más de horriblemente fantástica que de real y verdadera. [...] Los caracteres todos son igualmente odiosos y voluntariamente criminales [...]. la parte más grata [...] es la de alabar el mecanismo literario del drama, sus bien conducidas escenas; su animado diálogo, su elegante y rica versificación [...] el autor de *El Page* es siempre el autor del *Trovador*; la lozana imaginación, propia de nuestro clima meridional, tiene en él un digno intérprete, el habla de Calderón y de Moreto un feliz continuador; y el público español una esperanza más que prolongar (*Semanario Pintoresco*, 28-V-1837).

> El carácter de Ferrando en este drama es imposible, es ideal. [...] Igualmente es falso y no le justifica el carácter de Doña Blanca. [...] aquella versificación fácil, armoniosa, sentida, aquellos pensamientos nuevos y filosóficos, aquellas comparaciones delicadas, son dotes que le recomiendan, son bellezas que le salvan (*Gaceta de Madrid*, 27-V-1837).

El rey monje (cinco actos en verso) se estrenó en el Príncipe el 18 de diciembre de 1837, se mantuvo en las tablas otros cuatro días y se repuso dos veces en 1838 y tres en 1839. García Gutiérrez abandonaba a los personajes de pura invención que habían protagonizado sus dos obras anteriores para dirigirse ahora hacia la figura de un rey que realmente existió, y que venía a colocarse en la ya larga hilera de tantos tiranos que habían salido a escena en los últimos meses. Sin embargo, la consistencia histórica de Ramiro II de Aragón no fue impedimento para que el autor, aprovechando ciertos elementos legendarios que se habían transmitido acerca de él, lo envolviese en una nebulosa historia de amor y venganza, no sin algún toque de sacrilegio.

I. *La cita. En la plaza de la villa aragonesa de Monzón grupos de personas del pueblo hablan de los reyes Alfonso y Urraca que acaban de celebrar sus bodas: entre la general admiración, no faltan protestas contra la riqueza de los poderosos y la pobreza de la plebe. El hermano del rey, Ramiro, con su fiel Ortiz, protesta contra la vida monástica a que le ha condenado su padre y, después de sobornar a la dueña, consigue de Isabel, hija de don Ferriz Maza de Lizana, una cita para la noche en la reja de su casa. Un mensaje del rey le ordena ir de abad al monasterio de Sahagún: Ramiro sabe que tendrá que obedecer, pero antes irá a la cita.*

II. Es de noche. <u>Parte 1.ª: La escala.</u> Coloquio de amor, en la calle, entre Ramiro e Isabel. Con la ayuda de la dueña, Ramiro pone una escala y penetra en la casa por el balcón, mientras Ortiz intenta impedir el paso a don Ferriz. Pero éste le hiere mortalmente y Ramiro huye. <u>Parte 2.ª: Muerta para el mundo.</u> En el interior de la casa. Descubierta, la dueña confiesa y Ferriz ordena que se la mate. Luego, no teniendo valor para matar también a su hija, decide que vivirá encerrada en una torre y que, para salvar el honor, se fingirá que ha muerto, aunque en el ataúd se pondrá el cadáver de la dueña. Ramiro penetra en casa por la fuerza y pide arrogantemente a Ferriz que le entregue a su hija: él le señala la habitación en que se encuentra un ataúd, de manera que Ramiro la cree muerta.

III. <u>El Obispo de Roda.</u> Es de mañana. Don Ramiro, ahora obispo, está en una sala del obispado, sumido en sus recuerdos, cuando se le presenta una delegación de nobles los cuales le ruegan que, habiendo muerto su hermano el rey Alfonso, acepte la corona de Aragón. Al aceptar Ramiro, todos le besan la mano, pero Ferriz, reconociéndole, se niega y, retirándose con sus deudos, les pide la cabeza del nuevo rey.

IV. <u>Parte 1.ª: Una orgía.</u> Al castillo de don Ferriz, donde se celebra un banquete en el cual participan varios conjurados, llega con un compañero Alfonso, el hijo de Ferriz que se creía muerto. Le han conducido con los ojos vendados y no sabe dónde está. Manda al compañero a avisar al rey de la conjura que se fragua y se encuentra luego con su hermana Isabel, que se ha vuelto loca, y con su padre, que le pide ayuda contra don Ramiro. Pero llegan las tropas reales y los conjurados son apresados. <u>Parte 2.ª: La campana de Huesca.</u> En Huesca, frente al palacio real, pueblos y nobles (entre ellos también Alfonso) quieren amotinarse contra el rey monje, al que no dudan en manifestar su desprecio. Pero don Ramiro ha decidido mostrar su fuerza: un pregonero anuncia la condena a muerte de un conjurado, luego de otro, y por fin de don Ferriz. La ejecución de cada sentencia es acompañada por un sonido de campana. Se difunde el terror y todos se humillan ante el monarca al que antes escarnecían.

V. <u>La confesión.</u> Ramiro ha renunciado al trono y ha vuelto a encerrarse en un monasterio, donde su vida se va acabando, mientras le agobian recuerdos y remordimientos. Una mujer enlutada le pide confesión. Es Isabel, que le narra su historia de amor, de manera que los dos se reconocen; pero Ramiro se aleja para ir a morir cristianamente y ella le sigue. Llega Alfonso con la intención de matar al monje y se topa con Isabel: ésta le manifiesta que Ramiro ha muerto y le pide la muerte a su vez. Alfonso envaina la espada y remite a Dios la venganza.

La nueva obra se situaba a mitad de camino entre *El trovador* y *El paje*, ya que, aunque siguiera explotando la fecunda mina del manierismo romántico, lo hacía con más moderación respecto a su segundo drama, pero con una propensión a tonalidades más recargadas y de forma más patente respecto al primero. El habitual amor imposible se complica aquí con el estado sacerdotal del protagonista y la pareja amor-muerte con un asesinato y la aparición en el fondo del escenario de un ataúd entre cuatro hachones.

Se añaden también otros temas que ya tenían antecedentes, como la locura de la protagonista y la burla final del destino que hace reunir a los dos amantes en el momento mismo de la muerte: como en el *Don Álvaro*.

El autor explota además efectos espectaculares ya experimentados por él mismo y por otros dramaturgos, como el sonido de las campanas, que se carga de valores semánticos, siendo señal de la ejecución capital que se ha llevado a cabo.

García Gutiérrez sigue demostrando también su peculiar actitud en explotar los recursos escenográficos, como resulta sobre todo en las escenas de bullicio popular del primero y del cuarto actos y cuando hace cruzar el escenario por personajes y grupos.

Muy de acuerdo con la moda de la temporada, pinta a Ramiro como a un tirano sangriento e insinúa situaciones y réplicas de sabor democrático. Sin embargo, la violencia del protagonista en el momento en que actúa como rey aparece en parte justificada por el escarnio del pueblo y de los nobles y consigue al fin atraer más la simpatía que la repugnancia del espectador. Por otro lado, Ramiro aparece como un tirano consciente de los derechos y de la fuerza del pueblo, al punto que ciertas palabras suyas debieron de resonar como una implícita alabanza del liberalismo:

> tan ciego anduviste,
> pueblo, que no conociste
> mi flaqueza y tu poder.
> Por eso crecen tus penas,
> por eso se hunden tus leyes,
> por eso cantan los reyes
> al rumor de tus cadenas (IV, 6).

Además, en las escenas en que se reúnen varias personas siempre hay alguien que protesta contra la prepotencia de los poderosos. Al principio, un hombre del pueblo, al ver el lujo de los reyes y de los nobles, no puede sino comentar:

> ¡Esa vana ostentación
> cuesta al mísero pechero
> tanta fatiga y sudor!

Pero se calla cuando otro le recuerda :

> Y ¿no ha pensado
> que el verdugo?... (I, 1).

Asimismo, en las dos primeras escenas del acto IV el descontento del pueblo se manifiesta de manera todavía más intensa y Alfonso y su amigo Fernando piensan en aprovecharlo, a veces con réplicas tan efectistas como la que pronuncia Fernando cuando Alfonso menciona a los soldados que podrían intervenir:

> No hay soldados
> contra el pueblo (IV, 2).

Por estas citas se conoce que el autor cuidó mucho el texto, explotando esa habilidad de versificador que siempre le fue reconocida. De forma que a menudo ensarta frases en la más típica *langue* romántica, destinadas a un seguro éxito por responder al horizonte de expectación del público.

El amor adquiere tonos apasionados sobre todo en la boca de la protagonista, lo cual es una nota parcialmente nueva, que parece adelantar ciertas expresiones que Zorrilla hará pronunciar a doña Inés. Isabel le explica a la dueña cómo se ha prendado de Ramiro:

> Una pasión... eso ha sido:
> pasión que no comprendéis,
> volcánica, irresistible,
> y que apagar no es posible (II, 2.ª, 2).

Antes se había referido a sí misma como

> a quien en amor de fuego
> por él delirando está (II, 1.ª, 1).

Ni desdeña tampoco los tonos melodramáticos:

> Sólo una vez supe amar;
> pero esa vez... ¡amé tanto!

o transgresivos:

> Pequé; pero insensata amé el pecado;
> que no supe a su halago resistir... (V, 4).

Tampoco faltan las correspondencias léxicas con motivos tan característicos como la asociación entre amor y muerte y amor y tiempo:

> ¿verdad que es horrible cosa,
> morir tan joven y hermosa,
> morir amando? (II, 2.ª, 2)

lamenta Isabel cuando cree que su padre va a matarla. Poco antes, frente al féretro que creía de su amada, exclamaba Ramiro:

> ¡Un cadáver! —¡Amor mío,
> cerca estabas de la muerte! (I, 10).

Y nuevamente Ramiro, sumido en los recuerdos en su palacio de Roda, evoca el amor y la muerte con palabras que se fijarán tanto en el léxico romántico que parecen anticipar al *Tenorio*:

> Tú, que eras blanca paloma,
> pura, angelical, sin mancha,
> tú por mi amor has perdido
> esa vida aventurada.
> ¡Amor nacido en mal hora,
> y que aun me atormenta el alma...! (III, 1).

Cuando, en cambio, Isabel está esperando a Ramiro, se da cuenta de lo subjetivo del sentido temporal y, nuevamente juntándolo con el sentimiento amoroso, comenta:

> Un amante siempre tarda
> para la que ansiosa aguarda (II, 1.ª, 2).

Naturalmente, se concede un largo espacio a los recuerdos, como había de esperarse en una obra que en sus cuatro quintas partes se desarrolla a lo largo del flujo de la memoria. A veces el motivo dicta al autor versos de una particular intensidad lírica y melancólica. Ramiro, en el palacio obispal, es presa de la depresión; no ha dormido toda la noche y comenta con amargura:

> Así mi vida se agota,
> y lentas mis horas pasan
> entre inútiles recuerdos,
> sin placer, sin esperanzas.
> Recuerdos de hermosos días
> que en mi mente se resbalan,
> y mis sueños acarician,
> llenos de luz argentada.
> Ilusiones son mis dichas,
> pasajeras y livianas,
> y está lleno el corazón
> de realidades amargas.
> ¡Un ataúd! ¡noche horrible! (III, 1).

En cambio, Isabel expresa sus recuerdos en tono más ligero y cantable:

> En años más tiernos
> dichosa viví...
> Aquélla era vida
> y aquesto es morir.
> Mi edad era hermosa,
> la edad del Abril,

y entonces reía
tranquila y feliz (IV, 5).

Con el recuerdo se asocia instintivamente el motivo muy romántico de un
destino adverso, al cual Ramiro alude en un paso que seguramente trae inspiración de las célebres décimas del *Don Álvaro*:

> otros felices al nacer al mundo
> huellan tal vez en tapizada senda
> de jardines, de risas y de amores...
> Y yo, desde la cuna moribundo,
> hallé una senda triste, oscura, estrecha,
> y espinas y dolor en vez de flores.
> Allá muy lejos, como luz del cielo,
> una hermosa ilusión encantadora
> soñando vislumbré, y esa luz bella
> me reveló que el mundo era apacible...
> ¡Un mundo de placer!... Para mí entonces
> era un caos tenebroso, incomprensible (V, 3).

Tal vez no fuera *El rey monje* una obra maestra, pero sí pudo convertirse en
obra modélica, por el partido que su autor supo sacar de los estereotipos temáticos y sobre todo lingüísticos que imprimieron al texto una fuerte literariedad
que remitía a las refinadas experiencias del Siglo de Oro.

> Difícil es adivinar el motivo que ha tenido el autor del drama para presen-
> tarlo [Ramiro] sobre la escena, y sólo puede atribuirse a que vistió aquél la co-
> gulla y ascendió después al trono; mas esto no autorizaba a desfigurar su carác-
> ter. [...] pone en la boca de un Príncipe o de un confesor lo que además de
> inmoral es ciertamente inverosímil (*Gaceta de Madrid*, 13-II-1838).
>
> EL REY MONGE es, a nuestro juicio, el drama mejor versificado y de más armo-
> nioso lenguage de esta época, y sin embargo es un mal drama. —El carácter de
> don *Ramiro* es enteramente falso, atendiendo a la historia, y de mal ejemplo,
> atendiendo a la moral (SALAS Y QUIROGA, *No me olvides*, 1837, n.º 34).

Para completar el cuadro habrá que reseñar rápidamente otros tres dramas históricos de escaso relieve artístico, dos de los cuales sin embargo lograron algún éxito.

En primer lugar hay que citar a ***Fray Luis de León o El siglo y el claustro*** (4
actos en verso), que su autor, José de Castro y Orozco, marqués de Gerona
(otro treintañero que se presentaba por primera vez en las tablas), definió, quizás con bastante propiedad, «melodrama». La obra se estrenó en el Príncipe el
15 de agosto de 1837 y, a pesar de las críticas poco favorables y de su limitado
valor, fue repuesto tres veces seguidas, otras dos pasados pocos días, una pasado un mes y otras dos en la temporada siguiente. Era una de tantas historias

de amores contrastados, que el joven poeta quiso atribuir nada menos que a Luis de León, creando mucha perplejidad en historiadores y espectadores.

Luis Ponce de León, poeta muy apreciado, ama, correspondido, a Elvira Hurtado de Mendoza, a la que su hermano, el marqués de Mondéjar, ha prometido a Alburquerque. Luis se desespera, renuncia a la lucha y entra en el convento de los agustinos. A pesar de que Elvira ha obtenido el permiso de casarse con él, toma igualmente el hábito. La acción se desarrolla en la Alhambra de Granada y en el convento de San Agustín en Salamanca entre 1543 y 1544.

Los ingredientes léxicos y temáticos del romanticismo se acumulan todos aquí: la lucha contra la sociedad, la desesperación amorosa, la rebelión, la conclusión ineluctable. También ciertos recursos típicos, como el tañer de las campanas en el momento en que Luis va a pronunciar los votos, que despiertan el trágico comentario del Prior:

> ¿Oís, hermano Luis?, esas campanas
> anuncian vuestro entierro: al mundo muerto
> un cadáver sois ya, pálido y yerto.
> ¿os aterráis quizá?, ¿queréis la vida?

Luis contesta como un buen romántico:

> ¡Vida! ¡vivir! en mi espantosa suerte,
> ¿qué dádiva más grata que la muerte? (IV, 8)

Tampoco falta la sangre, que se esparce en forma realmente teatral. Luis, después de intentar convencer a Elvira a huir con él (y se lo dice con palabras inspiradas en el más candente romanticismo: «que reventó el volcán, y honor y todo, / todo a la vez en su furor arrastra»), para dar más fuerza a su discurso se hiere con la daga y escribe con su sangre su compromiso de matrimonio.

Para más complicación, llega el hermano de Elvira, que la hiere en una mano; Luis le ataca gritando:

> Sangre sea:
> sangre por su sangre dame (IV, 13),

hasta que, a los soldados que quieren prenderlo, Luis grita:

> No a fe,
> que el infierno va conmigo (IV, 14).

El drama tiene sin embargo otras partes menos desorbitadas, pausas en la acción tan frenética que, por su carácter de evocación ambiental, traen a la memoria ciertos pasajes de *La corte del Buen Retiro*, como el episodio inicial del acto IV, donde los estudiantes salmantinos festejan a fray Luis con músicas y cantos, o las alusiones a Garcilaso, Herrera y al mundo de la poesía española de entonces o, en fin, la propia presencia, entre los personajes, de un poeta, Diego Hurtado de Mendoza.

> ¿Tiene tan amplias facultades un autor dramático que le sea lícito dar a un personaje histórico una vida fabulosa? [...] la acción nos parece lánguida, y muy forzados o poco verisímiles los motivos que obligan a D. Luis a transformarse en Fr. Luis, y los obstáculos que impiden a Doña Elvira evitar la profesión de su amante (*Semanario Pintoresco*, 27-VIII-1837).

Hacia finales de la temporada, el 8 de marzo de 1838, tres ingenios que firmaron tan sólo con sus iniciales (pero que se pueden identificar en José Muñoz Maldonado, Gregorio Romero Larrañaga y Francisco González Elipe) estrenaron en el Príncipe un drama en 5 actos y en verso, titulado *La vieja del candilejo*, que tuvo cierto éxito, siendo repuesto otras cinco veces en el mismo año. Esta vez la historia, que tenía su antecedente en *El montañés Juan Pascual, primer asistente de Sevilla* de Hoz y Mota, se movía alrededor de don Pedro el Cruel, protagonista de tantas leyendas y anécdotas. La que se representaba ahora era una de las muchas «justicias» tan características del personaje.

En Sevilla el rey don Pedro nombra asistente a cierto plebeyo, Juan, que protestaba contra la carencia de pan, con la alternativa de abastecer a la ciudad o ser ajusticiado. Considerado el éxito en su mandato, el rey le encarga luego el descubrimiento del autor de un asesinato. Juan averigua que el asesino fue el propio rey y se lo comunica con una estratagema.

Más cercana a la comedia que al drama, la pieza se pone en ese camino, ya variamente anunciado, que llevará a la confusión de los dos géneros. Ingrediente típico de ese nuevo rumbo, como ya vimos en *Doña María de Molina*, es también la figura del hombre del pueblo hábil y fiable. Seguramente fue este personaje quien determinó el éxito de la obra, junto naturalmente con las tonalidades «policíacas» que brindan sus investigaciones y que le prestan a la obra curiosidad e interés.

> El drama [...] se ha escrito sin duda con precipitación. [...] [el autor] ni ha corregido el lenguaje, ni ha cuidado la versificación [...] ni ha reprimido su deseo de hacer reír a costa de la verosimilitud (*El Correo Nacional*, 12-III-1838).

Por último, hay que citar otra obra de un ingenio novel, *Adel el Zegrí*, de Gaspar Fernando Coll, estrenada justamente al fin de la temporada, el 28 de marzo, en el Príncipe, y repuesta únicamente el día siguiente. Eran 4 actos en prosa y la acción se desarrollaba en el siglo XVII en Granada.

El capitán Gonzalo, enamorado de Isabel Valmorado, consigue entrar en la habitación de la joven gracias a Adel el Zegrí que, conociendo los escondrijos del palacio por haber sido antiguamente su dueño, le abre una puerta secreta. Pero Gonzalo ha matado al hermano de Isabel, Fernando, que le había atacado, y entre los dos «un muro de sangre se ha levantado» que hace imposible su relación amorosa. Isabel no quiere revelar el nombre del asesino de su hermano y su madre la encierra primero con el cadáver y luego en un convento. Adel le hace llegar un relicario con una carta de Gonzalo[30] y una cuerda que ella arroja a su amante, el cual llega así hasta su celda. Los dos huyen. La madre de Isabel quisiera casar a su hija con Gonzalo para matarlo después. Adel le revela que Gonzalo es su hijo, pero ella no le entiende y quiere matarle en seguida. Adel, que conoce todos los pasajes secretos del palacio, organiza la fuga de su amigo e Isabel y luego muere.

Si a García Gutiérrez le había salido bien la operación de reunir tantos estereotipos, esta operación le resultó negativa a Coll. El drama se ha convertido en sus manos en un juego folletinesco, donde se mezclan ingredientes demasiado trillados y sobre todo inverosímiles. El lenguaje, además, llega a ser trivial a fuerza de cursi. Baste como muestra el parlamento en que Isabel proclama su amor:

> Madre, yo amo a un hombre que me ha sido destinado por el cielo y la naturaleza; que ha sabido abrasar mi corazón con todo el fuego del amor, embriagar mi alma con todos los deleites de la esperanza, y que me ha conducido a la cima de la dicha humana respetando siempre mi virtud (III, 3).

Tal vez el romanticismo, con su exaltación de la juventud, junto con los ejemplos recientes de jóvenes desconocidos que habían alcanzado repentinamente la celebridad (el caso de García Gutiérrez estaba seguramente muy vivo en la memoria y hacía poco que Zorrilla se había lucido en el entierro de Larra), habían persuadido a muchos jóvenes inexpertos de que bastaba juntar frases y escenas efectistas para conseguir el triunfo.

3. *La comedia comprometida*

Uno de los éxitos notables de la temporada fue el estreno de *Muérete ¡y verás!*, que fue saludada como la «comedia romántica», con un sintagma que hasta ahora nunca se había empleado, ya que se consideraba a la comedia como la expresión de ese clasicismo que se remontaba a Leandro Moratín, modelo todavía indiscutible e inolvidable. En realidad, su autor, don Manuel Bretón de los Herreros, señor y dueño de la escena cómica desde hacía un decenio (pero capaz también de amoldarse a las tonalidades más propias de la dramaturgia romántica seria, como demuestran tanto la antigua *Elena* como el reciente *Don Fernando el emplazado* y otros dramas que seguirían muy pronto), hacía

---

[30] Tal vez este episodio influyó en Zorrilla.

tiempo que se había convertido al romanticismo, como se ha puesto en evidencia al tratar de *Marcela* y como es fácil advertir si seguimos su producción a lo largo de los años siguientes.

Claro está que su adhesión al nuevo movimiento se manifiesta a menudo a través de un tono burlón y crítico, como se aviene a la comedia, que, fiel a su función institucional de *castigare ridendo mores*, pone de relieve las exageraciones de ciertos dramas contemporáneos o simplemente se burla de ciertas afectaciones del lenguaje y del gesto en que caían lechuguinos de ambos sexos que deseaban mostrarse *à la page*. A menudo el fin era solamente el de reírse a costa de esa sociedad a la que pertenecía el propio poeta, con ese amor a la representación idealizada —en serio o en cómico— de sí mismo que siempre había distinguido al espectador y al lector español y que, en el nivel de la comicidad, contaba con los ejemplos recientes de Ramón de la Cruz, Mesonero, Estébanez y otros; pero era también el deseo de discurrir y comprender.

Era el costumbrismo que salía a escena, presentando una galería de tipos y *tics* contemporáneos paralela a la que comparecía en las *Escenas matritenses* o *andaluzas* o en *Los españoles pintados por sí mismos*, y que se manifestaba en una crítica bondadosa, acompañada por un guiño de complicidad; lo cual suponía, por tanto, el envolvimiento y la participación del espectador.

Ya en *Marcela* el poeta Amadeo se había despedido de la viuda con palabras que no desentonarían en los labios de un personaje dramático romántico:

> ¡Adiós, mujer aleve!
> ¡Adiós por siempre! ¡Adiós! Nuevo Macías,
> víctima moriré de tus rigores (III, 7).

Palabras que, en el contexto, no pueden no sonar paródicas y ridículas, como se ocupa de subrayar el propio autor poniendo en la boca del más prosaico don Martín consideraciones burlonas:

> no hay cuidado: ése es un flujo
> de palabras. El morirse
> de amores ya no está al uso (III, últ.).

El tema reaparecería diversas veces con infinidad de variantes. En primer lugar, en el teatro de la Cruz, dos años después, el 26 de diciembre de 1833, en **Un tercero en discordia**, tres actos en verso, obra de mucho éxito que se representó más de 30 veces en el período romántico. Compuesta a raíz de la vuelta de los emigrados y en la aurora de una profunda renovación del país, la pieza inserta la crítica a cierto manierismo romántico dentro de algunas meditaciones, en el fondo serias, sobre la situación de España y las nuevas perspectivas sociales. El marco reproduce aproximadamente el de *Marcela*, con la consabida contienda de los tres pretendientes para alcanzar la mano de una mujer.

Aspiran a la mano de Luciana Rodrigo, un joven serio y modesto, Saturio, un aris-
tócrata soberbio y egocéntrico que se las da de comediógrafo, y Torcuato, un celoso inca-
paz de controlarse. El padre de la chica, Ciriaco, con manías diplomáticas y políticas,
quiere imponer las bodas con Saturio, encantado por «su esclarecida sangre». Ante las
protestas de Luciana cede, pero le impone que escoja a uno de los tres. Ella escoge a Ro-
drigo, determinando una explosión de rabia en Torcuato, mientras que Saturio queda
convencido de que antes o después será él el elegido: «Todavía / no han ido a la vicaría. /
Aún se ha de casar conmigo.»

Se nota, pues, cierta repetición del esquema de la comedia anterior, aunque
aquí al poeta quejumbroso le sustituye un comediógrafo fracasado que tiene
muchos de los rasgos del moratiniano don Eleuterio. Diferente es en cambio el
carácter de la protagonista, que ya posee los remilgos propios de la niña romántica, puesto que al padre que le impone las bodas con Saturio contesta con
el lenguaje a la moda:

> Mande usted
> que las galas me preparen
> de la boda... y al mismo tiempo
> las antorchas funerales (III, 1).

Por otro lado, algo de la determinación de Marcela ha pasado también a esta nueva heroína, que a los humos aristocráticos del padre, que le propone las
bodas con Saturio, opone una visión liberal de la sociedad:

> ¿Iré a lucir en el Prado
> los timbres de su linaje?
> ¡Hacer pruebas de nobleza
> hoy día para casarse!
> ¿Qué tienen pues de común
> en este siglo mercante
> con el santo matrimonio
> las órdenes militares?
> ¿Qué importa que sus abuelos
> venciesen a los alarbes
> si él es un pobre demonio? (III, 1).

Como se puede ver, el costumbrismo de Bretón es bastante comprometido:
por otro lado, al principio de la comedia el protagonista Rodrigo se había ex-
playado en consideraciones muy en consonancia con el nuevo clima político,
que con sus cambios sociales no podía no crear momentos de preocupada incertidumbre:

> Sepámoslo de una vez:
> ¿Qué somos aquí en esta tierra?

¿Españoles o franceses?
¿Se come aquí o se merienda?
....
¿En qué cátedra se aprende
la urbanidad verdadera?
¿Reside en la aristocracia
o bien en la clase media?
¿Cuáles los límites son
entre esta clase y aquélla? (I, 2).

La comedia bretoniana estaba muy lejos de ser una farsa. El autor le atribuía la tarea de invitar al público a meditar sobre los problemas del momento, proponiendo soluciones de tipo liberal que encontrarán su desarrollo más completo en *El pelo de la dehesa*.

> Bretón insiste en colocar siempre a las mujeres en una posición en que no están en el día en nuestra sociedad; no son ya las reinas del torneo, como en los siglos medios. [...] El señor Bretón [...] sostiene y lleva a puerto feliz entre la continua risa del auditorio, y de aplauso en aplauso, una comedia apoyada principalmente en la pintura de algunos caracteres cómicos, en la viveza y chiste del diálogo, en la pureza, fluidez y armonía de su fácil versificación (LARRA, en *Revista Española*, 29-XII-1833).

Tres meses más tarde, el 30 de marzo de 1834, en el Príncipe, los tres pretendientes de marras reaparecen con algunas variantes en **Un novio para la niña** (tres actos en verso), una comedia bastante floja que sólo se repuso unas pocas veces en 1837 y al año siguiente.

Doña Liboria ha abierto una casa de huéspedes con el fin de casar a su hija Concha, la cual, en efecto, ama a Manuel a pesar de que éste no se atreve a declararse. Los otros dos pretendientes son Donato, interesado por las aventuras financieras, y Fulgencio, un aristócrata vanidoso. La llegada de América de un hijo de Liboria del cual no se tenían noticias, Don Diego, facilita la solución, ya que éste consigue alejar a Donato y Fulgencio. Manuel, por fin, se declara.

Lo que puede interesar en esta comedia, al lado del tema costumbrista (el interior de una casa de huéspedes y las discusiones, en el acto I, acerca de la rivalidad entre el poder del dinero, defendido por Donato, y el lustre de la nobleza, a que se aferra Fulgencio) son nuevamente los toques paródicos del lenguaje romántico, desde los suspiros con que, al comienzo, Concha se dirige al jilguero al que libera de su jaula («Consuélate, que en prisión / yo también penando vivo. / ¡Ay! también gime cautivo / mi llagado corazón») hasta el largo pasaje lírico con que Manuel, después de tanto silencio, decide declararse:

No escucho tus gritos,
cobarde razón,
ni sigo tu senda,
que es ciego el amor, etc. (III).

El autor se deja llevar de su facilidad: en ésta no le conocemos rival, así como tampoco en el chiste y la agudeza; sus descripciones [...] son un espejo fiel de las costumbres; su diálogo está lleno de gracias y de viveza. Su versificación es un modelo (LARRA, *Revista Española*, 1-IV-1834).

Con el pasar del tiempo, la musa de Bretón se hace todavía más comprometida. A mediados de 1835 un hecho cultural, la difusión del romanticismo, y otro político, el agudizarse de la crisis carlista, mantienen despiertas las preocupaciones de los españoles, sobre todo de esa capa burguesa que constituía el público más aficionado al teatro bretoniano. El comediógrafo, por tanto, le proporciona a este público una obra en la cual se muestra partícipe de esas mismas preocupaciones que sin embargo disuelve con la sonrisa y el buen sentido. De manera que la pieza, bajo una normal historia de amores y de un título de sabor calderoniano, delata al mismo tiempo un compromiso político y cultural y una intención consolatoria.

Se trata de ***Todo es farsa en este mundo***, tres actos en verso, que se estrenó en el Príncipe el 13 de mayo de 1835, poco después del *Don Álvaro* y poco antes del *Alfredo*.

Evaristo, prometido de Pilar, renuncia a su mano cuando se le hace creer que la chica es pobre, pero vuelve cuando le informan de que el padre de ella, Rufo, ha sido nombrado jefe de sección y que va a cobrar una conspicua herencia, para largarse finalmente cuando tanto el nombramiento como la herencia resultan inexistentes. La tía Vicenta dirige entonces sus miradas hacia el joven Faustino, que sin embargo se escurre al recibir un nombramiento en la embajada de Nápoles. A Pilar no le queda más que soñar con un joven oficial conocido en un baile.

Era la sátira, alegre y divertida desde luego, de los oportunistas, que tenía un antecedente ilustre en *¡Lo que puede un empleo!* de Martínez de la Rosa, estrenada 23 años antes, además de ser motivo bastante corriente en las comedias políticas de todas las épocas. Aquí en efecto no tenemos sólo el oportunismo en materia amorosa que une, en formas diversas, a los dos pretendientes de Pilar, sino que aparece también el oportunismo político interpretado por el anciano Rufo. Carlista en el primer acto («¡A pie juntillas / cree que en ambas Castillas / ha de reinar Carlos Quinto!», dice de él la tía Vicenta), se vuelve liberal e isabelino al recibir la noticia del nombramiento:

¡Ah! ¡Cómo en el alma siento
el liberal ardimiento!
Corriendo, aunque eche la hiel,

ahora voy, patriota fiel,
a alistarme en la milicia.
¡Viva la patria! ¡Oh delicia!
¡Viva la reina Isabel! (II, 10).

Hasta que, decepcionadas sus esperanzas, incluye a todo el país en su desilusión («España va a dar al traste»), rechaza cualquier compromiso político («Yo no quiero ser carlista / ni liberal, ni erre, ni hache») para encontrar al fin su verdadera vocación en un arrebato de un muy romántico, liberal en el fondo, individualismo.

«Pues sé lo que gustes», le insta Vicenta. A lo cual contesta:

Quiero
ser yo, ser Rufo (III, 5).

Sin embargo, para evitar que la elección entre carlismo e isabelismo pueda parecer una simple manifestación de oportunismo político, Bretón, en armonía con el carácter comprometido de la pieza, pone en la boca de doña Vicenta —representante del buen sentido y *alter ego* del autor— expresiones que no dejan lugar a dudas y que suenan como una apelación al patriotismo de los oyentes:

No ya con votos sacrílegos
ha de triunfar
quien quiera los siglos bárbaros
resucitar.
A su trono, augusta Huérfana,
dará el valor
de su denodado ejército
nuevo esplandor (II, 3),

para concluir en fin con un «¡Viva Isabel!» y con la exaltación de la libertad.

En cuanto al oportunismo amatorio de los dos pretendientes, vale la pena detenerse un rato sobre el de Faustino que consigue más efecto teatral. Al final de la pieza, cuando la noticia de un empleo en la Embajada le persuade a liberarse del compromiso con Pilar, se las arregla ensartando expresiones acuñadas sobre el más tópico manierismo romántico:

Sí... somos víctimas...
¡Un muro sin límites
se levanta entre los dos!,

para terminar como un eco del *Don Álvaro* recientemente estrenado:

Cumplióse mi atroz destino.
¡Adiós! ¡Adiós! ¡Maldecidme! (III, 15).

Lo cual, por otro lado, nos informa a las claras del alcance de las parodias del romanticismo en Bretón, que satirizan esencialmente el uso impropio y desorbitado de sus estereotipos, que era corriente atribuir al influjo francés, como se demuestra en el acto I, donde Faustino describe su amor en términos infernales:

> ¡Ah! Satán
> Satán incendió en mi pecho
> esta pasión infernal.
> ....
> ¡Este anatema fatal
> pesa sobre mí!

Y Vicenta le contesta que su sobrina

> ha nacido en Madrid,
> no a orillas del Senegal,
> no ha leído a *Víctor Hugo*,
> ni a *Lord Byron*, ni a *Dumas*.

Para completar el cuadro, Faustino recuerda amores célebres, todos sacados del repertorio romántico extranjero:

> Dulce *Amenaida*
> amó a *Tancredo* marcial,
> y *Carlos el Temerario*
> a la *Virgen de Underlac* (I, 3).[31]

En cambio, Vicenta, para sugerir una conducta honrada, recurre al patrimonio literario nacional, en explícita oposición al romanticismo extranjero. Así amonesta a Pilar y a Faustino:

> Sed vos casta Melisenda;
> vos, rendido Belianís.
> Cuidado con algún lance
> romántico a lo *Antoní* (III, 11).

Detrás de la sátira contra el romanticismo de importación podríamos, pues, entrever la aprobación implícita del castizo, de ese romanticismo nacional («Nuestra naciente musa / libre a lo menos y española sea», proclamaba Miguel Agustín Príncipe) que a menudo se identificaba con el justo medio. Las parodias desde siempre escondían una *pars construens* detrás de la más descubierta *destruens*.

---

[31] Se refiere al *Tancredo* de Voltaire y a *Ana de Geierstein* de Scott.

En favor de esta interpretación están no sólo los dramas del propio Bretón sino el espíritu abiertamente romántico que envuelve a la pieza, cuyo blanco principal es toda forma de disfraz, en búsqueda, en cambio, de esa verdad que se había convertido en la obsesión de los románticos.

Y romántica es también, al lado de la fe liberal, la ilusión amorosa que choca continuamente contra la realidad y que se reduce melancólicamente al sueño de Pilar por un amor imposible con el oficial con el cual ha bailado una sola vez.

Alentado quizás por el buen éxito de la obra que se repuso 18 veces hasta 1839 y 3 veces en la década siguiente, Bretón repitió con variantes temas y motivos en una segunda comedia, *Me voy de Madrid*, que se estrenó en el Teatro de la Cruz el 21 de diciembre, y que sin embargo consiguió un éxito algo inferior, siendo repuesta sólo 13 veces en los años inmediatos. Fue objeto de cotilleos en el ambiente cultural madrileño porque se vio en el protagonista la personificación de Larra, con la consiguiente ruptura de las relaciones entre el crítico y el comediógrafo, que harían las paces más tarde gracias a la mediación de Vega y Roca de Togores.[32]

Don Joaquín galantea a Manuela, joven viuda romántica, con el único fin de hacerse con un marco de oro que luego vende a cierta Amparo, antigua enamorada suya. Impenitente mujeriego, galantea también a Tomasa, atrayéndose las iras de su marido Hipólito. Perseguido por Manuela y su hermano, por Tomasa y su marido, por Amparo y por un usurero, logra al fin librarse de todos y salir apresuradamente de Madrid.

Contiene una de las sátiras más conocidas del romanticismo, gracias sobre todo a una acertada réplica de don Fructuoso, hermano de la protagonista, que a sus declaraciones de fe romántica («estoy por las grandes / pasiones y por los raptos») le espeta:

> Pues yo te prohíbo
> romantiquizarte; ¿estamos?
> que a gobernarme la casa
> no te han de enseñar lord Byron
> ni Víctor Hugo (I, 1).

Donde vale la pena subrayar nuevamente el aspecto xenófobo del antirromanticismo bretoniano.

Al lado de los rasgos cómicos inspirados por el romanticismo a la moda que reaparecen a menudo en los labios de la sentimental Manuela —la cual entre otras cosas exalta el «romántico» gorro contra la «clásica» mantilla defendida por Tomasa («vosotras, / las clásicas, no sentís»), se desespera frente al engaño de Joaquín («¡Infame! ¿Quién, ¡oh Dios! / creyera tal de un romántico?») y no duda en remedar una célebre réplica del *Alfredo* estrenado pocos meses antes, gritando: «¡Detente, sacrílego!» (III, 16)— nos encontramos nuevamente

32 Véase G. LE GENTIL, *Le poète Manuel Bretón de los Herreros*, cit., pp. 33-34.

con la sátira del oportunismo político, motivo evidentemente muy grato a Bretón y a su público. Como el Rufo de la comedia anterior, ahora es Fructuoso quien en su amor por la vida tranquila se muestra dispuesto a todos los compromisos, puesto que «su sistema es estar bien con todos»:

> Hoy me deshago
> en alabanzas y encomios
> del gorro republicano,
> y mañana el justo medio
> con igual pasión aplaudo.

Lo cual atrae la precisión de su hermana:

> Como ensalzabas un día
> el despotismo ilustrado.

Pero él sin pestañear contesta:

> Y antes al rey absoluto (I, 1),

del cual tiene realmente mucha añoranza, ya que su voluntad le libraba de la preocupación por tomar partido, como en cambio se ve obligado a hacer

> con este sistema o diablo
> de cortes y libertades (I, 2).

La serie de comedias empeñadas prosigue en el año siguiente con *La redacción de un periódico*, tal vez la más rica de referencias al mundo político y de toques costumbristas. Se estrenó en el Príncipe el 5 de julio de 1836 y constaba de 5 actos en verso. Nuevamente una historia de amor se entrelazaba con los vaivenes políticos, pero esta vez con una relación más estricta que le confería a la obra una particular solidez, que empero el público no debió de apreciar mucho: sólo se repuso 4 veces.

El redactor Agustín ama a Paula, contra la voluntad de su padre, el editor Tadeo, que intenta separarlos y que encierra a la chica en un cuarto. Pero los dos consiguen hablarse por una ventanilla y organizar una boda clandestina. Irritado por un artículo antigubernamental que ha salido en el periódico, un emisario del Gobierno pacta la suspensión del periódico con la oferta de un empleo público para el autor del artículo. Como éste está firmado con las iniciales A.P., que corresponden también al nombre de Agustín, el joven consigue la plaza y el consentimiento del suegro a las bodas con Paula, por otro lado ya celebradas en secreto.

Toda la historia se desarrolla en la redacción de un periódico, lo cual le ofrece al poeta la oportunidad de insertar, junto a la trama principal, una serie de escenas costumbristas que se acercan bastante a las de Mesonero o, por las alusiones punzantes a la actualidad, hasta a los artículos de Larra. Asistimos por tanto a la desesperación del editor por la merma de los abonos, a la llegada de varios tipos, desde el señor que pacta el abono contra la publicación de un artículo suyo, a una actriz y a un capitán que se creen ofendidos, a un sujeto que quiere imponer al periódico un carácter filogubernamental, en tanto que se manifiesta la preocupación por reemplazar los vacíos creados por la censura.

Menudean desde luego las referencias al mundo político (con las casi obligadas alusiones al carlismo) y periodístico (hay una larga lista de periódicos vivos y muertos) y, como siempre, las sátiras al oportunismo que se acompañan de la amarga constatación de la vida difícil que va a encontrar quien pretenda ser objetivo y ecuánime. Lamenta el periodista Fabricio:

> ¡Qué quiere usted! Los partidos
> como a ninguno halagamos
> y a todos los combatimos,
> y no queremos carlistas
> y no hay aquí dos patricios
> que piensen del mismo modo,
> ¿dónde hemos de hallar amigos? (I, 2).

Lo cual, por otro lado, no impide su predisposición a cambiar de color no bien se presente la ocasión propicia.

También asoma una referencia explícita al romanticismo, que, a pesar del tono ligero y alegre, muestra en el fondo una postura favorable cuando don Tadeo, queriendo imponer a su hija su propia voluntad, ante las protestas de la chica, que le acusa de apreciar sólo el dinero, contesta:

> ¿Te habrá acometido ya
> la romántica epidemia? (III, 1).

Es evidente que Bretón es partidario de la «romántica» chica.

Por otro lado, toda la pieza rebosa de una sensibilidad romántica que se manifiesta en el hastío de un mundo de personas dispuestas a cualquier compromiso con su conciencia y que sistemáticamente rechaza la verdad.

> [...] no haber encontrado el señor Bretón una sola figura de hombre de pundonor entre todos los de su cuadro, no nos parece generoso por su parte, ni justo en cuanto periodista. [...] los cuatro actos primeros los ocupa la parte descriptiva de los lances y apuros que suelen ocurrir en la redacción de un periódico; y sabido es cuán feliz es en tales descripciones este poeta (LARRA, El Español, 8-VII-1836).

Paulatinamente Bretón iba descubriendo un tipo de parodia del drama romántico que ya no era una burla ni una farsa, sino más bien una suerte de trascodificación a otro registro, cómico por supuesto, pero de una comicidad orientada más hacia la sonrisa que hacia la carcajada, no exenta sin embargo de tonalidades patéticas y de importantes preocupaciones existenciales. Significativamente ocurría que, si el drama se iba acercando a la comedia, se abría también el camino inverso.

Con *Muérete y ¡verás!*, 4 actos en verso, estrenado en el Príncipe el 27 de abril de 1837, que alcanzó unas 30 representaciones en la época romántica, Bretón producía una comedia que hacía reír y llorar, que aplicaba los recursos propios del drama contemporáneo, que por primera vez violaba abiertamente las unidades. Su argumento parecía remedar el de *Los amantes de Teruel*, que se había estrenado sólo tres meses antes y que seguía reponiéndose.[33]

I. *La despedida*. En Zaragoza Pablo parte para combatir a los carlistas como oficial de la milicia, y se despide de su novia Jacinta y de la hermana de ésta, Isabel, que le ama secretamente.

II. *La muerte*. Llega la noticia de la muerte de Pablo, confirmada por su compañero Matías, que aprovecha la ocasión para pedir la mano de Jacinta. Desesperación de Isabel y del usurero Elías, que había prestado dinero a Pablo.

III. *El entierro*. En realidad, el joven ha sobrevivido a una grave herida y ahora vuelve a Zaragoza, donde se están celebrando un rito fúnebre en su memoria y el banquete de bodas de Jacinta y Matías. Ve a Isabel arrodillada en las gradas de la iglesia y se entera de que le ama.

IV. *La resurrección*. Se presenta a Elías y a Isabel pidiendo su complicidad y luego entra en el salón del banquete, envuelto en una sábana, como un fantasma. Les reprocha su olvido al amigo y a la novia y pide la mano de Isabel.

Varios elementos parecen subrayar la proximidad entre el drama de Hartzenbusch y la comedia de Bretón, desde la separación provocada por la guerra a la deslealtad del antagonista unida a la debilidad de la novia, al regreso del protagonista en el momento justo de la celebración de las bodas, a su aparición inesperada y dramática.

Faltaba en cambio el tema del plazo, pero era sustituido por un equivalente agobio temporal que se manifiesta escénicamente en los signos premonitorios (el tañer de las campanas en las dos obras) que sorprenden al protagonista a su regreso. Naturalmente, todo aparecía ahora envuelto en un clima ligero y burlón, aunque no privado de toques sentimentales y hasta melancólicos, que estaba totalmente ausente en el drama. Pero la atmósfera general era plenamente romántica y alcanzaba su momento álgido en el episodio del regreso de Pablo, cuando, en un típico acercamiento de amor y muerte, le acogen los toques de las campanas a muerto y el sonido de los violines que acompaña a la fiesta de la boda.

---

[33] LE GENTIL, *ibídem*, p. 83, indica también una posible fuente en *Inconsolables* de Scribe; PEERS, *op. cit.*, I, p. 310, subraya la similitud con la dumasiana *Catherine Howard*.

El sonido de las campanas aterra a Pablo como un auspicio negativo («Con malos / auspicios vuelvo a mi tierra») en tanto que la música alegre, asociada al toque fúnebre, le saca un amargo comentario:

> ¡Ella baila, justo Dios,
> y yo de cuerpo presente! (III, 5).

Que, aparte el humor negro, parece aludir a ese desdoblamiento del hombre que asiste a su propio entierro que tanto atrajo a los románticos, desde Merimée a Espronceda y a Zorrilla.

La romántica unión de amor y muerte conoce empero también tonos sentimentales en la escena decimosegunda del mismo acto III, donde Pablo divisa la figura de Isabel arrodillada delante del portal cerrado de la iglesia donde se ha celebrado el funeral, que murmura su pena y declara su amor dirigiéndose a la sombra «que —afirma— amo y reverencio»:

> Pídele sólo al Señor
> que eterno sea el amor
> con que el alma te rendí;
> que nunca humana flaqueza
> me conduzca a no quererte.
> ¡Antes un rayo de muerte
> caiga sobre mi cabeza! (III, 12).

Es indudable que la mano experta de Bretón ha sabido juntar aquí la más efectista simbología romántica, desde la sacralidad del lugar que le confiere un toque de misticismo al amor terrenal, a la puerta cerrada que se interpone entre la joven y la sombra del amado, subrayando la incomunicación de un amor imposible que parece realizarse solamente en el mundo de la trascendencia. Aunque pueda parecer extraño, tal vez Isabel sea el antecedente más logrado de la Inés del *Tenorio*.

Desde luego, una situación tan patética no puede durar mucho tiempo, y Bretón se ocupa de descargar la tensión interponiendo escenas cómicas o réplicas ligeras. Por fin, no puede hacer otra cosa que llevar la obra a esa conclusión alegre que el público pretende de un comediógrafo. Para conseguir tal fin recurre a otro ingrediente típico del romanticismo: el fantasma. Un fantasma fingido, por supuesto, ya que es el propio Pablo envuelto en una sábana, que quizás tenga su ascendiente lejano en *La huérfana de Bruselas* (que en efecto desarrollaba una función similar) y que a su vez pudo ser el modelo de *El zapatero y el rey*; el cual sin embargo estaba arraigado en el gusto de la época, tan bien representado en la *Galería fúnebre de espectros y sombras ensangrentadas* como en *El estudiante de Salamanca* o en *El bulto vestido de negro capuz*, o en fin, por lo que atañe al teatro, en el *Alfredo*.

Lógicamente el recurso aquí es cómico, tanto por el contexto como por el típico sistema semiológico de la comedia —que en esto difiere sustancialmente del drama— el cual exige que el autor informe previamente al público acerca de la burla que Pablo va a hacer a los convidados. La sorpresa, que en el drama sobrecoge a personajes y espectadores, en la comedia está reservada a menudo sólo a los primeros, de manera que el público se siente cómplice del autor y se ríe de la ingenuidad de los personajes. Lo mismo pasa con la petición de la mano de Isabel, que sorprende a los demás personajes pero no a los espectadores, que han asistido al episodio en que Pablo, escondido, escucha las declaraciones amorosas que la chica le dirige, creyéndole difunto.

Pero, en este caso, lo patético prevalece nuevamente sobre lo cómico, ya que el amor es cosa demasiado seria tanto para el autor como para su público. Y la declaración de amor que pronuncia Pablo al final de la pieza quiere dejar tras de sí un rastro de intenso sentimentalismo romántico. El protagonista adopta aquí un lenguaje que nuevamente parece adelantarse al del *Tenorio*:

> Mujer de alma tan pura
> cuya virtud sin igual
> compite con su hermosura
> es un ser angelical;
> no es humana criatura.
> Mujer de tanta virtud,
> mujer de amor tan profundo
> que en su tierna juventud
> se inmolaba... ¡a un ataúd!
> no pertenece a este mundo.
> Yo, que su ventura anhelo,
> yo no me juzgo habitante
> de este miserable suelo;
> que Isabel me mire amante,
> y sus brazos son... ¡el cielo! (IV, últ.).

Luego vendrá la obligatoria moraleja, condensada en tres versos recitados alternadamente por tres personajes (el último es Pablo, naturalmente):

> Para aprender a vivir...
> No hay cosa como morir...
> Y resucitar después...

Con lo cual la comedia se ha superpuesto nuevamente al drama: la risa, o la sonrisa tal vez, reivindica sus derechos y el autor despide al público con un guiño, o, por decirlo con un crítico,«el drama se ha convertido en entremés».[34]

---

[34] J. ESCOBAR, «¿Es que hay una sonrisa romántica? Sobre el romanticismo en *Muérete y ¡verás!* de Bretón de los Herreros», en *Romanticismo 5* (1995), p. 96.

Desde las primeras reseñas, tal vez impresionadas sobre todo por la violación de las unidades,[35] que tildaron de romántica la obra, la crítica ha insistido sobre los caracteres románticos de *Muérete ¡y verás!*, desde Allison Peers[36] hasta Rupert Allen[37] y Raquel Medina,[38] que de varias formas subrayan la exaltación del idealismo romántico frente al materialismo de la burguesía contemporánea.

En un punto de vista opuesto se coloca en cambio el ensayo de José Escobar, que divisa en la asunción de motivos románticos el proyecto de «neutralizarlos» a través de su incorporación «al ambiente cotidiano y doméstico de la clase media, infundiendo así, compensatoriamente, un colorido de idealismo poético al prosaísmo gris de las relaciones humanas en el mundo moderno. Sin drama, con el final feliz de una sonrisa reconfortante que deja a todos satisfechos». Lo cual, según el crítico que considera el romanticismo como «una experiencia dolorosa de la Modernidad», equivale a una verdadera «desromantización».[39]

> *Muérete y verás* es lo que nos atreveríamos a llamar, con permiso de quien haya lugar, la comedia romántica, feliz innovación cuyo buen resultado probó la esperiencia (*Eco del Comercio*, 3-V-1837).
>
> Distínguese la comedia por cierto sabor a romanticismo que encanta. [...] el contraste que forma el tañido fúnebre de las campanas con la música del baile es del mayor efecto; e Isabel dirigiendo sus súplicas al cielo, prosternada en las gradas del templo, llorando mientras los demás ríen, es una idea admirable, sublime (*Gaceta de Madrid*, 30-IV-1837).
>
> Ha llegado [...] el caso de usar moderadamente de la libertad en las formas literarias del nuevo teatro moderno. [...] y esto es lo que ventajosamente ha conseguido realizar el autor (*Semanario Pintoresco*, 7-V-1837).

Hacia el final de la temporada —que se cerró el 7 de abril de 1838— Bretón lleva a las tablas en menos de un mes tres breves comedias en las que en cambio el tema de la sátira antirromántica reaparece más o menos conforme a los esquemas tradicionales.

---

35 Sin embargo, el *Semanario Pintoresco* aludía también a la presencia de personajes que «acaso calificaríamos de inútiles [...] si no creyéramos que la libertad de la escuela moderna autoriza (a nuestro entender justamente) estos personages que sólo sirven para animar tal o tal escena».

36 Cf. *op. cit.*, II, p. 167, donde sostiene que la obra es romántica «en su construcción, en la caracterización, en el uso de la sorpresa y del efecto dramáticos y en el papel que en él desempeña la pasión».

37 «The romantic element in Bretón's *Muérete ¡y verás!*», en *Hispanic Review*, XXXIV (1936), pp. 218-227.

38 «*Muérete ¡y verás!* Propuesta para una comedia romántica», en *Hispania*, LXXV (1992), pp. 1122-1129.

39 Véase el artículo citado, pp. 85-96.

La serie empieza en el Príncipe, el 15 de marzo, con un hábil juego meta-teatral en 2 actos titulado ***El poeta y la beneficiada*** (7 reposiciones), donde, en la estela inevitable del *Café* moratiniano, el comediógrafo se burlaba de ciertas exageraciones del teatro contemporáneo.

El poeta recibe la visita de cierto Ambrosio que le impone la lectura de un drama suyo y que luego propone a una actriz para su beneficio. Pero resulta que la pieza que será escogida es en realidad la que se está representando. La trama se complica con los equívocos que nacen de la persuasión de la dueña de que el poeta está enamorado de ella.

El recurso del teatro en el teatro se desarrolla nada menos que en tres niveles: el de la obra que se representa, el de la pieza de Ambrosio y el de la comedia que se representará. Pero al lado de este aliciente, muy intelectual, se coloca la acostumbrada habilidad de Bretón para crear situaciones cómicas y sobre todo para parodiar el teatro de su época. El drama que ha escrito Ambrosio es «romántico, singular, terrible» y lleva un título largo y resonante:

> *La feria de Trafalgar y el bandido honrado, y montes del Paraguay, drama de grande espectáculo, heroico, sentimental, en prosa, en siete jornadas y once cuadros* (I, 10).

En él, le comenta su autor a la actriz:

> Hay lances soberbios.
> Tres batallas, un naufragio,
> brujas... Se reza el trisagio...
> Bombas (II, 4).

A principios del acto II se nos brinda una muestra del tono dominante. Lee el proprio Ambrosio:

DON BLAS.	¡Matadla!
EL PRIOR.	¡Misericordia!
DON PEDRO.	¡Aquí de mis fuertes puños!

> (*Se oyen gritos a lo lejos.*)

ELVIRA.	¡Favor, socorro!
EL CORREGIDOR.	¡Silencio!
LOS SOLDADOS.	¡Cierra España!
LA BRUJA.	¡Dios del infierno, salga de su centro el mar y crujan los elementos! (II, 1).

Y así sucesivamente, en una cómica acumulación de los más disparatados elementos del lenguaje dramático.

Los motivos propios de la sátira antirromántica reaparecen poco después, algo atenuados, en el acto único *El pro y el contra* (en verso, estrenado en el Príncipe el 24 de marzo de 1838 y repuesto al menos 7 veces), donde la ironía se apunta en la conducta de una chica que adopta melindres que podrían, aunque de forma no exclusiva, remitir al romanticismo.

Cecilia, novia de Luis, voluble y afectada (tiene esplín), provoca un desafío del cual Luis sale con un rasguño en la mano; cuando la chica le pide que firme el contrato de boda, Luis, cansado ya de tanto dengue, declara que la herida se lo impide. Cecilia se consuela con una mona que había perdido y a la que ha nuevamente encontrado.

La parodia del romanticismo prosigue en cambio más abiertamente en el acto único en verso *El hombre pacífico*, estrenado en el Príncipe el 7 de abril siguiente, que tuvo 5 reposiciones.

Cierto don Benigno no consigue la tranquilidad a que aspira por una serie de líos en que se ve metido: desde una llamada al servicio militar causada por un error de transcripción (se le atribuyen 32 años en lugar de 52) y la visita de cierta romántica Casilda que le envuelve en sus desilusiones amorosas, hasta la llegada de un alcalde que pretende encarcelarle por apoyar a un faccioso. Por supuesto, todo acaba solucionándose.

La comicidad estriba sobre todo en las réplicas de Casilda, que, presa de un «amor romántico, / inescrutable y eterno», interpreta el papel de víctima de un tal Mamerto y prorrumpe en expresiones tan tópicas como «¡Maldición!... Se cumplirá / mi atroz destino funesto...», y otras por el estilo, que le sacan a Benigno manifestaciones de cómica extrañeza:

> ¿Qué diablo de jerigonza
> es ésa, que no comprendo
> ni una sílaba? (esc. 14).

Pero tal vez lo más interesante sea que se refiere nuevamente a los textos canónicos del romanticismo francés:

> Un hombre sin Dios, sin ley...
> Don Mamerto... Él y sus versos...
> y el abate *Lamennais*...
> y *Bug-Jargal*... ¡Miserable!
> y *Cuasimodo*... (esc. 17).

Claro está que la sátira del romanticismo no puede durar largo tiempo, sobre todo en una época en la que el romanticismo no representa ya ninguna novedad y, en cambio, va perdiendo sus rasgos más chocantes; así que Bretón, como hemos visto y como ocurrirá de forma más acusada en un próximo futuro, se dirige preferentemente hacia ese mundo social y político que ejerce más atractivo en la sociedad contemporánea. La guerra carlista se mueve hacia su solución y el mundo burgués que asiste a las comedias bretonianas empieza a fijarse en los problemas del buen gobierno y de las relaciones sociales. Y Bretón, naturalmente, le brinda lo que le apetece.

V. EL FINAL DE LA PRIMERA DÉCADA

1. LOS DRAMAS: HACIA EL FORMULISMO

Después de la explosión de obras románticas a lo largo de la temporada que acabamos de examinar, es como si, permítasenos la metáfora cabalmente teatral, bajara de repente el telón por un agotamiento del repertorio. En la temporada siguiente no es dado encontrar dramas hasta el mes de septiembre: luego, entre septiembre de 1838 y diciembre de 1839 sólo se pueden enumerar cinco dramas históricos originales que, con exclusión quizás del segundo, aparecen esencialmente como una cansada repetición de temas y motivos ya abundantemente explotados.

Casi no valdría la pena hablar del primero, *Amor venga sus agravios*, 5 actos en prosa, que conoció una única función el 28 de septiembre de 1838 (Príncipe), a no ser que se le debe en parte a la pluma de Espronceda, que lo compuso en colaboración con Eugenio Moreno López, firmándolo los dos con el seudónimo de Senra y Palomares.

Es un enredo de algunos de los motivos más desorbitados del manierismo romántico, entrelazados entre sí hasta formar un conjunto rayano en una involuntaria parodia.

Clara, enamorada de Pedro de Figueroa, rechaza la mano de su primo Álvaro de Mendoza, quien reta a Pedro y le hiere. Creyéndole muerto, Clara se retira a un convento, donde recibe la visita de Pedro. Oyendo acercarse a otras monjas, oculta a su enamorado en un baúl; pero a continuación se desmaya y el joven muere asfixiado. Invita entonces al primo y le da a beber un veneno, que ella toma también.

El lenguaje se corresponde con el tono general de la trama. Baste recordar el satanismo que tiñe la réplica con que al final Clara se dirige a Mendoza:

159

todos iremos juntos al infierno, todos llevaremos el mismo camino. Todos mano a mano entraremos en él, y los demonios festejarán nuestra llegada.

Tal vez no falten momentos felices, sobre todo en la reconstrucción ambiental, que se realiza con diferentes episodios: paseo en el parque del Retiro, con tapadas, petimetres y prófugos de Flandes; serenatas y desafíos; escenas de corte con charlas sobre los temas más apasionantes del momento; un festín con ostentación de lujo, cantos, etc. Se hacen también referencias al teatro, a Calderón, al rey mismo, que se las da de dramaturgo.

Sin embargo, no es el toque costumbrista o reconstructivo el que puede salvar una obra decididamente poco acertada, que sobre todo no aporta ningún elemento nuevo u original.

> ha obtenido aplausos [...] pero [...] no se ha podido vencer la gran dificultad que consiste en formar un todo proporcionado, verosímil, interesante y que no choque abiertamente con las costumbres de la escena para donde se escribe (*Eco del Comercio*, 29-IX-1838).

Un toque de relativa novedad puede percibirse en cambio en **Doña Mencía**, un drama con el cual Juan Eugenio de Hartzenbusch volvía a pisar las tablas después del éxito de *Los amantes de Teruel*. La pieza, 3 actos en verso, se estrenó en el Príncipe el 9 de noviembre de 1838 y conoció 6 reposiciones antes de 1840 y nada menos que 21 en la década siguiente. Dentro de ciertos límites, repetía la temática de *Carlos II el hechizado* (aunque sin el trasfondo truculento de éste), añadiendo sin embargo al tema de la Inquisición casi todos los aspectos que podían sonar escandalosos al público de la época: los monjíos forzados, la corrupción conventual, la bastardía y el amor incestuoso.

I. *En Madrid, a principios del siglo XVII, la beata doña Mencía, a punto de pronunciar los votos, convence a su hermana bastarda Inés (hija, parece, de una luterana muerta en la hoguera) a abandonar a su amado Gonzalo (so pena de denunciarlo a la Inquisición) y a hacerse monja. Al entregar a Gonzalo la carta de despedida de Inés, se enamora de él.*

II. *En tanto que varias jóvenes destinadas al convento se burlan del «padrino» don Gutierre, miembro de la Inquisición, Gonzalo se despide de Mencía, ya que tiene que escapar a los Inquisidores, que le buscan como sospechoso por guardar una Biblia en romance y un retrato de Lutero. Desesperación de Mencía, que le esconde en un cuarto. Pero Inés, que se ha dado cuenta del amor que le une a su hermana, le delata a don Gutierre, y éste le hace prender.*

III. *Cuando Inés va a pronunciar los votos, se presenta a Mencía Gonzalo, trastornado por haber pasado un mes en la cárcel inquisitorial y que, disfrazado de fraile, ha conseguido fugarse. Por varias señas, los dos se enteran de que Gonzalo es padre de Mencía. Vienen los alguaciles y Gonzalo es apresado. Intenta matarse con un puñal, pero Mencía se lo quita y se mata a sí misma.*

La obra se sumaba a las de la temporada anterior en sus ataques a las formas represivas de la España pasada (e indirectamente al absolutismo y al carlismo), pero remitía también a los primeros dramas por llevar a la escena a personajes inventados, con el fin, se diría, de recrear un ambiente a través de los infortunios que persiguen a ciudadanos particulares caídos bajo las sospechas de los Inquisidores: una suerte de infrahistoria, pues.

Sin embargo, lo propiamente novedoso, fuente también de desarrollos futuros, es el interés difuso y pormenorizado por la psicología de los personajes, sobre todo por sus reacciones frente a ciertos acontecimientos improvisos e inesperados que se convierten en verdaderos efectos teatrales. En otras palabras, el golpe de teatro que casi siempre se confiaba a un suceso, a menudo teñido con los colores de la fatalidad, deriva ahora de un movimiento interior del personaje que le induce a cambios repentinos, de fuerte impacto en la diégesis. Lo cual es un gran adelanto respecto a *Los amantes*, donde lo que privaba era el acumularse de acontecimientos que tenían en sí mismos la fuerza de torcer o impulsar la acción dramática. Se abría el camino hacia la alta comedia.

Todo esto es particularmente apreciable, conforme a lo que promete el título, en la actuación de doña Mencía, que, a causa de sus reacciones psicológicas a sendos sucesos, pasa de la beatería con que aparece en la escena al amor apasionado por Gonzalo, a la renuncia a sus principios piadosos (que la lleva a desconfiar de la Inquisición), a la aceptación del amor incestuoso («Y yo te adoro; / que en ti un amor inextinguible puse», manifiesta a Gonzalo, después de haber afirmado antes: «Yo soy tu hija»), a la protesta sacrílega:

> Deja que al cielo blasfemante acuse
> que con mi corazón juega inclemente.
> ....
> en los brazos del único me arroja
> cuyo amor me vedó naturaleza.
> Llena, cielo enemigo, tus furores,
> y acaba con un rayo mis amores (III, 11).

Después de lo cual no le queda nada más que la forma extrema de transgresión: el suicidio.

Otro rasgo psicológico particularmente eficaz por sus reflejos directos en la acción es la mutua, sorda enemistad que liga a las dos hermanas y que induce a Mencía a obligar a Inés a renunciar al amor mundano y a ésta a vengarse denunciando a Gonzalo.

Ni faltan otros pormenores que, de conformidad con el carácter fundamental de la pieza, presentan eficaces rasgos psicológicos, como el sutil juego de alusiones e insinuaciones con que don Gutierre envuelve como en una telaraña a la inocente Inés, hasta llevarla a delatar a Gonzalo. En este ámbito, valdría la pena recordar también el hábil discurso de la criada Salomé, que, para evitar de referir abiertamente el mensaje de Gonzalo, teje un entramado de preguntas y respuestas del cual se infiere fácilmente el proprio mensaje que ella fingía querer ocultar: un pequeño sainete que es como una pausa sonriente en el contexto general, pero, como se decía, en armonía con el tono dominante.

> Durante un año cómico en que la escena nacional ha dado tan escasas seña-les de vida, y ésas en su mayor parte tan infelices y desacertadas, un drama, si bien escrito bajo la influencia de las opiniones románticas, al menos no con arreglo a las más exageradas, abundante en bellezas de un género superior, así en efectos como en poesía, no puede menos de ser una solemnidad literaria (*Gaceta de Madrid*, 17-IV-1839).

El año 1839 empieza con una novedad léxica: el 31 de enero se representa *El astrólogo de Valladolid* (5 actos en verso, 7 reposiciones), al que su autor, José García de Villalta, llamó «comedia histórica», tal vez para subrayar el final alegre que por otro lado compartía con muchos dramas de la última época.

Con el disfraz del oscuro doncel Ferrán Calvo y el apoyo del astrólogo Abiabar, Fernando de Aragón vive en la Corte de Castilla, donde ama a la infanta Isabel, a la que su hermano, el débil Enrique IV, quisiera casar con el maestre de Calatrava. Ferrán se aleja, pero vuelve al mando de las tropas aragonesas y consigue la mano de Isabel.

Basta el breve resumen para darse cuenta del tono novelesco de la pieza, según la fórmula que se venía delineando desde hacía algún tiempo. Paralelamente, se van desarrollando aspectos que se habían vuelto también típicos, como el cansancio que oprime al monarca:

> ¡Oh desdichado monarca!
> ¡Cuánto la corona pesa! (II, 1).

También la reconstrucción ambiental ocupa un buen espacio gracias a un largo desfile de personajes históricos, entre los cuales descuellan Juan Pacheco, marqués de Villena, y el futuro cardenal Cisneros.

Recorre la obra —también es una praxis consolidada— un espíritu liberal que encuentra su momento más significativo en la discusión entre un noble y un licenciado (que se verá que es el joven Cisneros), en la cual éste defiende la cultura contra la nobleza y reivindica los derechos del pueblo con tonos típicamente ilustrados:

> Si no hay pueblo, señor, ¿qué es la nobleza? (III, 6).

> Las producciones originales han sido raras y escasas durante el año cómico que está a punto de concluir. [...] el drama es [...] un cuadro pálido y un determinado color, en que hay empero algunas figuras vigorosas. [...] Seremos indul-

gentes con el Sr. Villalta, en primer lugar por pertenecer su obra a una escuela templada de literatura (*Gaceta de Madrid*, 13-II-1839).

«Drama original e histórico» definió en cambio Miguel Agustín Príncipe su obra en 7 cuadros y en verso titulada *El conde don Julián*, que, después de un estreno en Zaragoza el 18 de diciembre de 1838, se representó por primera vez en Madrid (Príncipe) el 22 de mayo de 1839. Lo histórico señalado en el título se mezcla muy a menudo con lo novelesco, en un asunto que por otro lado ya pertenecía a la tradición mítica.

El rey Rodrigo destierra a Pelayo por amar a Florinda, de la cual se ha encaprichado, y encierra en una cárcel a la reina Egilona por haber favorecido la fuga de Florinda. Julián, enfurecido con el rey, que ha abusado de su hija, se alía con los moros, pero luego combate contra ellos con la ayuda de Pelayo. Al ver el mantel ensangrentado de Rodrigo, Julián se mata.

Revisión en sentido positivo, algo chovinista, de la legendaria historia de España, rescata en parte a don Rodrigo —que encarna la frecuente figura del rey cansado y deprimido bajo el peso de un romántico tedio («¡Siento tal tedio! Yo mismo / me desconozco» [I, 4]), que pronto se arrepiente de su conducta y hace concesiones a los moros, los cuales, sin embargo, no respetan los pactos— y a don Julián, que intenta evitar la invasión y trata al respecto con Tárif y Muza, hasta que encuentra al fin su desquite moral en el suicidio. Finalmente, para que no les quede a los espectadores lo amargo de la derrota de sus antepasados, cierra la obra con el grito lanzado por un noble godo, cuya fuerza es subrayada en el texto por nada menos que seis puntos de admiración:

Aún vive Pelayo!!!!!!

No falta cierto gusto por la espectacularidad de marca romántica, que sobresale particularmente en el acto II y en el III. En el uno se nos presenta un castillo lóbrego, en una noche de borrasca, donde aparecen fantasmas (en realidad, judíos disfrazados), hay luces que se apagan de repente, se oyen voces misteriosas; en el otro la escena representa la cárcel en que yace la reina Egilona, afectuosamente asistida por un judío.

Cierra la década una nueva incursión de Bretón en el campo del drama. *Vellido Dolfos* se estrena el 13 de diciembre, se repone 3 veces y desaparece de los repertorios. Son cuatro actos en verso en los que nuevamente se mezclan historia y novela en el intento de rescatar a una figura tradicionalmente despreciada.

Zamora, año de 1072. Enamorado de doña Urraca, señora de Zamora, el humilde hidalgo Vellido Dolfos se presenta en el campo del rey don Sancho fingiéndose un

tránsfuga, y le persuade a acompañarlo a lo largo de la muralla en busca de un su-
puesto pasaje secreto; luego le mata. Ira de los partidarios del rey, entre los cuales el
Cid reta a toda Zamora. Consternación entre los zamoranos. Vellido se arrepiente y se
suicida.

La rehabilitación de Vellido cae dentro de los esquemas románticos, ya que
el protagonista se convierte en traidor por amor, por un amor además que tiene todos los rasgos tradicionales de la pasión irrefrenable e imposible, y que,
según Peers, no se distingue de la idolatría.[1] El drama se abre con las palabras
con que Vellido justamente define el sentimiento que le liga a Urraca:

> Locura es mi pasión, yo lo confieso.

Luego lo caracteriza con rasgos y léxico ya tópicos en el romanticismo:

> Corazón como el mío no ama nunca
> o es su amor frenesí (I, 1).

En fin, el vocabulario romántico se incrementa con el verso con que Vellido
se despide de Urraca:

> Muerte, infamia, infierno... ¡Adiós! (I, 11).

Sin embargo, si prescindimos de estos aspectos que denuncian la voluntad
de revestir la leyenda con los colores del romanticismo, la obra se parece más
bien a una tragedia neoclásica que a un drama romántico, tanto por el respeto
de las unidades como por ciertas características estructurales.

La unidad de tiempo es explícitamente aludida por medio de esos juegos de
luces tan habituales en la dramaturgia romántica pero aquí puestos al servicio de
un planteamiento de tipo clasicista: la escena se oscurece al final del II acto y se va
gradualmente iluminando en el III, hasta que la primera réplica del IV nos avisa
de que ha llegado la aurora. En cuanto al lugar, asistimos a esos pequeños des-
plazamientos entre acto y acto que el neoclasicismo siempre había autorizado.

Pero remiten también a la tragedia la versificación, polimétrica sí, pero con
abundancia de endecasílabos, y los parlamentos, a menudo largos y escasamente comunicativos. Quizás fuera una tentativa de diversificarse que sin embargo se convirtió en un sustancial regreso.

> no debiera haber llamado histórico su drama, porque no basta que sean verdade-
> ros los hechos, si no lo son los personajes ni las costumbres; si carecen del colorido
> de la época, de la verdad dramática. [...] La acción [...] se arrastra débil y vacilante
> a favor de diálogos inútiles, difusos y pesados (*Gaceta de Madrid*, 22-XII-1839).

---

[1] *Op. cit.*, II, p. 214. El juicio de Peers es negativo: «los sentimientos manifestados en el drama
son tan fríos como inanimadas son sus situaciones».

2. LA VITALIDAD DE LAS COMEDIAS

Gracias al infatigable Bretón, la comedia no conoce ese relativo cansancio que caracteriza en cambio al drama.

Es ahora cuando Bretón afronta animosamente el tema político con una comedia en 5 actos y en verso, titulada significativamente *Flaquezas ministeriales* y representada en el Príncipe el 26 de octubre de 1838, que consiguió sólo 5 reposiciones. Ambientada en Portugal, pero dirigida evidentemente al mundo de la política española, presenta a unos políticos corruptos e interesados solamente en sus asuntos personales, en tanto que exalta la honrada dignidad de los pobres.

Cierto Marqués, primer ministro, cede a las presiones de su amante, doña Violante, y rechaza las solicitudes de los pobres, entre los cuales descuella la honrada viuda Marta, a la que Violante desprecia y el Marqués desatiende porque su hija no ha cedido a sus requerimientos. Destituido por el maquiavélico Barón, dispone los últimos nombramientos de sus protegidos, entre ellos un primo de Violante. Pero, por un equívoco, es nombrado en su lugar el novio de la hija de Marta. El Barón ratifica el nombramiento.

Muestra de una sociedad que va evolucionando, la obra va más allá de la exaltación del liberalismo para lograr una apertura social hacia el mundo de la pequeña burguesía, que goza evidentemente de la simpatía del autor. No es casual que los poderosos corruptos pertenezcan a la aristocracia, al punto que no aparecen con un nombre sino con un título (el Marqués, el Barón), mientras que los burgueses representan la honradez y el trabajo.

Para completar el cuadro, Bretón introduce en el acto IV una de esas escenas de audiencia que servían habitualmente para impresionar al público con decisiones ejemplares, pero que aquí persiguen el fin opuesto de subrayar la profunda maldad e injusticia de los políticos maquiavélicos y no ya salomónicos. Con esta perspectiva, la comedia no conoce una verdadera sonrisa sino hasta el final, cuando Marta, entusiasmada con el nuevo primer ministro que ha aprobado el nombramiento de su futuro yerno, imagina que pronto dará a conocer un programa excelente, lo cual provoca la reacción burlona de cierto Fonseca, experto frecuentador de las antesalas ministeriales, que se apresura a desengañarla:

> ¿Programa? Eso es lo de menos
> Todos dan, señoras mías,
> programas y garantías.
> Todos son buenos, muy buenos...
> los primeros quince días...

Con *El qué dirán y el qué se me da a mí* (4 actos en verso estrenados en el Príncipe el 29 de noviembre), comedia de gran éxito (poco menos de 50 funciones),

Bretón vuelve a la sátira de las convenciones sociales y, desde luego, a la exaltación de la burguesía frente a la aristocracia.

El Barón, viudo que no se ha vuelto a casar por temor al que dirán, no quiere que su hija Camila se case con cierto Ignacio, preocupado también por el que dirán, ya que el chico, cuando estuvo exiliado por liberal, vendía tejidos en Gibraltar; quiere en cambio, que se case con un marqués. Su hermana Rosalía le brinda nuevas preocupaciones, puesto que, por contra, profesa el principio del que se me da a mí y quiere casarse con el mayordomo Toribio. Al final, el marqués renuncia, Ignacio cobra una consistente herencia y se casará con Camila, en tanto que Toribio rechaza las bodas aristocráticas para casarse con la criada.

El mayor aliciente de la comedia fue sin duda la solución favorable a los enamorados legítimos, con la consiguiente derrota del noble orgulloso. Por supuesto, el público debió de apreciar ciertos parlamentos muy recargados de espíritu democrático, como el que pronuncia Camila interpretando a la perfección los ideales burgueses:

> Yo prefiero, pues me adoro,
> a un hombre honrado y sencillo,
> y si en la corte no brillo,
> seré en mi casa señora (II, 1).

Tal vez gustó más el alegre desenfado con que Rosalía, ya decepcionada por el *qué dirán*, le propone a Toribio un enlace socialmente transgresor:

> Ni las leyes ni los cánones
> me lo pueden estorbar;
> y así que te dé la mano
> le hemos de cantar un trágala
> al quijote de mi hermano (III, 1).

Y sin embargo la conclusión «moderada» debió de encontrar la aprobación general: la noble se casa con el burgués, que dispone de un buen caudal, y el mayordomo con la criada. Una solución de *justo medio*, que no resultaba demasiado revolucionaria, en tanto que el chasco de los dos viejos aristocráticos encajaba perfectamente en el horizonte general de expectación.

El tema romántico del amor imposible que caracterizara tantos dramas se convierte, al pasar a la comedia, en el del amor equivocado o falso o malogrado, que se presenta en la escena para escarmiento y al mismo tiempo como sátira de ciertas conductas sociales reprobables. Tres historias paralelas de amores de esta clase presentó Bretón en **Un día de campo o El tutor y el amante**, estrenada en el Príncipe el 4 de marzo de 1839.

La historia central es la del tutor don Antonio, que quiere casarse con su pupila Sabina, la cual, en cambio, ama a un gandul de nombre Agustín: éste sólo aspira a su dinero y se aleja cuando, con un truco, Antonio le hace creer que la chica no tiene dote. Pero Antonio no quiere casarse ahora ante el triste ejemplo que le ofrecen las otras dos parejas que protagonizan las historias paralelas y que están en trance de divorcio: la de Tomás y Ruperta, atormentada por los celos de la mujer, y la de Simón y Lucía, que engaña abiertamente a su marido.

Un amor sincero aunque poco llamativo como el de Antonio prevalece sobre el sentimiento hipócrita de un ser que privilegia el interés, pero no tiene la fuerza de llegar hasta la lógica conclusión, porque en la sociedad en que vivimos no puede darse el amor verdadero: ésta es la moral que la pieza tiene en común con muchísimas otras del repertorio bretoniano, aunque raramente aparezca de manera tan clara. Postura romántica, en fin, que nace del más amplio descontento del romanticismo respecto al presente y que podría ocultar una *Sehnsucht* hacia un mundo diferente e inalcanzable. Evidentemente, el público no agradeció una concepción tan radical, sobre todo por no aparecer envuelta en la sonrisa habitual que habría podido atenuar los tonos y hacer más aceptable la crítica. Quizás por eso conoció tan sólo tres reposiciones seguidas y luego desapareció de los repertorios.

Cierto éxito logró en cambio Bretón a finales del año, exactamente el 30 de noviembre de 1839, cuando estrenó en el Príncipe *¡Una vieja!,* que se repuso una decena de veces a lo largo de varios años, hasta 1846. Con ella volvía a las historias de amores que concluyen con el triunfo de los jóvenes y la derrota de los viejos verdes: una fórmula de seguro éxito.

Doña Damiana, acosada por la vecina doña Luisa y su pretendiente Alberto, libertino impenitente, conquista a éste, luego se burla de él y por fin casa a sus sobrinos Joaquín y Jacinta, a los que aporta una cuantiosa dote. Desilusión total de Alberto, que, además de aspirar al patrimonio de doña Damiana, había, en el pasado, intentado conquistar también a Jacinta.

El éxito no se debió sólo a los ingredientes a los que ya hemos aludido, sino también a una hábil gestión de algunos recursos muy efectistas en la vertiente de la comicidad. En el acto I, por ejemplo, Damiana, para contrarrestar las iniciativas de Luisa, que continuamente intenta despreciarla, compra la complicidad de los camareros de la fonda en que viven y consigue sitiar por hambre a su enemiga.

En el acto IV la aparición de Jacinta cubierta con un velo excita la curiosidad de Alberto (y de los expectadores): el viejo libertino empieza a cortejarla, pero, cuando ella se quita el velo, se marcha para no quedar enredado en la antigua promesa de matrimonio. Jacinta pide ayuda, y llegan Damiana y Joaquín. Se crea así una situación metateatral que el autor oportunamente subraya, poniendo en boca de Alberto la pregunta:

> ¿qué significa
> este golpe de teatro? (IV, 10).

Para concluir este apartado valdrá la pena aludir a una tentativa de Bretón de componer una pieza intermedia entre comedia y drama, conforme a cierta orientación que se iba delineando en la época y que será corriente en la década de los años cuarenta. Se trata de *No ganamos para sustos* (3 actos en verso), estrenada el 12 de mayo de 1839 en el Teatro del Príncipe, cuya nueva fórmula debió de gustar si se repuso unas 17 veces a lo largo de nueve años.

Jadraque (Alcarria), diciembre de 1710. En casa de don Félix se esconden el oficial español Juan, enamorado de Serafina, hija de su huésped, y el desertor de las tropas austríacas Gabino, casado secretamente con la criada Manuela. Los descubre un sargento español pasado a los austríacos, pero la llegada de las tropas españolas libera a todos.

Aquí encontramos los típicos ingredientes que llenarán las obras de García Gutiérrez y Rodríguez Rubí: patriotismo, españolismo, división rígida entre buenos y malos, aventura y *happy ending*. No será fácil, en cambio, encontrar ciertos toques «democráticos» tan frecuentes en Bretón y que aquí le dictan las palabras amargas con que la criada contesta a Serafina, que intenta justificarse por haber delatado a su esposo:

> A ser pleito, yo tendría
> tanta razón como vos,
> señora..., si fuera lícito
> a un pobre el tener razón (III, 8).

hemos llamado la atención sobre el acto segundo de esta comedia por ser el mejor, pero en lo que toca a sales cómicas todos son lo mismo; si bien el poco interés que tiene el primero se hace más notable en el último (*Eco del Comercio*, 16-V-1839).

VI. LA DRAMATURGIA TARDORROMÁNTICA

1. ASPECTOS DE LA RECEPCIÓN

A pesar de las obvias diferencias, las piezas que se estrenan durante la década 1840-1849 mantienen cierta sustancial unidad, de manera que se juntan en el mismo sistema dramatúrgico obras tan dispares como el *Don Juan Tenorio* o *El pelo de la dehesa* o *Las travesuras de Juana*.

Se advierte un esfuerzo común a todos los autores teatrales por satisfacer las exigencias de esa capa burguesa que constituye el núcleo más importante del público y que, superados los entusiasmos del liberalismo de los años treinta, ya tiende a arrellanarse en el bienestar económico y en la tutela de ciertos valores tradicionales como patria, familia, honradez, sentido del deber. Ya no caben, en la burguesía isabelina, ni los sueños libertarios del primer romanticismo, ni mucho menos ese amor a la transgresión que caracterizara los primeros experimentos teatrales de la nueva escuela. Lo que se le pide, pues, al escritor es una pieza que divierta y sorprenda con la multitud de los lances, que concluya felizmente con el triunfo de los buenos y el castigo de los malvados (los cuales, para evitar esfuerzos que aguarían el placer, tienen que aparecer maniqueamente bien distintos) y que de alguna manera, aunque sea forzadamente, exalte los ideales conservadores.

En este teatro, sin embargo, no han desaparecido los grandes temas del primer romanticismo —el amor, el tiempo, la comunicación, la lucha contra la sociedad— sino que se han amoldado a las nuevas instancias, consiguiendo, en línea general, esas tonalidades moderadas, de *justo medio*, que desde el principio habían formado parte del ideario romántico español. Lo que antes tenían esos temas de problemático se encamina ahora hacia una solución a veces trascendente, como en el *Tenorio*, en otros casos práctica, como en la dos piezas bretonianas dedicadas a don Frutos.

El protagonista de las nuevas obras es la más evidente demostración de estos aspectos, ya que posee los rasgos más típicos del tradicional héroe romántico, pero todos significativamente modificados. A menudo ama, como todos sus predecesores, con un amor difícil y contrastado, pero al final logra realizar su sueño; tiene problemas de comunicación, pero los supera, en ocasiones liberándose de ellos; es también a menudo un marginado, pero de esa marginación hace su estandarte para luchar contra unos opositores por lo común ya no tan terribles, sino descoloridos y miopes, que terminarán siendo derrotados.

Un análisis de algunas de las obras que, estrenadas en el curso de la década, conocieron un apreciable número de reposiciones nos confirma casi puntualmente la presencia de los aspectos que acabamos de reseñar.

Un ejemplo muy significativo, al respecto, lo proporciona *Las travesuras de Juana*, definida «comedia en cuatro actos» por los autores Carlos García Doncel y Luis Valladares y Garriga, que empero, conforme a la orientación que ya se ha ido delineando a fines de la década anterior, posee muchos rasgos propios del drama histórico, a partir de la ubicación en un punto muy exacto de la historia pasada: la acción se desarrolla en efecto desde el anochecer del 30 de agosto de 1528 hasta el amanecer del 31 en Nápoles y sus inmediaciones, y en el curso de la pieza se hacen referencias a la guerra entre las tropas francesas y las españolas. La obra, en verso, se estrenó el 27 de noviembre de 1843 en el Teatro de la Cruz y se repuso varias veces los siguientes años hasta alcanzar en 1849 casi 70 representaciones. La comedia, «escrita espresamente para la primera actriz doña Juana Pérez», llevaba a la escena a un nuevo tipo de protagonista femenina que nada tenía que ver con la mujer víctima u objeto del amor masculino y que, en cambio, no cejaba en colocarse al nivel de los hombres, luchando contra ellos como cualquier valiente y saliendo al final victoriosa y muy ufana. La Juana de esta pieza se viste de hombre, pero no ya para perseguir a un enamorado infiel como las heroínas de Lope de Vega, sino para afirmar su paridad con el otro sexo, en el intento sobre todo de combatir por su patria contra los enemigos de siempre, los franceses. Cuando se le refiere que la ciudad está llena de tropas, ella exclama:

> ¡Ah! ¡quién tuviera mostachos
> para andar entre esa gente!
> ¡cómo cebaría mi diente
> en esos perros gabachos! (I, 3).

Para terminar gritando un «¡Viva España!» seguramente destinado a arrancar los aplausos. Lo suficientemente traviesa para atraerse las simpatías del público, pero con un «buen corazón» que sus «travesuras disculpa» (y que las hace aceptables a los buenos burgueses), como afirma antes de bajarse el telón, encarna una manera nueva de luchar contra los convencionalismos sociales, en busca de una renovación que se mantenga dentro de los límites tradicionales.

Las «travesuras» de que habla el título son muchas y complicadas, brindándole al espectador continuos cambios de situación y constantes golpes de teatro.

I. Entre las educandas de un convento de monjas Juana se distingue por su carácter travieso y su habilidad para salir de los apuros. Cerradas las puertas del convento, penetran en él el vulgar Stizaferro, que se lleva al portero Acerico, y don Lope Navarro, enamorado de Elvira, la cual se desmaya y sale en sus brazos. Entra nuevamente Stizaferro, que quiere llevarse a Juana, la cual le dispara con una pistola.

II. Juana y Acerico se esconden en la casa de Stizaferro, adonde llega el conde Pedro Navarro, padre de Lope y jefe de las tropas francesas, que con Stizaferro trama una conjuración para favorecer la entrada en Nápoles de sus soldados. Al salir el conde, Juana envía a Acerico a llamar a una ronda de soldados y, mientras tanto, fingiendo que es el paje borracho de Navarro, entretiene a Stizaferro hasta que la ronda lo prende.

III. Juana denuncia la conjuración al general Alarcón, a cuya casa llega también Elvira, que lamenta haber sido abandonada por Lope. El conde Navarro es capturado, pero Alarcón le deja libre para poderlo matar en campo abierto.

IV. En un antiguo palacio, donde se aloja Navarro, entran por una puerta secreta Acerico y Juana. Ésta convence a Lope a ir en busca de Elvira, luego encierra al general enemigo y le apunta con una pistola, pero entra por una ventana Stizaferro, que amenaza a Juana. Alarcón derriba la puerta y reconoce en Juana a una hija suya y de una tal María, hermana del conde Navarro. Alarcón perdona al conde y le abraza a instancias de Juana, la cual se revela a Elvira (que hace las paces con Lope) como su hermana.

Poco hay que añadir al cuadro, que por sí mismo se va desdibujando a través de este resumen. Lo que más sorprende es, naturalmente, la cantidad asombrosa de los lances, que raya en lo inverosímil y que, si por un lado mantiene despierto el interés del espectador, por el otro sirve para poner de relieve la personalidad de Juana (y por supuesto de la actriz que la interpreta), que todo lo domina y todo lo soluciona.

A su lado, los demás personajes aparecen bastante descoloridos y sobre todo influyen poco en el desarrollo de la trama; pero lo que le interesa al autor es esencialmente marcar una división muy evidente entre buenos y malos. La discriminante entre los unos y los otros es el sentimiento patrio que caracteriza no sólo a Juana, sino también a su enamorado don Lope, que se rebela contra los dictámenes del «padre tirano» y decide pasarse al ejército español,

> pues ya conozco que tengo
> sangre española en mis venas (IV, 3).

Patriota y caballeroso es Hernando de Alarcón, padre de Juana y Elvira, que libera a Pedro Navarro, para batirse con él frente a frente, de forma que se vea

> cuánta es la distancia
> de un caballero a un traidor (III, 9).

Los malos son en cambio los traidores que militan en el campo francés, y su maldad se manifiesta desde su salida a escena en el mismo aspecto exterior. Stizaferro tiene «*muy mala facha, con grandes bigotes y una cicatriz que le cruza toda la cara*» (I, 3), habla «*con voz aguardentosa*» y vive en una casa de «*techo aguardillado con vigas*» y «*paredes denegridas*» (II, 1). Pedro Navarro aparece por primera vez embozado, en emblemática referencia a su doblez. De esta forma, también el espectador menos despierto sabe desde el principio a qué atenerse, pero ese amor a la connotación, ese gusto por los matices que habían caracterizado al primer romanticismo se han perdido.

Por otro lado, no se han perdido algunos de los rasgos más tópicos de la teatralidad romántica, a pesar de cierto intento de diferenciarse del drama histórico —no empero de la comedia— que el autor resalta indicando la estrecha (excesivamente estrecha, si se considera la variedad de la peripecia) duración del tiempo escénico.

Sobreviven, por ejemplo, el gusto por una escenografía muy puntual y pormenorizada[1] (no falta la luna iluminando la escena) y el empleo efectista de los sonidos, como los que cierran el primer acto, desde el disparo de pistola al bullicio que sigue de inmediato y que puntualmente describe la acotación:

> *Las monjas siguen tirando trastos y dando gritos: los enmascarados y la ronda acuchillándose: la campana del convento tocando a rebato.*

Tampoco falta el tañer de «*un reloj lejano*» que detiene a Stizaferro, el cual se queda inmóvil a contar los toques (II, 4).

De abolengo romántico es también la marginación de la protagonista (Juana es hija de padres desconocidos, a los que conocerá sólo al final, gracias a la consabida agnición), que sin embargo se aprovecha de la situación para proclamar su total libertad (I, 7) y actuar en consecuencia.

En fin, el amor se expresa en el lenguaje tradicional, aunque con cierta inversión de los papeles entre hombre y mujer, que culminará en el *Tenorio*. Confiesa Elvira a Juana:

> dos meses ha que un joven
> vino a encender en mi pecho
> el volcán de las pasiones (I, 1).

A los tonos apasionados de Elvira se oponen los toques suavemente líricos de Lope en un parlamento que en efecto parece anticipar el de don Juan en la célebre «escena del sofá»:

---

[1] Léase por ejemplo la acotación inicial: «*El teatro representa una huerta a la derecha y en el fondo pared de cerca con portón en el fondo y un emparrado, y una puertecita a la derecha: a la izquierda la fachada interior de un convento de religiosas; ventanas con celosías, y puerta grande con tres escalones. Es la caída de la tarde.*»

¿No ves la noche aumentar
en nuestro favor la sombra?
¿No ves la brisa agitar
y mullir la verde alfombra
que tus plantas han de hollar?
¿No oyes los trinos distantes
del ruiseñor que predice
nuestras venturas constantes?
¿No parece que nos dice:
«Partid, dichosos amantes»? (I, 6).

Igualmente modélica y exitosa (más de 70 funciones hasta 1849) es otra comedia histórica que se había estrenado en el Príncipe poco antes, el 5 de octubre de ese mismo año 1843: *La rueda de la fortuna* (4 actos en verso) compuesta por Tomás Rodríguez Rubí, quien la dedicaba, como «tributo de cariño y reconocimiento», a José Zorrilla, con el cual iba muy pronto a compartir el señorío de las tablas madrileñas. La ubicación histórica es aproximada (la obra empieza en un indefinido 174...) y poco más que un pretexto, estando las referencias al reinado de Fernando VI totalmente carentes de la necesaria ambientación.

Zenón, hijo de un campesino y joven licenciado en leyes, ama, correspondido, a Clara, cuyo padre, el altanero aristócrata Diego, quiere casarla con el conde del Valle. Pero Zenón asciende en la escala social y llega a ministro. El rey le concede el permiso para casarse con Clara.

Más ligada estructuralmente al teatro romántico, la obra violaba las unidades: la acción supone en efecto un período bastante largo para que se cumpla la carrera de Zenón y se desarrolla en sitios diferentes en cada acto: desde un pueblo de la Rioja al palacio de la marquesa de T..., al palacio real, a la casa del marqués de la Ensenada.

Los personajes y las peripecias, en cambio, aunque delaten el origen romántico, se amoldan a las nuevas exigencias. Zenón, en el fondo, es una especie de don Álvaro, rechazado desdeñosamente por el padre de su amada por faltarle la necesaria nobleza. Con la misma absurda altanería del marqués de Calatrava, don Diego confía a su hija que pretende

evitar que un día
algún villano atrevido,
....
ose elevarse a la alteza
de tu nombre esclarecido (I, 7).

Pero la reacción del joven es diferente de la del héroe de Rivas. Lejos de arrodillarse ante la autoridad paterna, busca en cambio la humillación del adversario:

> Toda mi sangre daría
> por humillar una vez
> el orgullo, la altivez
> de su pomposa hidalguía (I, 17).

«Si no heredó nobleza» —afirma de él su amada Clara—, «la tiene en el corazón», lo cual resulta evidente en el patriotismo que revela a la hora de asumir el cargo del ministerio. A la marquesa de la Ensenada, que se declara segura de que

> a lo menos
> vuestra intención será pura
> y español vuestro gobierno,

contesta con una réplica rebosante del más retórico patriotismo:

> No os engañáis, mi intención,
> mi constante pensamiento,
> será que el nombre de España
> se pronuncie con respeto
> desde los ardientes climas
> hasta la región del hielo (IV, 7).

Al lado de Zenón adquiere cierto relieve positivo también la figura de su padre, campesino inculto pero sabio, que cierra la comedia impartiendo al hijo consejos de buen gobierno («a los nobles y al pechero / mídelos por un rasero: / justicia, Zenón, justicia»)[2] y que se atrae las simpatías del público ostentando un patriotismo enológico, por el cual, en la estela del bretoniano don Frutos, pide Cariñena («que es vino de buena boca / y quita todas las penas») en lugar del Oporto, Rhin y Frontiñán que le propone un criado del marqués.

> una obra dramática en que la verdad de los caracteres, la gracia, facilidad y cortesano chiste del diálogo, la naturalidad de las situaciones, el hábil manejo de los recursos escénicos, y por último la nobleza de los sentimientos, no se desmienten hasta el fin (*El Laberinto*, 1-XI-1844).

El ascenso social de un joven plebeyo o de una chica condicionada por su sexo no era naturalmente una novedad en el teatro hispánico, que antes había usado ventajosamente el tema en la comedias de magia dieciochescas, desde *El anillo de Giges* a *Brancanelo el herrero* y a *Marta la Romarantina*; pero lo

---

[2] Al final de la réplica, Mauricio amonesta al hijo: «sé libre: las manos sueltas [...] / pues siempre está dando vueltas / *la rueda de la fortuna*», de donde sale el título, según una fórmula propia de Rubí, que justamente en el último verso suele explicar el título de la obra.

que entonces era el producto de una intervención extraordinaria ahora se convierte en el fruto de la industria personal. Lo cual delata una sensibilidad burguesa que exalta la actividad y la iniciativa personales, pero es también la última evolución del concepto kantiano-romántico del hombre autónomo constructor de su fortuna.

Desde luego, el tema admite variaciones y en **Bruno el tejedor**, uno de tantos «arreglos al teatro español» de Ventura de la Vega (2 actos en prosa, con estreno en el Príncipe el 13 de agosto de 1841, seguido por unas 40 reposiciones), el ascenso es debido a una herencia que le llega al protagonista por haber sido el primer ayudante del dueño de la fábrica.[3]

En cambio, el 25 de mayo de 1844, en el teatro de la Cruz, el público que asistió al estreno de **Españoles sobre todo**, de Eusebio Asquerino, pudo apreciar nuevamente una ostentación extremada de los motivos patrióticos, unida a la exaltación del rudo casticismo de un plebeyo: el autor parecía haber aprendido la lección de *La rueda de la fortuna*, o tal vez del *Pelo de la dehesa*.

En Madrid, a principios del siglo XVIII, durante la contienda entre austríacos y franceses, la historia de amor entre Ricardo, partidario del Archiduque, y María, se entrelaza con las arterías de la princesa de los Ursinos, tía de la joven, que intriga en favor de los franceses, hace encarcelar a Ricardo y logra la deposición del primer ministro conde de Montellano. Se le opone el plebeyo aragonés Diego Mendoza, que, descubierta la traición de la princesa, la chantajea, obligándola a liberar a Ricardo, su hermano de leche, y a devolver el poder al conde de Montellano.

A una pieza de esta clase no le podía faltar el éxito, que se cuajó en unas 50 funciones; un éxito debido sobre todo a las numerosas réplicas rebosantes de amor patrio, desde las declaraciones de Montellano, que quiere la total independencia de España, ya que, afirma,

> somos en esta tierra
> españoles sobre todo (I, 10),

a las de Diego, que insisten en el tema de la independencia:

> ¡Los estrangeros...! ¡jamás!
> porque el libre aragonés
> no es austriaco ni francés;
> sino español, nada más (III, 3).

---

[3] La trama raya luego en lo sentimental: Bruno se casa con la sobrina del difunto, pero se encuentra molesto por no estar a la altura de su mujer, la cual sin embargo, al oírle afirmar que nunca conseguirá subir hasta ella, exclama que ella entonces bajará hasta él.

Al cual le toca en fin concluir:

> Y si otra vez gente estraña
> intenta de cualquier modo
> dominar la pobre España,
> seamos sin mutua saña
> ESPAÑOLES SOBRE TODO.[4]

> se entrega [...] a parodiar sucesos políticos recientes, y olvida de todo punto el lindo plan que se propone en el primer acto (FLORES, *El Laberinto*, 1-VI-1844).

Finalmente, consiguen éxito ciertos temas eternos, como los equívocos y el patetismo.

De lo primero nos ofrece un ejemplo interesante el brillante arreglo de Vega *El héroe por fuerza*, 3 actos en prosa, estrenado el 23 de julio de 1841 en el Teatro del Príncipe, que funda el juego de los equívocos sobre la similitud de dos mellizos: un juego que se remontaba a los *Menecmos* plautinos y que sin embargo debió de gustar si conoció unas 60 reposiciones e inspiró el melodrama jocoso *Il birraio di Preston* (música de Luigi Ricci) que se estrenó en 1874.

«Drama cómico» le apellidó el autor; en realidad era una de tantas comedias históricas como se iban representando en la época, estando ambientada en 1745 en varios lugares de Inglaterra.

> *Daniel, un pacífico fabricante de cerveza, se ve obligado a ocupar el lugar de su hermano mellizo, el capitán Jorge. Se bate involuntariamente como un valiente, le alaban, le promueven, está a punto de casarse, etc., hasta que la aparición de Jorge lo soluciona todo.*[5]

Se le podría acercar otro arreglo de Ventura de la Vega, la comedia en 3 actos titulada *Otra casa con dos puertas* (estreno en el Príncipe el 27 de mayo de 1842; casi 50 reposiciones) que remitía explícitamente a *La dama duende* y que de aquélla repetía, con creces, los equívocos, ya que a la chica calderoniana la sustituyen aquí nada menos que tres.

Por lo que se refiere a lo segundo, valdría la pena citar *El terremoto de la Martinica*, traducido del francés por Juan de la Cruz Tirado y Gaspar Fernando Coll, donde un malvado Roberto, para apropiarse de una herencia que no le pertenece, encierra en un calabozo a la mulata María y a su hija Jenny. Un te-

---

[4] La obra le ha merecido un detallado análisis a D. T. GIES, que la juzga injustamente olvidada y reivindica su importancia destacando el éxito asombroso que consiguió no sólo en Madrid, sino en toda la provincia española. Véase «Rebeldía y drama en 1844: *Españoles sobre todo* de Eusebio Asquerino», en *De místicos y mágicos, clásicos y románticos*, Homenaje a E. Caldera, Messina, Siciliano, 1993, pp. 315-332.

[5] Quizás valga la pena citar el aparte con que Daniel, ascendido a mayor por su conducta en la batalla, en realidad debida a la impetuosidad del caballo, que le arrastró en medio de los enemigos, comenta: «pues si a mí me nombran mayor, al caballo deben nombrarle coronel».

rremoto sepulta a todos, pero los buenos son salvados y Roberto muere aplastado por una viga. El esquema es el del antiguo melodrama, reforzado por el particular efectismo escénico del terremoto. Se estrenó en el Teatro del Circo el 6 de agosto de 1841 y se repuso más de 40 veces.

2. Las obras maestras

Por lo que se refiere al drama, no hay duda ninguna de que quien se lleva la palma es el infatigable Zorrilla, que domina la escena española a lo largo de toda la década, brindando a las tablas un sinnúmero de composiciones, entre las cuales descuellan al menos tres que se consideran universalmente obras maestras y que cabalmente mantienen su vigencia artística y siguen, pese al mudar de los tiempos, despertando el interés del público: *El zapatero y el rey* (que, a pesar de sus dos partes, se considera tradicionalmente como una única pieza), *Don Juan Tenorio* y *Traidor, inconfeso y mártir*.

a) *El zapatero y el rey*

El zapatero y el rey fue estrenado en el Príncipe el 14 de marzo de 1840 y el éxito que consiguió, el primer gran éxito de la larga carrera teatral del poeta, le indujo a componer una segunda parte que estrenó en el Cruz el 5 de enero de 1842. Las dos partes fueron un triunfo total, como lo demuestra el número de sus reposiciones,[6] que rozan las 80. Nuevamente pisaba las tablas la figura legendaria de Pedro el Cruel, pero esta vez se le atribuían esas calidades de humanidad y de iniciativa que se habían hecho ya tópicas de los héroes tardorrománticos.[7]

Primera parte

I. En Sevilla, en una noche de tormenta, don Juan de Colmenares visita al zapatero Diego Pérez con la intención de atraerle a una conjura; ante la negativa de éste, se aleja con amenazas. Poco después el zapatero aparece malherido en el dintel de la puerta y muere sin poder delatar a sus asesinos. El rey don Pedro, que, disfrazado de soldado, frecuenta la casa y corteja a Teresa, hija del zapatero, se pone al acecho para descubrir quiénes son ciertos fantasmas que se mueven por los alrededores y entran en una iglesia abandonada.

II. Disfrazados con sudarios, entran en la iglesia varios conjurados partidarios del infante Enrique (entre ellos Aldonza Coronel, amante del rey). Don Pedro sale de la casa del

---

[6] No es fácil distinguir entre las representaciones de la primera y de la segunda parte, al menos a partir de 1842: la *Cartelera* en efecto no distigue entre ellas y por lo tanto aquí se señala también un número de conjunto, aunque es muy posible que la mayoría de las representaciones se refieran a la segunda parte.

[7] Claro está que el autor no pudo ignorar al menos parte de la producción anterior y hay que recordar que hacía poco en *La vieja del candilejo* ya se había presentado la figura de don Pedro más en consonancia con la época. Sobre la relación con las piezas anteriores, véase J. L. Picoche en la *Introducción* a J. Zorrilla, *El zapatero y el rey*, Madrid, Castalia, 1980, pp. 34-43.

zapatero y se finge uno de ellos. Al fin, hace prender por una ronda de soldados a Juan de Colmenares, a quien Blas, el hijo del zapatero, pretende matar para vengar la muerte de su padre.

III. En casa de Samuel Leví se reúnen los conjurados: Samuel, Aldonza Coronel, Juan de Colmenares, que se ha librado de la cárcel corrompiendo a los jueces, y el embajador del rey moro. Por una puerta secreta penetra don Pedro con ballesteros y coge de sorpresa al embajador, le prende y se disfraza de mago con sus ropas. Con este disfraz recibe a Blas y a Teresa, a quienes convoca a palacio para el día siguiente.

IV. En el alcázar, Pedro se mofa de Aldonza, de su marido y de Juan Colmenares, al que Blas mata en un momento dado. Trata con desdén al legado papal y se revela a Teresa, de la cual se despide aconsejándole que busque un marido honrado. Al estallar la conjuración, la reprime con sus soldados y destierra a Aldonza y a su marido.

Segunda parte

I. Blas Pérez, ahora capitán, llega, en una noche de tormenta, a la quinta de Juan Pascual, de cuya hija Inés (se sabrá pronto que es, en cambio, hija del infante Enrique) está enamorado. La aparición de luces en el monte, que él, Inés y la criada creen de «aparecidos», los asusta y las dos mujeres hacen entrar en casa al capitán. Vienen más tarde Juan Pascual y el infante Enrique, que urden una conjuración contra don Pedro. Llega el propio don Pedro, que se ha perdido durante una partida de caza y, oyendo a Juan Pascual quejarse del rey, le invita a la corte: Juan acepta con la intención de traicionar al soberano.

II. Nombrado asistente del rey, Juan Pascual (que es en realidad Guillén de Castro, hermano de esa Juana a quien el rey ha perseguido) se sirve de su cargo para sublevar al pueblo. Cuando los insurrectos entran en la cámara real y acuchillan a don Pedro, aparece el capitán, que lleva en sus brazos a Inés desmayada, y amenaza con matarla si Juan Pascual no deja libre al rey.

III. En el castillo de Montiel Inés está presa como rehén y guardada por el capitán, que, a pesar de amarla profundamente, está dispuesto a sacrificarla por la salvación de su rey. En estos términos le hace chantaje a Juan Pascual, que se niega a acceder a las peticiones del capitán. El rey, de acuerdo con un astrólogo, hace un encanto con una lámpara en la cual ha mezclado su sangre con el aceite: se le aparece la sombra de Enrique y don Pedro se desmaya. Por fin, en el campamento de Enrique se enciende un farol: es la señal pactada con Duguesclin para salvar a don Pedro, el cual se encamina hacia el campo enemigo. Blas se queda en el castillo.

IV. Don Pedro se presenta en la tienda de Duguesclin, que le entrega a Enrique, el cual se abalanza sobre él. Cierran la tienda y el francés cuenta que ha ayudado a Enrique a vencer a don Pedro. Se presenta el capitán, que toca una corneta de caza como señal para que, en Montiel, se mate a Inés.

Zorrilla poseía una enorme capacidad de asimilación de los recursos que la dramaturgia romántica había ido elaborando y que ejercían tanto atractivo sobre el público, hasta convertirse en los ingredientes fundamentales de su horizonte de expectación. Así, en la primera parte había juntado una noche de tormenta y una procesión de fantasmas; unos conjurados torvos y en el fondo ingenuos a los cuales se contraponía un rey listo y justiciero; el amor imposible entre un monarca y una plebeya; la traición de la nobleza y la lealtad del pueblo, y otras peripecias, amalgamándolo todo con esa versificación cuya fluidez era el elemento que más solían destacar los críticos.

Algunos recursos eran más propios de la nueva temporada, aunque, como ya hemos anotado, podían fácilmente remontarse a los primeros experimentos románticos. Índice de los tiempos nuevos era sobre todo la separación neta entre buenos y malos, caracterizados los primeros por su franqueza y los segundos por su conducta hipócrita y tortuosa. Don Pedro encarna, aunque en tonos más serios y comprometidos, esas características que se han destacado en Juana, la de *Las travesuras*, y en el Zenón de *La rueda de la fortuna*. Desde el principio Blas, que todavía no conoce su verdadera personalidad, le describe así:

> ¡Vive Dios, que es un mancebo
> que vale un mundo, Teresa!
> Ni valientes le intimidan,
> ni temporales le arredran;
> con su espadón en el cinto
> y su malla sempiterna,
> no hay quien le tosa en Sevilla,
> si como ronda pelea (I, 1).

Son alabanzas parecidas a las que pronunciaban sobre don Álvaro los parroquianos del aguaducho, pero con un toque de exasperación y bravuconería antes desconocidos que se confirman con la llegada del héroe en una noche de tormenta, la cual añade también un toque de mayor intensidad respecto a la noche callada en que aparecía don Álvaro. Y su conducta será, a lo largo de la pieza, coherente con esta presentación, descollando su habilidad y su astucia para descubrir a los traidores, mofándose de ellos con toda la superioridad moral que posee y saliendo al final vencedor, con ese *happy ending* que requería la nueva época.

Frente a él, los «malos», antipáticos y poco agraciados, conjuran como unos maleantes cualesquiera, bien diferentes de los magnánimos conjurados del primer drama romántico. Lo cual es también un síntoma de un diverso clima ideológico, que aprecia la autoridad (la lealtad hacia el rey legítimo es uno de los sentimientos que más se ensalzan en las dos partes) y rechaza la transgresión.

Los temas de la primera parte pasan a la segunda, donde, como se aludía, se intensifican y quizás se amalgamen mejor. Sin embargo, asistimos a cierta recuperación de los primeros motivos románticos en la figura de ese segundo don Pedro que ha perdido el arrebato juvenil y, a pesar de seguir luchando fieramente contra todos, tiene, particularmente hacia el final, momentos de humana debilidad y un sentido del fracaso que le acerca más bien a Werther y a Ortis que al superhombre de Nietzsche. Si al final de la primera parte había exclamado *«con fiereza»*:

> Que vengan, pues.
> Yo haré tragar a Aragón,
> a Roma, a Navarra y Francia
> a los unos su arrogancia,
> y a la otra su excomunión (IV, 20),

al principio de la segunda advierte el peso de un destino hostil y la presión de esos enemigos a los que antes había retado:

> ¡Oh, aciago sino es el mío,
> y en hora fatal nací!
> Todo el mundo contra mí,
> ¿qué me vale tanto brío?
> Aragón, Navarra, Francia,
> Granada, Vizcaya y Roma,
> empresa contra mí toma (I, 10).

Se mantiene sin embargo fiel a su figura de guerrero impávido hasta la muerte, que afronta luchando contra el bastardo y sucumbiendo solamente cuando le rendirá la deslealtad de Duguesclin.[8]

Huelga decir que la figura de don Pedro se atrae la simpatía de los espectadores siempre, tanto cuando sale vencedor como cuando aparece fracasado, ya que en ambos casos mantiene su orgullo, que, para arrancar los aplausos del público, adquiere un cariz antifrancés.[9] Don Pedro, en el campamento enemigo, no teme apostrofar altaneramente al general:

> ¡Vive Dios, señor francés,
> que mi situación no es
> para mucho sufrimiento! (IV, 2).

Luego, comenta a Men Rodríguez, que le acompaña:

> Rodríguez, fue una imprudencia
> fiar en estos franceses (IV, 3).

Y después de invitar a «esos villanos»

> a presenciar cómo mueren
> los leones castellanos

concluye:

---

[8] Zorrilla, en el episodio final, sigue escrupulosamente la historia y pone en la boca del general francés la célebre frase que casualmente se prestaba a ser puesta en verso: «Ni quito ni pongo rey, / pero ayudo a mi señor» (IV, 4).

[9] Según PICOCHE (*Introducción*, cit., p. 47), se advierte «una voluntad de realzar lo español frente a lo extranjero, lo que raya en *chauvinismo*».

No quiero que piensen, no,
que nunca los he temido;
mis enemigos han sido
y aún soy su enemigo yo (IV, 3).

No se puede dudar de que Zorrilla conocía el arte de la *captatio benevolentiae*. En cuanto al tema romántico por excelencia, el del amor, perdura el concepto de amor imposibile, pero ha evolucionado hacia una interpretación más pragmática y burguesa, que señala, aunque todavía a lo lejos, el camino hacia la alta comedia.

En las relaciones de amor, tanto en la primera como en la segunda parte, interviene la racionalidad del hombre para refrenar los ímpetus amorosos, quizás, se diría mejor, la dedicación amorosa, de la mujer. En la primera parte Teresa está enamorada del soldado Pedro y no está dispuesta a renunciar a él. Ingenua —y románticamente— ella sentencia:

Todo lo iguala el amor.

Pero el rey le contesta secamente:

¡Imposible! (III, 13).

Y cuando Pedro se le descubre en su verdadera personalidad, la invita a guardar las distancias («Ama a Pedro desde lejos») y termina con unos consejos basados en la ética más tradicional, que no podían no encontrar el favor de los padres sentados en las butacas del patio:

Puedes marido elegir,
que, al cabo, es mucho mejor
morir pobre y con honor
que dama del Rey vivir (IV, 21).

Más complicada y dramática es la relación entre el capitán e Inés. Nuevamente la racionalidad, esta vez fría y cruel, del hombre, inspirada por el sentido del deber y la dedicación a su rey, sugiere al capitán la segregación y luego la muerte de su amada. Es una situación psicológica que Zorrilla trata con mucho cuidado y que encuentra su clave en la escena octava del acto II, en que don Pedro reivindica para sí el derecho de violar también el honor de su vasallo, al que no duda en llamar perro, y Blas no sabe replicar sino aceptando la definición («Sí [...] soy un perro») y proclamando su sumisión total a la voluntad soberana:

Yo la amo, la idolatro, es mi esperanza;
pero dócil, señor, a vuestro yugo,
decidme: «Caiga en ella mi venganza»
y yo mismo me torno su verdugo (II, 8).

Estamos ya muy lejos de los héroes rebeldes de Larra o de Hartzenbusch o de la protesta prometeica del de Rivas; asoma, en cambio, el perfil de los de Echegaray, con su sentido exasperadamente deshumano del deber.

Ciertamente, contribuyó al éxito de *El zapatero* el juego escénico, con las llegadas improvisas y decisivas de don Pedro o del capitán o de don Enrique, con las reuniones de los conspiradores y, sobre todo, en las dos partes, con la aparición de fantasmas o de luces misteriosas o, en la segunda, con la escena muy sugerente en que don Pedro evoca la sombra de su enemigo, cuando de la lámpara, alimentada con la sangre del propio protagonista, se desprende una luz rojiza y siniestra con la cual «*se colora todo el teatro*». Una escena, ésta, que les dio trabajo a los escenógrafos que tenían que realizarla, como nos cuenta el propio Zorrilla en sus *Recuerdos del tiempo viejo*,[10] que sin embargo se vieron compensados por el entusiasmo general: «El público y el huracán entraron en el teatro», comenta el autor.[11] Fue también muy efectista la noche de tormenta con que se abren paralelísticamente las dos partes, cuyo horror es aumentado por las visiones que se creen sobrenaturales y que compone un digno marco a la primera salida a escena del protagonista. Los efectos teatrales se vieron favorecidos por la introducción de un nuevo sistema escenográfico, el ciclorama, constituido por un cilindro sobre el cual corrían las imágenes.

b) *Don Juan Tenorio*

Fecha memorable la del 29 de marzo de 1844,[12] cuando, en el Teatro de la Cruz, se representó por primera vez el **Don Juan Tenorio**; una fecha que rápidamente ha salvado los límites de un acontecimiento literario, ya que el drama se ha convertido en un fenómeno cultural en el sentido más amplio del término, que afecta ya a las esferas de la sensibilidad nacional de un pueblo.[13] Tratar del *Tenorio* según un registro literario y teatral significa dejar de lado una gran cantidad de otros niveles, y por tanto quien se apresta a llevar a cabo un análisis de la obra debe tener la conciencia de que su labor va a ser necesariamente parcial y limitada.

Para el *Tenorio*, por ejemplo, no valen las consideraciones que se han hecho de las demás piezas sobre el número de representaciones entre la fecha del estreno y 1849: la cifra de 28 que sacamos de la *Cartelera* no significa nada

10 Véase *Recuerdos*, cit., pp. 1758-1759, donde el autor describe la atormentada escenificación del episodio, explayándose en la descripción de la «sombra de fino alambre y bien engomada gasa» que se había construido el actor Pedro Mate y de la idea repentina de Esquivel de untar con aceite el forillo, que proporcionó la solución de tantas dudas. Véase *infra*, p. 254.

11 *Ibidem*, p. 1763. Véase también la citada *Introducción* de PICOCHE, p. 22.

12 Creo que hay que rectificar la fecha tradicional del 27 de marzo. La *Gaceta de Madrid* anuncia el estreno del *Tenorio* el 27, pero repite dicho anuncio el 28 y el 29. Finalmente, el 30 anuncia la representación «por segunda vez». Evidentemente, hubo problemas que retrasaron la puesta en escena hasta el día 29.

13 J. GÁMEZ GARCÍA (J. ZORRILLA, *Don Juan Tenorio*, New York, Regents Publishing Company, 1974) cita a E. Merimée, para el cual el personaje de don Juan «parece una institución nacional, como la corrida de toros».

respecto a la infinidad de reposiciones que la obra ha conocido en todo el mundo hasta nuestros días y que la ponen por encima de cualquier estadística necesariamente limitadora.

En cierto sentido, también la clasificación en el ámbito del romanticismo, por otro lado segura e indiscutible, podría aparecer impropia para una obra que, con su siglo y medio de éxitos, tiende a salvar las barreras de cualquier movimiento literario y dirigirse hacia una, por otro lado críticamente improbable, metahistoricidad.

Además, el *Tenorio* ocupa un puesto de relieve en la historia del mito, colocándose al final de una larga evolución cuyas etapas fueron *El burlador de Sevilla* de Tirso (¿1620?), *La venganza en el sepulcro* de Córdova y Maldonado (hacia la mitad del siglo XVII), *Il convitato di pietra* del Pseudo-Cicognini (antes de 1650) y el de Onofrio Giliberto (1653), *Le Festin de Pierre* de la compañía de Locatelli (1658), los dos *Le Festin de Pierre ou le Fils criminel*, respectivamente de Dorimond (1658) y de Villiers (1659), *Dom Juan ou le Festin de Pierre* (1665) de Molière y la relativa refundición de Thomas Corneille (1677), *Le nouveau Festin de Pierre ou l'athée foudroyé* de Rosimond (1670), *No hay plazo que no se cumpla ni deuda que no se pague y Convidado de piedra* de Zamora (1714), *Don Giovanni o la punizione del dissoluto* de Goldoni (1730), *Don Giovanni ossia il dissoluto punito* de Da Ponte-Mozart (1787), *Don Juan de Marana ou la chute d'un ange* (1836) de Dumas, con las relativas traducciones españolas de Llivi (*Don Juan de Marana y sor Marta*, 1838) y de García Gutiérrez (*Don Juan de Marana o Caída de un ángel*, 1839).

Los múltiples motivos que caracterizaban todas estas elaboraciones, a pesar de que Zorrilla las desconocía en su mayor parte, confluyeron, directa o indirectamente, en su obra, en la cual, gracias a su prodigiosa capacidad de asimilación, se fundieron y amalgamaron con los motivos más típicos de la dramaturgia romántica española, particularmente con el cariz peculiar que habían ido adquiriendo en la temporada tardorromántica. Según esto, el poeta no sólo llevaba a un final feliz un mito que tradicionalmente concluía de forma trágica (aunque en las elaboraciones españolas de Córdova y Zamora ya apuntase un final diferente), sino que también encontraba una solución positiva a motivos como el amor, la comunicación, el tiempo y el espacio, que los dramaturgos de los años treinta habían presentado siempre y sólo en forma problemática.

Zorrilla reconoció sus posibles deudas sólo con Tirso, a quien confundió con Moreto,[14] y con Zamora, al que confundió con Solís,[15] sin aludir a otras influencias, ni siquiera a la de Dumas, con cuya obra en cambio revela demasiadas coincidencias que difícilmente pudieron ser fortuitas.[16]

14 Cf. *Recuerdos*, cit., p. 1799: «di en esta idea [de refundir el *Burlador*], registrando la colección de las comedias de Moreto».

15 Cf. *ibídem*: «su mala refundición de Solís, que era la que hasta entonces se había representado bajo el título de *No hay plazo que no se cumpla ni deuda que no se pague o El convidado de piedra*».

16 Podríamos indicar la presencia, al lado de don Juan, de un rival que esté casi a su altura; la doble personalidad del protagonista, malo y bueno, en Dumas exteriorizada en el ángel malo y el ángel bueno; la estatua de Inés que le exhorta a arrepentirse; la aparición, al final, de los fantasmas

El *Don Juan Tenorio*, definido por el autor como «drama religioso-fantástico», cuya acción pasa en «*Sevilla por los años de 1545, últimos del Emperador Carlos V*», fue concebido desde el principio en dos partes, estrictamente enlazadas y complementarias, que podemos definir respectivamente «a lo humano» y «a lo divino»; la primera, en 4 actos, la segunda, en 3.

El primer acto, titulado «Libertinaje y escándalo», se abre en la hostería de Buttarelli,[17] donde el protagonista está escribiendo una carta a su prometida Inés, en tanto que fuera hierve el bullicio del Carnaval. Más tarde, en los *Recuerdos*, hablando, como siempre le ocurría, con cierto despego e irritación de su obra maestra, en la cual ponía de relieve defectos e ingenuidades, afirmó que había elegido «el lugar y el tiempo que creía peores un colegial que no había visto el mundo más que por un agujero».[18] Sin embargo, no podemos no recordar que tenían cierto abolengo literario: si el Carnaval remitía a *La conjuración de Venecia*, el relativo bullicio, que obliga a don Juan a salir de la hostería para castigar a los que le molestan, tenía un antecedente en el comienzo del drama de Zamora.

En este ambiente, pues, al dar las ocho, se encuentran don Juan Tenorio y don Luis Mejías, cuando justamente está expirando el plazo de una apuesta pactada entre los dos un año antes sobre cuál de ellos podría jactarse del mayor número de muertos y de conquistas amorosas. Cada uno recita su *catálogo* y resulta vencedor don Juan.

El tema del catálogo, implícito ya en el *Burlador* gracias a la extracción social de las cuatro mujeres burladas que van a cubrir simbólicamente toda la escala social (y que reaparece en las declaraciones del don Juan romántico: «Yo a las cabañas bajé, / yo a los palacios subí...» y «desde una princesa real / a la hija de un pescador...» [I, 12]), había sido utilizado, como recurso cómico, en las versiones de los cómicos del arte (era un enorme pergamino que un Zanni desenrollaba tirándolo hasta las primeras sillas del patio), pasando luego a los dramas serios hasta llegar a Dumas, que lo empleó justamente como objeto del contraste entre el protagonista y ese antagonista (don Sandoval, en la obra del es-

---

de sus víctimas. Es casi imposible que Zorrilla no conociera la traducción hecha por su amigo García Gutiérrez. Huelga proponer aquí una reseña de la inagotable literatura crítica acerca de las fuentes del *Tenorio*. Baste remitir a algunos de los ensayos más recientes, sobre todo a la introducción de S. GARCÍA CASTAÑEDA en la edición de Labor, Barcelona, 1975, pp. 24-35 y 41-45; y de L. FERNÁNDEZ CIFUENTES en la de Crítica, Barcelona, 1993, pp. 7-23. Vale la pena recordar también a D. T. GIES, que, en la edición de Castalia, Madrid, 1994, pp. 23-30, se detiene en las influencias del teatro de magia. Por otro lado, hay que estar de acuerdo con R. NAVAS RUIZ (*Estudio preliminar* a la citada edición de Crítica, p. XIV), quien afirma: «De cualquier modo, estos debates no dejan, después de todo, de ser un tanto irrelevantes.»

17 «Buttarelli —nos cuenta Zorrilla— era el más honrado hostelero de la villa del Oso»; tenía su hostería en la calle del Carmen y era famoso por sus chuletas «esparrilladas» (*Recuerdos*, cit., pp. 1800-1801).

18 *Recuerdos*, cit., p. 1800. Interesante la observación de R. NAVAS RUIZ, *Estudio*, cit., p. XXV: «La imagen inicial del carnaval no funciona como un tiempo de desorden y caos, sino como un tiempo de mentira y verdad. Caen primero las máscaras de los jóvenes, que revelan así su identidad. Arranca después Don Juan las de los viejos.»

critor francés) que fue una genial invención suya y que, junto con el catálogo, pudo pasar de él a Zorrilla.

Pero lo que era un ingrediente marginal y episódico se convirtió en el *Tenorio* en un recurso altamente funcional. Al leer la lista de las conquistas amorosas de don Juan, que son 72, contra las 56 de don Luis, éste, siguiendo la pauta del don Sandoval dumasiano, anota que falta «una novicia / que esté para profesar» (la alusión es a Inés, la ex prometida de don Juan, a la que ahora el padre ha destinado al convento). Don Juan acepta el implícito desafío y contesta descaradamente que a la novicia añadirá también

> la dama de algún amigo
> que para casarse esté (I, 12),

en alusión a la novia de don Luis. Hemos pasado del juego del catálogo-rollo a un «caso de la honra» que supone un contraste mortal y que será el resorte de los acontecimientos de toda la primera parte (e, indirectamente, de la segunda).

Pero antes del episodio del catálogo había salido a escena, de manera evidente y efectista, el motivo del tiempo, tan ligado a la leyenda y destinado a constituir la armazón del drama. La llegada de los dos caballeros es subrayada cabalmente por el toque de las horas, que van repicando en una atmósfera de gran suspense, sugerida a su vez por el texto. Es el hostelero quien se hace intérprete de la situación, amonestando a sus parroquianos:

> Pero silencio.
> ....
> A dar el reloj comienza
> los cuartos para las ocho.

Por fin reza la acotación:

> *Se oyen dar las ocho [...] al dar la última campanada, don Juan, con antifaz, se llega a la mesa [...] Inmediatamente después de él, entra don Luis* (I, 11).

Zorrilla recoge el antiguo motivo del plazo y lo emplea como elemento propulsor de toda la historia. Y si el drama se abre sobre un plazo que está expirando, muy pronto otros se irán colocando como bisagras entre un suceso y otro, hasta que todo concluirá al expirar el plazo postrero, *a lo divino*, el que impone la muerte con sus consecuentes salvación o condena eternas.

Un segundo plazo, en efecto, sigue inmediatamente a la lectura de los respectivos catálogos, dando lugar a una nueva apuesta, cuyo premio es la misma vida:

> Pues va la vida,

proclama don Luis.

> Pues va,

le contesta lacónicamente don Juan.

El plazo adquiere una dimensión existencial.

Por otro lado, el apremio del tiempo es motivo connatural a don Juan, como a menudo ocurría con muchos otros héroes románticos, a partir de don Álvaro. También sus aventuras eróticas las vive como una carrera contra el tiempo: son célebres los versos, quizás no exentos de cierta ingenuidad, con que nuestro héroe describe el tiempo dedicado a sus conquistas:

> Partid los días del año
> entre las que ahí encontráis.
> Uno para enamorarlas.
> otro para conseguirlas,
> otro para abandonarlas,
> dos para sustituirlas
> y una hora para olvidarlas (I, 12).

Don Juan confía en el tiempo, del cual se cree dueño, como su antecesor de *La venganza en el sepulcro*.[19] De forma que, cuando el Comendador don Gonzalo de Ulloa, el padre de su prometida, se la niega, le contesta que, de una manera u otra, él la conseguirá, «pues hay tiempo».

Y confía también en el tiempo metafísico, el que dominará en la segunda parte: cuando su padre, que, junto con don Gonzalo, ha asistido embozado al encuentro, le riñe y al final le emplaza ante el tribunal divino:

> te perdono
> de Dios en el santo juicio,

don Juan, que ya no es el *fils criminel* de tantas versiones francesas, incluso la de Dumas, ni insulta ni maltrata a su padre; sin embargo, en la más legítima tradición española, contesta:

> Largo el plazo me ponéis *(ibídem)*.

Siguen en el acto II («Destreza») varias aventuras, en las cuales don Juan y don Luis intentan estorbarse mutuamente y don Juan pretende —a lo que parece, sin conseguirlo— violar a doña Ana, en tanto que soborna a Brígida, a la cual está confiada la custodia de Inés en el convento.

---

[19] Cf. III, vv. 715-720: «en mí / no están al tiempo sujetos / los placeres de la vida. / Todo dura lo que quiero, / todo se sujeta a mí / y nada obedece al tiempo». Cito por la edición de P. MENARINI, Napoli, Liguori, 1990.

En el III («Profanación»), don Juan penetra en la celda en que está encerrada doña Inés, a la que Brígida, actuando con la insinuante sabiduría de una perfecta Celestina, había preparado para el encuentro. Inés se desmaya y don Juan la rapta.

Agudo dosificador de efectos teatrales, Zorrilla, después del bullicio, la agresividad y hasta la violencia que dominaban en los actos anteriores, crea ahora un ambiente quieto y callado, el convento, en el que el tiempo parece haberse detenido y el espacio haberse reducido a las dimensiones de una jaula, conforme exclama Brígida, que define a Inés como una «pobre garza enjaulada».

E Inés, con su sencillez, su inexperiencia, su ingenua propensión al amor, quizás heredada de la tirsiana Tisbea, participa del misticismo de este ambiente: es un ser angelical, según la más pura tradición romántica y las sugerencias de Dumas, cuya protagonista (una monja también, como Inés es una novicia) es un verdadero ángel.

En ese ambiente, y contra ese ser indefenso, penetra don Juan, provocando desde luego una profunda turbación. Con él penetra el apremio temporal que parecía excluido de estas paredes: llega cuando las campanas dan ese «toque de las ánimas» que tanto le gustaba a Zorrilla, y a Brígida, la dueña-alcahueta, le está confiada la tarea de anunciarle, creando un adecuado clima de intriga y de agobio:

> BRÍGIDA.   Las nueve dan.
> Suben... se acercan... Señora...
> Ya está aquí.
> INÉS.   ¿Quién?
> BRÍGIDA.   Él.
> INÉS.   ¡Don Juan! (III, 3).

Es la última vez que el protagonista aparece sumido en esa carrera existencial que le ha caracterizado hasta ahora. Poco después, cuando, en la quinta sobre el Guadalquivir, adonde la ha llevado don Juan, Inés se recobra de su desmayo, él aparece de improviso mecido en la serena intemporalidad del amor, oportunamente situado en el marco de esa especie de isla donde se ha refugiado y que nuevamente aparece del todo separado del mundo.

Si el claustro representaba, por decirlo así, la antesala de la trascendencia, la quinta sugiere la idea del paraíso terrenal. En esta «apartada orilla» parece que se ha parado finalmente el tiempo tumultuoso de don Juan, que por primera vez llega con retraso; su criado Ciutti manifiesta su extrañeza: «ya tarda, ¡vive Dios!».

Aquí se produce la conversión de don Juan al amor, que ha inducido a Zorrilla a titular el acto (el IV) «El diablo a las puertas del cielo». Una novedad casi absoluta, si se exceptúa el caso de Córdova, que modifica sustancialmente la figura de don Juan y alcanza el momento más alto en esa celebérrima «escena del sofá» (la tercera),[20] donde el antiguo libertino, el amador a destajo, ahora sinceramente enamorado de doña Inés, le habla con una dulzura antes desconocida. Casi de improviso, brotan de los labios de don Juan esas expresiones que han adquirido una fama inmensa, que todo español se sabe de memoria y que han dado pie a parodias a menudo irreverentes (lo cual, por otro lado, es una prueba más de su increíble difusión):

> ¡Ah! ¿No es cierto, ángel de amor,
> que en esta apartada orilla
> más pura la luna brilla
> y se respira mejor?
> Esta aura que vaga llena
> de los sencillos olores
> de las campesinas flores [...].

Y después de soltarle un verdadero himno al amor, reconoce su inesperado rendimiento:

> mira aquí a tus plantas, pues,
> todo el altivo rigor
> de este corazón traidor
> que rendirse no creía.

Una escena de mucho efectismo, que sin embargo era algo más que una escena de amor. En ella Zorrilla llevaba a su conclusión, solucionándolo, el problema de la comunicación que había atormentado a tantos personajes trágicos y cómicos del teatro romántico.

Con mucho acierto, el autor invierte aquí los papeles tradicionales de la pareja. Don Juan, lejos de usar esas expresiones «vehementes» que eran típicas de los héroes anteriores (piénsese, por ejemplo, en don Álvaro), emplea un lenguaje idílico e intimista, que la tradición atribuía preferentemente a los labios femeninos, y que se enriquece de imágenes que pertenecen esencialmente al campo semántico de la mansedumbre, como «paloma mía»,«manso aliento», «gacela mía». Al contrario, Inés prorrumpe en tonos apasionados, casi violentos, que raramente habían conocido las heroínas anteriores y que parecerían más propios de un don Álvaro o de un Macías:

> Tu presencia me enajena,
> tus palabras me alucinan,
> y tus ojos me fascinan,

---

20 Según J. Casalduero (citado por Gies, *Don Juan Tenorio*, cit., p. 57), «Doña Inés en el sofá, con su don Juan a los pies, es la estampa más fiel, la interpretación más fidedigna del corazón burgués, antiheroico, romántico-sentimental de la época». Para F. Nieva, «Zorrilla establece en términos de relato escénico un felicísimo voyerismo en el espectador, cuyo ápice es sin duda la famosa escena del sofá» (Introducción a la edición de Espasa-Calpe, Madrid, 1989, p. 25).

> y tu aliento me envenena.
> ¡Don Juan! ¡Don Juan!, te lo imploro
> de tu hidalga compasión;
> o arráncame el corazón
> o ámame, porque te adoro.

Y don Juan, enternecido y rescatado, reconoce que su amor

> no es un amor terrenal
> como el que sentí hasta ahora

y que tal vez esté inspirado por Dios,

> que quiere por ti
> ganarme para Él quizá.

Así echaba Zorrilla los cimientos para una conversión del amor *a lo divino* que se efectuará en la segunda parte.

Pero antes tenía que producirse el fracaso del amor terrenal, demasiado ideal para que pudiese resistir al choque contra la mezquina realidad, representada por don Gonzalo y don Luis, que llegan de repente a la quinta. El Comendador rechaza cualquier ruego, cualquier demostración de arrepentimiento, a pesar de que don Juan, repitiendo el gesto de don Álvaro, intente humillarse ante él; y como en la obra de Rivas, aquí también un pistoletazo, pero esta vez voluntario por parte de don Juan, pone fin al encuentro con la muerte del anciano. Don Juan, exasperado, emplaza a Ulloa ante el tribunal divino:

> cuando Dios me llame a juicio
> tú responderás por mí (IV, 10).

Luego se libera también de don Luis, dándole una estocada mortal.

Las dos muertes adquieren para don Juan un sentido existencial, ya que significan la caída de los valores que había entrevisto y una puerta que se cierra ante su afán de redención:

> Llamé al cielo y no me oyó (*ibidem*).

Pero, si el cielo parece abandonarle, él ha ganado a su causa a doña Inés, que, anticipando la función redentora que ejercerá en la segunda parte, frente a los alguaciles que buscan al asesino para castigarle, cuando todos gritan: «¡Justicia para doña Inés!», cierra el acto con otro grito que es todavía de amor:

> Pero no contra don Juan.[21]

---

21 «Esa respuesta —afirma R. NAVAS RUIZ— [...] la hace única. Por primera vez en la literatura española [...] una mujer inocente y dulce tiende la mano al criminal» (*Estudio*, cit., p. XXVI).

Termina así la primera parte de la obra, que, aunque repite ciertas líneas fundamentales del mito, introduce, como hemos visto, variantes muy significativas. La figura del protagonista, que campea en todos los actos, casi siempre presente en la escena (a veces de manera indirecta, como en la celda de Inés, durante el coloquio de ésta con Brígida), aparece contradictoria, pero no en el sentido artístico, sino más bien en el plano humano. Y las contradicciones, las luchas entre bien y mal, en las cuales Zorrilla interioriza los encuentros que Dumas había realizado entre el ángel bueno y el malo, le confieren una personalidad más compleja y matizada que la de sus predecesores, los cuales solían ser figuras bastante planas, obsesivamente fieles a un carácter preconstituido.[22]

Sobre todo, don Juan no es odioso, antes bien se cautiva la simpatía del público con sus ademanes bizarros, con su confianza en sí mismo —que no es fanfarronería— y, particularmente, con su excepcional vitalidad.

Un don Juan simpático es una novedad casi absoluta, precedido como está tan sólo por el alegre calavera de Da Ponte y parcialmente por el matón de Zamora: y esto seguramente contribuyó al éxito del drama.

La primera parte se desarrolla en una sola noche y en pocas horas (demasiado pocas para tantos sucesos, comentará el Zorrilla más maduro):[23] la noche era connatural al personaje («Ésas son las horas mías», había ya afirmado el antiguo Burlador)[24] y además, por una larga tradición, constituía el ambiente más propio de todo héroe romántico.

Casi para subrayar la continuidad entre las dos partes, otra noche dura también la segunda, la cual se abre con el panteón de la familia Tenorio, donde don Juan ha hecho construir un monumento fúnebre a cada una de las víctimas de su locura: don Gonzalo, doña Inés, su padre y don Luis. En el acto I («La sombra de doña Inés») don Juan llega después de cinco años de ausencia y se entretiene en un mudo diálogo con cada una de sus víctimas, para detenerse delante del sepulcro dedicado a Inés, a cuya estatua dirige palabras de un amor triste y austero. Desaparece la estatua y en su lugar se pone la Sombra de doña Inés que, según la pauta de la Marta de Dumas, le declara que se salvará o se condenará con él. Es la repetición de la escena del sofá en otro registro, *a lo divino* justamente, donde entre los dos corren ahora palabras de un amor purificado y cargado de valores metafísicos.

Luego don Juan recibe la visita de sus antiguos amigotes Avellaneda y Centellas y delante de ellos parece recuperar cierta pasada bravuconería, por lo cual se dirige a la estatua del Comendador de Ulloa, invitándole a cenar.

22 «Don Juan —afirma ALBORG (*op. cit.*, p. 608)— [...] es un personaje consistente, bien trabado, humano en su misma desmesura; claro que es un personaje «teatral», porque de hacer teatro se trataba.» «No hay en la historia toda de la literatura española —sostiene PEERS— obra alguna que esté dominada más profundamente por su protagonista que *Don Juan Tenorio*» (*op. cit.*, II, p. 227).

23 Véase *Recuerdos*, cit., p. 1803.

24 TIRSO DE MOLINA, *El burlador de Sevilla*, Acto III, v. 208. Cito por la edición de A. CASTRO en «Clásicos Castellanos».

Durante la cena, en el acto II («La estatua de don Gonzalo»), la estatua se presenta realmente; mientras los dos compañeros se desmayan, el Comendador se dirige a don Juan: «he venido», dice,

> para alumbrar tu razón

y

> a enseñarte la verdad.

Le avisa de que morirá al día siguiente y al mismo tiempo le anuncia el nuevo, postrer plazo de su vida:

> Dios, en su santa clemencia,
> te concede todavía
> un plazo hasta el nuevo día
> para ordenar tu conciencia (II, 2).

Y por fin, como es usual desde *El burlador*, le invita a su vez.

Don Juan ya no comprende si lo que le ha pasado ha sido realidad o fantasía y acusa a sus dos compañeros de haber querido burlarse de él. Los dos reaccionan acusándole a su vez y terminan por desafiarse mutuamente.

El III acto («Misericordia de Dios y apoteosis del amor») tiene lugar nuevamente en el panteón, donde aparece don Juan meditabundo y confuso: llama al sepulcro de don Gonzalo, que se abre y deja ver una mesa con culebras, fuego y cenizas, que remeda la del antiguo *Burlador*. Pero descuella también un objeto mucho más en consonancia con el clima romántico y con el del *Tenorio* en particular: un reloj de arena que mide el tiempo que le queda a don Juan para arrepentirse. Hasta el último instante don Juan vacila y evoca con amargura sus culpas pasadas con las mismas palabras con que se había jactado bizarramente de ellas en la escena inicial: «a las cabañas bajé, / y a los palacios subí» (III, 2). Finalmente, vista la inutilidad de sus amonestaciones, el Comendador, conforme a la tradición, le aferra la mano e intenta llevarle consigo al infierno.

Pero «aun queda el último grano / en el reloj de mi vida», grita don Juan, y proclama al fin su arrepentimiento. Llega entonces doña Inés, que se apodera de la mano que la estatua ha dejado libre y le salva.

Por primera vez, si no tenemos en cuenta la no explícita salvación del protagonista de Zamora, don Juan consigue la vida eterna.

Lo que más impresiona al lector, y seguramente más impresionó, en algún caso negativamente, al público de la época es el clima de fabulosa incertidumbre en que se desarrolla la trama de los episodios postreros, intensísimo en este último acto, pero ya con indicios en los anteriores.[25] Don Juan se mueve en

---

25 Para F. NIEVA (*op. cit.*, p. 19) «El *Tenorio* de Zorrilla es una fuerte obra visionaria, con un completo engarce en el inconsciente colectivo de su tiempo y de ahí se desprende la primera razón de su éxito por encima de toda racionalidad y preceptiva».

un ambiente irreal, donde no sólo habla con la estatua de don Gonzalo y la sombra de doña Inés, sino que se encuentra también rodeado de difuntos, en forma de «sombras» y «esqueletos», que han salido de sus nichos sepulcrales para asistir a su posible derrota: una situación que también tenía su antecedente en Dumas.

En este ambiente en el cual un vivo o, como se sabrá muy pronto, un muerto que se cree vivo dialoga con otros muertos, asistimos a otras, continuas, violaciones de la racionalidad. Don Gonzalo manifiesta a don Juan que ha muerto por mano del capitán Centellas, a quien él creía haber matado; él asiste a su propio entierro, con un desdoblamiento de la personalidad que nuevamente contribuye a crear una atmósfera profundamente surrealista. Por otro lado, don Gonzalo le avisa de que tiene tiempo todavía para arrepentirse, algo inconcebible en un difunto, en tanto que otra difunta, Inés, cuya salvación o condena eterna dependen de la conducta de don Juan, interviene para salvarle.

Parecen inútiles las consideraciones de algunos críticos que afirman que la situación descrita por Zorrilla no tiene consistencia teológica.[26] Es que ni por asomo quiso el autor escribir un tratado teológico, y claro está que no pudo no darse cuenta de un igual sinsentido racional de todos los últimos sucesos. Lo que sí quería el poeta, y lo consiguió, era superar el *impasse* en que habían caído los predecesores, y sobre todo Dumas, al llevar a las tablas el mundo sobrenatural. Por consiguiente, creó esa atmósfera borrosa e insegura donde todas las fronteras se confunden y muerte y vida tienen los mismos derechos y la misma valencia. Creó un mundo trascendente que en realidad ostentaba todos los rasgos del mundo terrenal, desde la medida del tiempo, que se confía a un reloj de arena, al sonido de las campanas, de esas campanas que con el repicar de las horas habían acompañado a menudo el paso afanoso de don Juan por el mundo de los vivos y que ahora tocan a muerto.

Porque sí, el motivo del tiempo sigue hasta el final de la obra. Verdad es que el panteón, como y más que el convento y la quinta, es un lugar donde domina la intemporalidad, pero esto no impide que por un momento reaparezca esa agresividad temporal que había atormentado al don Juan libertino. Hasta reaparece el plazo: dos veces la propia palabra resuena en los labios de don Gonzalo, quien le avisa de que el tiempo que se le ha concedido para arrepentirse va a expirar, hasta identificarse materialmente con el último grano de arena que queda en el reloj.

Don Juan sabrá aprovecharlo, gracias a un grito de arrepentimiento y a una súplica («Señor, ten piedad de mí»), aunque en realidad su salvación se debe al amor.

---

26 Para ALBORG (*op. cit.*, p. 614) la cuestión es ociosa: «después de aceptar toda la actuación sobrenatural de don Gonzalo y de la propia doña Inés, es ridículo escandalizarse por minucias de exactitud teológica». Por otro lado, R. NAVAS RUIZ (*El romanticismo*, cit., p. 317) encuentra una explicación acorde con el dogma cristiano: el amor de Inés, dice el crítico, es la «caridad cristiana. [...] tal como se aplica en la comunión de los santos».

La mano con que Inés coge la que don Juan, según reza la acotación, «tiende al cielo» es un puente hacia la eternidad. Proclama Inés:

> mi mano asegura
> esta mano que a la altura
> tendió tu contrito afán.

Un gesto de amor que como tal es interpretado por don Juan, quien entonces repite la exclamación con la cual había saludado a la joven al entrar en su celda:

> ¡Inés de mi corazón!

Y que confirma Inés, explicando:

> los justos comprenderán
> que el amor salvó a don Juan.

Desde este momento, cesa el movimiento de los esqueletos, ya no tocan las campanas a muerto, varios angelitos rodean a la pareja y los dos mueren definitivamente.

> *De sus bocas* —reza la última acotación— *salen sus almas, representadas en dos brillantes llamas, que se pierden en el espacio al son de la música.*

El tema del amor imposible se ha superado colocándolo en el mundo sobrenatural, donde además amor y muerte pueden por fin convivir serenamente y donde el mito romántico del amor eterno ha encontrado su más genial realización.

> El personaje de *El burlador de Sevilla* [...] ha venido ya a retratarse de tal manera en la mente del público, es un carácter tan extraordinario y excepcional, que se corre gran riesgo en tratar de alterarlo lo más mínimo [...]. Tal vez de aquí procede que el drama del señor Zorrilla fuese recibido con más frialdad de lo que a nuestro entender merecían las grandes cualidades que indudablemente tiene. [...] Además del mérito de la versificación tiene este drama, en nuestro sentir, el de la disposición de muchas escenas que son de grandísimo efecto. [...] No podemos dar iguales alabanzas al desenlace y final del drama convertido en un juego de linterna mágica con la aparición de tanto difunto (*El Laberinto*, 26-IV-1844).

c) *Traidor, inconfeso y mártir*

Zorrilla consideraba **Traidor, inconfeso y mártir** su verdadera obra maestra,[27] y cierto es que se trata de la pieza más intachable entre las que ha escrito,

---

27 Cf. *Recuerdos*, cit., p. 1818: «Es mi única obra dramática pensada, coordinada y *hecha* según las reglas del arte.»

en la que un excepcional despliegue de sentimientos intensos y dramáticos se junta con una perfección técnica y una sensibildad teatral muy raras.

El drama, que tenía su modelo en *El pastelero de Madrigal* del comediógrafo barroco Jerónimo de Cuéllar, fue estrenado en el Teatro de la Cruz el 3 de marzo de 1849 y alcanzó 7 reposiciones seguidas. Trataba el tema del pseudo rey Sebastián de Portugal, que había afrontado recientemente Escosura en la novela *Ni rey ni roque*,[28] alejándose del original del siglo XVII sobre todo al considerar al protagonista como el verdadero don Sebastián, injustamente perseguido y ajusticiado por Felipe II, en tanto que para Cuéllar no era más que un impostor.

I. Año 1594. Tres ilustres caballeros, el marqués de Tavira, el capitán don César de Santillana y su padre el alcalde don Rodrigo de Santillana, cada uno por su cuenta y con diferentes motivaciones, pero los dos postreros con órdenes reales, exigen del dueño de una posada de Valladolid que trate cuidadosamente a un personaje que va a llegar muy pronto con su hija y un criado. Es Gabriel de Espinosa con su hija Aurora, de la cual don César está enamorado, que empero no le corresponde. A Gabriel el capitán le pregunta si es el rey don Sebastián, pero el otro se declara el pastelero Espinosa. Don Rodrigo le detiene y admira la espada que él le entrega y que perteneció al rey Sebastián.

II. A la mañana siguiente, don César vuelve a acosar a Gabriel con preguntas, pero lo único que consigue saber es que Aurora no es su hija. Interrogado luego por don Rodrigo, Gabriel contesta de manera altiva y a menudo ambigua que deja al interlocutor en la mayor incertidumbre. En un coloquio con Aurora, ésta, que ha descubierto que no es su hija, le declara su amor y Gabriel se declara a su vez, pero rechaza cualquier intento de sonsacarle la verdad sobre su persona. Finalmente don Rodrigo los invita a salir. Los llevará a la cárcel de Medina del Campo.

III. En la sala del juicio de la cárcel de Madrigal, Gabriel, a pesar de tres meses de cárcel, interrogatorios y tormentos, no ha perdido la serenidad con que sigue turbando a don Rodrigo, el cual constata el fracaso de sus investigaciones. Llega César con la sentencia de muerte por impostor firmada por el rey, y Gabriel es llevado al cadalso. Por los documentos que ha entregado a César con la promesa de leerlos sólo después de su muerte, se conoce que era realmente el rey don Sebastián y que Aurora es hija de don Rodrigo. Ante las manifestaciones de cariño de éste, la joven reacciona horrorizada y se marcha.

Con la inversión de los papeles de protagonista y antagonista respecto al modelo barroco, Zorrilla se ponía a la altura de sus tiempos y esbozaba en Gabriel una figura altamente sugestiva. Por ciertos aspectos, Gabriel parecía re-

---

28 La novela de Escosura, con sus toques ya románticos, fue el anillo de conjunción entre Cuéllar y Zorrilla, aunque en un primer momento «había puesto una insuperable valla» ante el pensamiento del poeta (*Recuerdos, ibídem*). Sobre la relación con esta obra, véase R. SENABRE, en la edición de Anaya, Salamanca, 1967, pp. 17-18, y en la de Cátedra, Madrid, 1980, p. 31; y R. C. SANZ en la edición de Espasa-Calpe, Madrid, 1990, pp. 73-74.

cuperar unos rasgos propios de los primeros héroes románticos, sobre todo por ser un derrotado en la lucha contra la sociedad de los poderosos. Pero lo que hace de él un personaje nuevo, en consonancia con las orientaciones del tardorromanticismo, y que le coloca a una altura moral de excepción —decididamente superior a la de su opositor don Rodrigo—, es la serena conciencia de su posición, de su fracaso aceptado con la sabiduría de quien está por encima de las debilidades humanas.

Por consiguiente, Gabriel se convierte en el centro de toda la acción y, con el correr de la pieza, va adquiriendo todos los rasgos que le caracterizan y que son tan fuertemente matizados como se conviene a un héroe romántico.

Con mucha habilidad y conciencia de los efectos teatrales, el autor añade de vez en cuando una faceta de su compleja personalidad, de forma que su figura se va ampliando paulatinamente y sólo al final llega a conocerla en su totalidad el espectador.

Empieza por una presentación lisonjera por boca de otros personajes, como ocurría con don Álvaro. El marqués de Tavira nos brinda una descripción física destinada a atraer la simpatía del público:

> semblante
> pálido, mirada de águila,
> sonrisa triste, andar grave (I, 2).

Luego, el criado Arbués añade unos toques que podríamos definir culturales, que aumentan la admiración hacia él: conoce todas las leyes, todas la historias, los blasones, la nobleza, y, en fin,

> monta un potro a la carrera
> y hace astillas una lanza
> en el aire (I, 9).

Pero muy pronto el propio Gabriel presenta de sí mismo una faceta mucho menos positiva, casi diabólica:

> un ser soy
> que infesto el lugar que habito,
> que cuanto toco marchito
> y asolo por donde voy (I, 15).

Don César comentará muy pronto:

> no pertenece
> a la tierra el ser de este hombre (II, 1).

Este comentario, al principio del acto II, parece avisar de que ya se va imponiendo una mitificación del personaje. Su personalidad contradictoria asombra profundamente a todos los que se le acercan, hasta a los más íntimos, como Aurora: ¿noble o plebeyo?, ¿estafador o víctima?, ¿hombre, ángel o demonio?

> ¡Imposible atar un cabo!
> ¡Su ser parece que abarca
> con la altivez del Monarca
> la abnegación de un esclavo! (II, 3),

afirma nuevamente César, expresando un concepto que de manera más concisa manifestará también su padre:

> ese hombre
> que no es nada y que lo es todo (III, 5).

Un ser que se desdobla en las dos personas que cohabitan en él —el rey y el pastelero— y que —ésta es la gran intuición de Zorrilla— es esclavo de las dos, ya que tanto desde la una como desde la otra le acosa la muerte. Dirá Rodrigo lapidariamente en la última escena:

> Por ser y por no ser perecer debe.

Un rey disfrazado de pastelero o un pastelero disfrazado de rey: un ser misterioso, pues, en la más pura tradición romántica,[29] pero con un misterio que parece superior a la comprensión humana y que confusamente deja entrever un componente no terrenal, conforme a esa mezcla de humano y divino que, aunque sea con mucha mayor amplitud, ya había experimentado Zorrilla en el *Tenorio*. Con desazón, molesto frente a la imperturbabilidad del preso («Me amedrenta ¡vive Dios! / vuestra eterna sangre fría»), don Rodrigo tiene en efecto que admitir:

> Es que a veces hallo en vos
> un misterio que me espanta.

Enigmático como de costumbre, le contesta Gabriel:

> Es que tal vez se levanta
> tras mí la sombra de Dios (III, 2).

Fue tal vez esa impasibilidad frente a todo lo que le circunda y le concierne uno de los mayores atractivos del personaje, que además le separaba de los primeros impetuosos héroes del teatro romántico y que, dentro de ciertos límites, podría acercarle a los semidioses de la época neoclásica. Por eso, Gabriel no corre afanado, no intenta escapar de las persecuciones («Yo no huiré jamás: ni sé, ni quiero, / ni nací para huir» [II, 11]), hasta resulta insensible al terrible

---

29 Sobre el misterio y otros caracteres románticos, véase R. SENABRE, en la edición citada de Cátedra, pp. 35-41.

plazo que expirará sólo con su muerte. «Tenéis de vida / tres cuartos de hora», le amenaza Rodrigo. Tranquilamente contesta:

> Son las cinco y cuarto ahora.

Y se despide de su implacable juez con un sencillo:

> Hasta las seis (III, 4).

Claro está que al lado de un personaje tan gigantesco los demás pueden aparecer algo descoloridos, ya que no actúan más que para poner de relieve su figura. Tampoco las acciones paralelas revisten mucha importancia. La más importante, el amor de César hacia Aurora, tiene como fin principal el de resaltar poner de relieve la dedicación total de la joven a su presunto padre. Es un amor purísimo, como también lo es el de Aurora hacia Gabriel, llevado hasta límites que rayan en el misticismo, como era lógico en una obra donde todo tiende a la perfección y los sentimientos que animan a los personajes son necesariamente extremados.

Lo que más impresiona en esta pieza magistral es sin embargo, más allá de la matizada perfección de los personajes, el excepcional esmero de los diálogos, sobre los cuales se funda en realidad la esencia de la trama: *Traidor, inconfeso y mártir* se dirige más al oído que a la vista.[30] Las preguntas que don Rodrigo, César y Aurora le dirigen a Gabriel para sondear el misterio de su persona, y las respuestas constantemente evasivas de éste, siempre en el límite borroso que separa la verdad de la mentira, la afirmación de la negación, crean una atmósfera de intriga continua y una expectación que será satisfecha solamente en las últimas réplicas del drama. El personaje sale naturalmente ennoblecido por tanta capacidad de responder a las preguntas más capciosas sin decir nunca falsedades: la habilidad del autor en la composición de estos diálogos se convierte así en la hablidad del personaje y contribuye notablemente a atraer sobre sí el interés y la simpatía. Afirma acertadamente Narciso Alonso Cortés que «la figura atrayente del pastelero, envuelta en las nieblas del misterio, constituye una de las más intensas creaciones del teatro español».[31]

> ¡Hay tanto interés dramático! ¡Tanta naturalidad! ¡Están los caracteres tan bien sostenidos, que a pesar de la sencillez del argumento se mantiene el público embelesado hasta el momento de caer el telón! (VILLERGAS, *Don Circunstancias*, 9-III-1849).

d) *El pelo de la dehesa*

Al lado de tanto drama y comedia históricos cabe por fin señalar una comedia en el sentido tradicional de la palabra, y bretoniana por supuesto: *El*

---

30 «Los personajes gesticulan menos que de costumbre, y *hablan* más» (R. SENABRE, edición de Anaya, cit., p. 18).

31 *Op. cit.*, p. 441.

pelo de la dehesa, que se estrenó en el Príncipe el 19 de febrero de 1840 y conoció 35 reposiciones. Desde luego, la distinción entre drama y comedia, como se ha dicho varias veces, se ha hecho muy vaga, pero favorece la definición que se propone no sólo el uso del término por parte del autor, sino la ambientación en la época contemporánea y los rasgos cómicos tan frecuentes, que además se concentran en una figura de gracioso modernizado, don Remigio, que hasta domina la escena en el III acto.

I. *Hay gran expectación en la casa madrileña de la marquesa viuda de Valfungoso ante la inminente llegada de don Frutos Calamocha, novio de su hija Elisa, cuya mano había prometido el difunto marqués al padre de Frutos a cambio de perdonarle una deuda. Precedido por un instante por el capitán don Miguel, que aspira a la mano de Elisa y que se ve rechazado ante el nuevo compromiso, llega por fin don Frutos, que en seguida mete la pata, como buen provinciano (viene de Belchite, en Aragón), tomando a la criada por la novia, derribando un mueble con un servicio precioso y usando expresiones demasiado familiares que dejan pasmada a Elisa, con gran regocijo del oficial, que se mofa de los dos.*

II. *Vestido a la madrileña por el parásito factótum Remigio, don Frutos no cabe en los trajes demasiado ajustados, en los zapatos cortos, en los guantes estrechos. Escandaliza a las visitas hablando sólo de asuntos del campo, pero tiene momentos de expansión cordial y cariñosa que parecen conquistar el corazón de Elisa. Enfadadísimo, Miguel amenaza a Remigio con cortarle las orejas si no consigue romper el compromiso.*

III. *Después de la comida, don Frutos se queja ante Remigio de las continuas reprensiones de su futura suegra; para remate, le llevan una cuenta saladísima del sastre. Frutos presenta a la marquesa sus protestas y le dice que, después de las bodas, quiere llevarse a Elisa a Belchite. Remigio, que asiste al enfrentamiento favoreciendo las hostilidades entre los dos con el fin de persuadirlos a romper el compromiso, convence a Elisa para que escriba una carta de amor a Miguel; pero la chica, después de redactarla, no pone en el sobre el nombre del destinatario.*

IV. *A las seis y media de la madrugada don Frutos, vestido holgadamente al estilo aragonés, despierta a la criada y almuerza con gran apetito a base de jamón y Valdepeñas. Elisa y su madre, en cambio, regresan de un baile y se acuestan. Pero la joven vuelve y tiene un cambio de opiniones con Frutos, tras el cual salen ambos con el convencimiento de que la boda no le conviene a ninguno de los dos, aunque ni el uno ni la otra quieren asumir la decisión de romper el compromiso. Luego sale Miguel, que reta a Frutos, pero no se ponen de acuerdo sobre el arma del duelo, ya que Frutos propone el garrote y el oficial la espada o la pistola.*

V. *Falta media hora para la firma del contrato de boda y van a venir muy pronto los invitados. Don Frutos le hace chantaje a la marquesa: o anula las bodas o le paga la deuda contraída por su difunto marido. La marquesa se ve obligada a aceptar las condiciones de don Frutos, que cede su puesto a don Miguel y parte aliviado para Belchite.*

La comedia de Bretón se ligaba a la exitosa *A Madrid me vuelvo* por la confrontación entre el mundo de la ciudad y el del campo, y, más estrictamente, a

Medidas extraordinaria o Los parientes de mi mujer (estrenado en el Cruz el 24 de diciembre de 1837), donde se narraban las vicisitudes de un grupo de paletos instalados en la casa de un madrileño, con los mil ridículos acontecimientos que nacen del encuentro entre dos estilos de vida tan diferentes. Pero la novedad de la nueva pieza estribaba en la inversión de la perspectiva, ya que, en lugar de mofarse de las zafias costumbres campesinas, ahora el autor exalta su sencillez y sinceridad contra lo absurdo y lo incongruente de la etiqueta ciudadana. Menosprecio de corte y alabanza de aldea, esta vez, conforme a la más pura tradición hispánica.

Verdad es que ahora las capas sociales enfrentadas son diferentes y en lugar de los buenos burgueses de las comedias anteriores juegan su papel unos aristócratas venidos a menos, en tanto que los rudos campesinos son sustituidos por un rico hacendado aragonés, que «si no es de ilustre sangre / tampoco nació plebeyo» (I, 1) y que si tiene «el pelo de la dehesa / no tiene pelo de tonto» (II, 2). El protagonista era, pues, idóneo para atraerse las simpatías del público, como representante de esa burguesía agraria que ocupaba un puesto de relieve en la economía del país y que podía enfrentarse ventajosamente a una nobleza ya inútil y perdida en sus frívolos rituales de fiestas y bailes.

Pero era también apto para encarnar, a lo cómico (aunque dentro de una comicidad muy contenida), la figura del héroe tardorromántico que se enfrenta a la sociedad con su personalidad fuerte, su habilidad para resolver situaciones y salir de apuros, sus ocurrencias soltadas en el momento oportuno.

Porque esto es lo que distingue a don Frutos de tantos provincianos graciosos que habían salido a escena desde los Siglos de Oro, que no sólo no sufre de ningún complejo frente a la sociedad ciudadana, sino que se mueve en ella con la seguridad de saber que está actuando bien y arremete contra ella con ademán de conquistador y no ya de conquistado:

> que aunque yo he entrado en la Corte,
> la Corte no ha entrado en mí (III, 6).

Así que cuando la marquesa quiere convencerle de la posibilidad de que acabe por aceptar los usos ciudadanos, afirmando:

> Cualquiera se acostumbra,

le contesta orgullosamente:

> ¡Oh! Yo no soy cualquiera,

provocando la reacción de Elisa, que exclama para sí:

> (¡Qué verdugo!) (IV, 5).

En realidad, más que de orgullo tal vez se trate de un sano egotismo que le hace encogerse de hombros frente a las críticas ajenas, ya que, como le previene a Elisa, que está mirando, quizás con cierta extrañeza, su traje campesino:

> Chica, ande yo caliente,
> y ríase la gente (*ibídem*).

Por otro lado, profesa y practica una filosofía existencial inspirada en el más amplio liberalismo, en el cual intenta adoctrinar a don Remigio:

> aplíquese usted
> este texto desde hoy.
> No pida peras al olmo,
> y deje a cada varón
> que haga de su capa un sayo (III, 1).

Con esos principios y con esa confianza en sí mismo, se mueve a sus anchas en un mundo que le resulta extraño, porque no renuncia a ninguno de sus hábitos, que a veces impone a los demás, como cuando, al rayar el alba, sacude imperiosamente la campanilla para llamar a la sirvienta. Y si acepta el tormento de los trajes de lechuguino es sólo por una forma de cortesía hacia quien él cree que se los ha regalado; pero, al descubrir que la cuenta corre a su cargo, se libera rápidamente de ellos para volver a su zamarra de piel de oso.

Verdad es que no ha perdido totalmente los rasgos cómicos que caracterizaban a sus antecesores, pero los comparte con sus antagonistas aristocráticos; si el público ríe viéndole confundir a la criada con la novia o derribar el velador, se mofa también de la obsesión por la etiqueta o del comportamiento estrambótico de la marquesa y su hija. En efecto, no es él la figura del donaire, ya que el papel de la perenne comicidad está confiado a Remigio, el parásito que se balancea en un arriesgado equilibrio entre unos y otros, siempre dispuesto a afirmar o a negar con tal de satisfacer al interlocutor.[32]

Don Frutos, en cambio, se queda muy tercamente en sus convicciones y defiende y lanza contra los demás los errores que comete. Si ha tomado a la criada por la novia es porque no imaginaba que su prometida lo esperase sentada, ya que la pensaba

> con tanta gana de verme
> como yo de verla a ella (I, 10).

También atribuye a sus huéspedes la culpa por haber derribado el velador, porque estaba en medio de la habitación, lo cual no ocurre en su tierra, donde «cada cosa está en su puesto» (*ibídem*).

---

32 Por supuesto, intervienen también otros motivos cómicos, como la parodia del romanticismo contenida en una larga réplica de la marquesa en la primera escena del acto II, que ha puesto de relieve J. MONTERO PADILLA en la introducción a la edición de Cátedra, Madrid, 1974, pp. 36-37.

Hasta se permite burlarse de las frases rebuscadas que en su afán de civilizarle le enseña el buen Remigio, y así, al entrar en la sala, vestido a la moda, espeta a Elisa y a su madre:

> Señoras, beso
> a ustedes los cuatro pies.

Y frente al escandalizado estupor de las dos, agrega con fingida simplicidad:

> Me ha dicho este caballero
> que es saludo muy grosero
> el decir: Dios guarde a ustedes;
> y que en Madrid a estas horas,
> como pueblo más cortés,
> se estila besar los pies
> *verbalmente* a las señoras.
> Para hacerlo con más gala,
> yo al besar los he contado,
> y más hubiera besado
> si más hubiera en la sala (II, 3).

Tanto desenfado, que aparece muy a menudo a lo largo de la pieza, no podía sino atraerle la simpatía de los espectadores, simpatía que se veía reforzada por otros ingredientes muy tópicos de la época. En primer lugar, como los héroes contemporáneos de Zorrilla o Rubí (que, como ya hemos visto, le imitará en *La rueda de la fortuna*), ostenta un patriotismo enológico que consiste en la exaltación («¡Aquello / es gracia de Dios!») de las uvas de Cariñena, Aguarón, Longares, Cosuenda y en gustar el Valdepeñas, a la cual, naturalmente, se añade esa pizca de antifrancesismo que era también tópica y que aquí consiste en deprimir como «vino de munición» nada menos que un Burdeos de Laffitte.

Sin embargo, matizado como todos los héroes románticos, y sobre todo como las figuras dramáticas más acertadas, Frutos tiene sus momentos de arrebato amoroso frente a la cautivadora hermosura de Elisa y hasta consigue con ella un instante de armonía sentimental, al declararle su amor y su dedicación:

> Para amar con desatino
> no creo que es menester
> que uno sea lechuguino.
> En lo que yo no esté ducho
> corrige tú mis maneras.
> Verás qué dócil te escucho:
> Tú harás de mí lo que quieras...
> ....
> tú me enseñarás a hablar:
> yo te enseñaré a querer (II, 11).

Un discurso que le saca un «¡Bien, don Frutos!» a la adusta marquesa y que le vale una indirecta respuesta de Elisa, la cual, violando la etiqueta, le susurra «*con ternura*»: «Déme usted el otro brazo.»

Pero, tratándose de una comedia y no de un melodrama, como sería al año siguiente *Bruno el tejedor*, ese encuentro espiritual es momentáneo; la razón al fin prevalece y los dos se dan cuenta de que su amor es, como muchos otros, imposible.

No queda más que romper el compromiso, pero nadie quiere pronuciar la palabra resolutiva, y aquí don Frutos nuevamente viste los paños propios del héroe tardorromántico que, gracias a sus mañas, sale de los apuros. Renuncia, es verdad, a una notable cantidad de dinero, pero conquista su libertad:

> Pago mi rescate
> y ¡viva la libertad! (V, últ.).

El final, nuevamente, raya en lo melodramático, pero Bretón sabe salvar los obstáculos con un toque de comicidad que todo lo rescata. Con un golpe de teatro a la vieja manera, oportunamente adoctrinados por don Frutos, aparecen los dos nuevos novios, que se arrodillan delante de la marquesa. Pero con ellos se arrodilla también Remigio, que justifica así su presencia:

> cada cual en esta farsa
> hace el papel que le dan.
> Éste es el primer galán:
> yo soy un simple... comparsa *(ibídem)*.

Con esta cómica metateatralidad se descarga la tensión y, a pesar de un ulterior breve momento de conmoción general, se deja el campo libre para la alegre satisfacción de don Frutos, que abandona el aire corrompido de ese Madrid para él incomprensible y corre hacia las brisas puras de su campiña aragonesa:

> ¡A Belchite, a Belchite!
> La Corte no es para mí.

3.   UNA OJEADA A LA CARTELERA

Al lado de las obras que se han definido maestras y de las que gozaron de gran popularidad, se coloca una producción bastante extensa de piezas que, sin pertenecer generalmente ni a la una ni a la otra clase, siguen dentro de los esquemas propios del romanticismo, aunque sea, desde luego, de acuerdo con las nuevas orientaciones. Es una zona bastantre gris, en general, que sin embargo atestigua la persistente vitalidad de un género, sensible sobre todo en la abundante producción de dramas históricos.

Índice de los tiempos nuevos, muchas de las obras escritas y representadas en los años cuarenta son el fruto de profesionales de la escena, que ahora ocupan el lugar donde antes lucían su vocación improvisa los jóvenes ingenios: ya no se dan casos como el de García Gutiérrez estrenando *El trovador* con el uniforme de miliciano, o de Zorrilla leyendo sus versos en los funerales de Larra. Curiosamente, estos dos escritores, que consiguieron la notoriedad de forma, es el caso de decirlo, tan romántica, ahora son los que, junto con Rodríguez Rubí, abastecen regularmente la escena con sus obras, entre las cuales no pueden lógicamente faltar las formulísticas y rutinarias.

De los tres el que más destaca es sin duda alguna Zorrilla, que muy pronto, después de los éxitos de sus dramas y de la difusión de sus versos, se convirtió en el vate nacional, hasta conseguir, al final de su larga vida, la corona de poeta.

Su producción, en la década de que nos estamos ocupando, es abundantísima, ya que su actividad de dramaturgo se concentra casi toda entre 1840 y 1849, con nada menos que 20 piezas; algunos años fueron para él excepcionalmente fecundos, como el 1842 y el 1843, en cada uno de los cuales se estrenaron cinco obras suyas.

En el prefacio a una de sus primeras obras, ***Cada cual con su razón***, estrenada en el Príncipe el 16 de septiembre de 1839, el autor, después de afirmar que «no se ha tenido jamás por poeta dramático», prosigue:

> indignado al ver nuestra escena nacional invadida por los monstruosos abortos de la elegante corte de Francia, ha buscado en Calderón, en Lope y en Tirso de Molina, recursos y personajes que en nada recuerdan a Hernani y a Lucrecia Borja.

Aconsejaba, pues, a sus amigos que no se cansasen en buscarle una afiliación a alguna escuela literaria, sacando «a la plaza la ya mohosa cuestión de *clasicismo y romanticismo*». Sin embargo, los clásicos verían respetadas en su obra todas las reglas y los románticos tendrían que perdonarle si no hay «verdugos, esqueletos, anatemas ni asesinatos».[33]

Es curioso observar cómo, a once años de distancia del *Discurso* duraniano, y a pocos de las polémicas suscitadas por el advenimiento del romanticismo (*El pastor Clasiquino* contaba unos tres años), el antigalicismo literario, que antes llevaba a ensalzar las violaciones de las unidades en el teatro del Siglo de Oro, ahora exalta el clasicismo en aras de la misma admiración por el teatro antiguo.

De todas formas, en Zorrilla la imitación del teatro aureosecular se manifiesta a menudo de manera bastante extrínseca, preferentemente en una fuerte complicación de los lances, con el juego de los equívocos, con las consabidas escenas del personaje escondido que escucha a los demás y en la presentación

---

33 En *Obras Completas*, cit., II, p. 2207, n. 5.

de casos de honra, por otro lado en un fondo histórico o pseudo-histórico que más bien remite a la actualidad decimonónica. A lo cual se añade regularmente ese espíritu patriótico que era un típico ingrediente de la época.

Cada cual con su razón llevaba a la escena a Felipe IV en plan de galantear a una joven con los consiguientes problemas de la honra que surgen en su padre y en su enamorado.

> Persuádase el Sr. Zorrilla de que su comedia es buena, no porque es puramente española, ni francesa, sino porque es buena; persuádase de que sólo hay dos géneros: el bueno y el malo (R. de NAVARRETE, *Gaceta de Madrid*, 26-IX-1839).

En la obra siguiente, *Lealtad de una mujer y aventuras de una noche* (estrenado en el Príncipe el 7 de marzo de 1840), un tal Pedro Peralta, después de atormentarse por los celos injustificados que despierta en él la presencia en su casa de Carlos de Viana, duda ante el dilema entre el deber de caballero por ser deudor de la vida a ese mismo Carlos y la lealtad a su rey que le está persiguiendo y al cual debería por tanto entregarlo. En cambio, como toque nuevo, recorre la obra un fuerte patriotismo que encuentra su mejor expresión justamente en Carlos, el cual, además de jactarse de que «alma me alienta española», vitupera al padre, que presta «a la ambición de Francia los oídos» y se rinde «a los condes de Fox, al fin franceses».

Abierto a todas las experiencias, aprovechó también los recursos típicos del melodrama creando, en *Los dos virreyes* (estrenado en el Cruz el 16 de abril de 1842), un mundo lúgubre de perseguidores y de víctimas, con los ingredientes imprescindibles del calabozo, del toque de campanas a muerto y de la llegada final de los liberadores.

El malvado virrey de Nápoles, conde de Vergara, hace condenar injustamente a Rodrigo, marido de Angelina, para poderse apoderar de la mujer; le encierra en un calabozo junto con el suegro, García, destinado a reemplazarle en el cargo. Les manifiesta que un toque de campana anunciará el ajusticiamiento de Angelina. La campana empieza a repicar, pero en seguida se para: un levantamiento del pueblo ha interrumpido el suplicio, y padre, hija y esposo pueden por fin abrazarse.

La obra, cuya trama se desarrolla con rigor clasicista en un solo día, el 10 de noviembre de 1653, tuvo 4 reposiciones inmediatas y otras 4 en los años siguientes.

Igualmente aventurero, pero con recursos más propios del gusto romántico, fue *El molino de Guadalajara*, que se estrenó en el Cruz el 22 de octubre de 1843. Ambientado en 1357, el drama se desarrollaba nuevamente durante las luchas entre don Pedro el Cruel y don Enrique de Trastámara, pero esta vez el autor parece más bien partidario del segundo.

*En el molino de Lucas el capitán Marchena, del bando de don Pedro, tiene cautiva a
la mujer de Enrique. Marchena vive en el terror de ser matado por un tal Carrillo, como le anunció una profecía. En efecto, Pedro Carrillo, que había entrado en el molino
con nombre fingido, le mata. Llegan los enriqueños y todos se pasan a su bando.*

El empleo de recursos efectistas (hay también una fuga desde las almenas
de un castillo y un puñal clavado en una puerta) no le consiguió sin embargo
larga vida a la pieza, que, después de una discreta serie de reposiciones inmediatas (seis), sólo salió a las tablas dos veces en el año siguiente.

> ha merecido grandes aplausos, hasta llamar al autor a las tablas [...] pero tanto
> los caracteres como la conducción de la fábula no pasan de la altura de los melo-
> dramas comunes (GIL, *El Laberinto*, 1-XI-1843).

Quizás lo más logrado de este período, dejando a un lado, desde luego, las
tres obras maestras, sean los dos actos únicos, ligados entre sí, *El puñal del godo* y *La calentura*, protagonizados por el rey don Rodrigo, en los que se imagina que sobrevivió a su derrota. Se estrenaron respectivamente el 7 de marzo de
1843 (Cruz) y el 5 de noviembre de 1847 (Príncipe), pero el éxito lo consiguió
sólo el primero, que fue repuesto más de 20 veces, en tanto que el segundo se
representó 4 veces seguidas y desapareció luego.

*El puñal del godo. Theudia, fiel soldado de don Rodrigo, encuentra al rey en la er-
mita en que vive con el monje Romano. Don Rodrigo le confía su ansia por una profecía
que le anunció que sería asesinado con su propio puñal. Theudia le convence a que aban-
done tales supersticiones y se dirija al campo de batalla. Pero antes llega el conde don
Julián, que intenta efectivamente matarle arrancando el puñal que Theudia había clavado en la madera de la cabaña, pero es muerto por Theudia.*

*La calentura. A la misma ermita en la que Rodrigo se ha refugiado nuevamente
después de haber realizado las más valientes hazañas llega, calenturienta, Florinda,
quien, después de declararse pura, ya que la mujer de la que Rodrigo había gozado fue
en realidad su madre, muere dulcemente. Rodrigo se siente maldito y huye.*

Se trata de dos episodios totalmente inventados a través de los cuales sin
embargo Zorrilla recrea un mundo alucinado, dominado por la obsesión de un
pasado imborrable. La escena de la aparición de Florinda, según Alborg, «bella,
delicada, tremendamente difícil, certifica la gran calidad teatral de Zorrilla».[34]

El patriotismo que recorre todas las obras de Zorrilla tuvo la oportunidad
de manifestarse abiertamente en dos piezas de circunstancia: *Apoteosis de
Don Pedro Calderón* y *La oliva y el laurel*. La primera, representada en el Príncipe el 18 de abril de 1841, con ocasión de la traslación del cuerpo del poeta

---

34 *Op. cit.*, p. 601.

barroco desde la iglesia al cementerio, es al mismo tiempo una exaltación de Calderón y de España. La segunda, «*alegoría escrita para las fiestas de la proclamación de S.M. la Reina Doña Isabel II*», representada en el Teatro de la Cruz el 1 de diciembre de 1843, es un largo himno a la grandeza de España,

> donde a la par se anida
> el germen del honor y de la vida.
> Allí es sufrida la briosa gente,
> allí el pueblo es leal, sobrio y sencillo;
> allí segura la amistad no miente,
> no ciega allí del oro el falso brillo, etc.

Zorrilla empezaba su carrera de poeta nacional que le llevaría a la coronación de 1889.

También García Gutiérrez, que había empezado su carrera de dramaturgo de forma tan azarosa, se convirtió rápidamente en un profesional de la escena, abasteciendo regularmente las tablas con un sinnúmero de dramas, comedias, sainetes, zarzuelas hasta al menos 1865, fecha del estreno de su última obra maestra, *Juan Lorenzo*.

Como para Zorrilla, muy fecunda fue para él la década de los años cuarenta, aunque sólo dos dramas sean dignos de alguna atención.

En **El encubierto de Valencia** (5 actos en verso), estrenado en el Príncipe el 17 de julio de 1840, el autor empleaba los recursos efectistas de siempre, desde las anagnórisis a los golpes de teatro, que sin embargo no le conquistaron el favor del público, visto que el drama se repuso sólo dos veces inmediatamente después del estreno.

Es la historia del ambicioso Enrique, que rechaza el amor de María porque aspira a la mano de la hija del corregidor de Orán. Se pone luego al frente de los comuneros y es capturado. Entonces se descubre que es en realidad Juan, infante de Castilla, por lo cual decide pasarse al bando contrario. Pero necesita unas cartas que demuestran su verdadera identidad, las cuales están en manos de María, que las quema. Ésta, arrepentida, intenta liberarlo de la cárcel, pero lo encuentra tan hipócrita y egoísta que le abandona en manos de sus jueces. A Enrique-Juan no le queda más que exclamar: «¡Dios es justo! / ¡sea a lo menos para mí clemente!»

El autor demostraba otra vez cierta habilidad en la descripción de una psicología femenina en la que domina la dedicación amorosa que no conoce otro mundo que el del amor. María no comprende la ambición de Enrique:

> ¡Gloria, honor!... no, Enrique, yo
> no quiero más que tu vida;
> vivir contigo, perdida,
> loca, pero sola no (III, 5).

La personalidad de María resulta todavía más interesante en cuanto que el autor le presta la conciencia del egoísmo y la ingratitud de su amado. Cuando éste yace en la cárcel, ella se propone liberarlo a cualquier precio:

> Todo lo emplearé, súplicas y oro,
> para salvar la vida de un ingrato
> en quien la misma ingratitud adoro (IV, 11).

Con mucho acierto, García Gutiérrez le contrapone un ser despreciable totalmente sumido en su visión egocéntrica, en cuyo pecho, afirma, «no cabe otra pasión»:

> Orgulloso y satisfecho
> aun basta apenas, estrecho,
> para abrigar mi ambición (II, 2).

Por consiguiente, como en los primeros dramas románticos, salta a la vista el problema de la incomunicación, que le toca a María poner de relieve, ya que ella advierte que el amor no puede residir sino en un lenguaje común. Cuando, al final, Enrique, en la esperanza de ser liberado, se proclama retóricamente su esclavo infame, le contesta con amargura:

> ¡Infamia! ¡Esclavitud! ¿qué es lo que dices?
> Yo no te entiendo: dime que me quieres:
> háblame de mi amor, de tus dolores,
> y podrán nuestras almas comprenderse (V, 1).

En el clima típico de los años cuarenta, la mujer, como hemos visto ya varias veces, renuncia a su papel de víctima u objeto pasivo de la pasión masculina, ya que pretende hacerse sujeto e intérprete del amor, al cual se dedica con la intensidad que caracterizara a los primeros héroes románticos.

Recorría también la obra cierto espíritu democrático, bastante corriente en nuestro autor, que le hacía escribir palabras de exaltación de la burguesía (aquí representada por el padre de María) y de hostilidad hacia la nobleza (Enrique). Protesta María:

> Pelea el mercader, y el noble vende...
> Dime tú ahora, si juzgar sabes,
> cuál es el noble, y cuál es el valiente (I, 5).

Este tema reaparece intensificado en **Simón Bocanegra**, hasta constituir el fondo de la acción, que se desarrolla a lo largo de una lucha por el poder entre nobles y plebeyos y ve el ascenso de un mercader al cargo de dux de Génova. La obra fue representada por primera vez en el Cruz el 17 de enero de 1843 y seguida por 9 reposiciones hasta 1849. Es un drama histórico en 4 actos y un prólogo, escrito en verso, que, como *El trovador*, fue puesto en música por Verdi en 1857 y 1881.

En Génova, en 1338, es elegido dux el mercader y corsario Simón Bocanegra, que entra en la casa de su enemigo Fiesco y allí encuentra, cadáver, a la hija de éste, Mariana, a la que él había amado y con la cual había tenido una hija.

En 1362 Bocanegra descubre que una tal Susana, en realidad María, que vive en casa de Fiesco, es su hija: sus manifestaciones de cariño despiertan los celos de Gabriel Adorno, que conjura contra él. Envenenado por sus enemigos, durante la agonía Bocanegra confía a Susana-María a Fiesco y nombra como nuevo dux a Gabriel.

Como puede verse, la anagnórisis juega nuevamente su papel, así como el amor, desde el paterno de Simón al atormentado de Gabriel, al lúbrico de un tal Paolo que quiere raptar a María. Como siempre, el más fuerte es el amor de la mujer, como comenta Susana:

> ¿Qué otra cosa es sino amor
> el perdurable tormento
> que dentro del alma siento,
> ya horrible, ya encantador?
> Pasión de ruda violencia, etc. (III, 7).

Motivo romántico, desde luego, como románticos son los hábiles juegos de luz y oscuridad, que alcanzan su apogeo en el final donde, reza la acotación:

empiezan a apagarse las luces de la plaza [que se entrevén por una ventana], *de modo que al expirar el* Dux, *hayan desaparecido completamente.*

Pero los motivos románticos más destacados, aunque sometidos a una «voluntad de adecuación»[35] a los tiempos nuevos, son los del recuerdo y del cansancio del poder, que encuentran una perfecta amalgama en el Bocanegra viejo del final. El antiguo corsario siente el peso de la nostalgia por los espacios ilimitados:

> ¡Ah! mil recuerdos de placer, de gloria
> en mi mente fantásticos se agrupan
> con incansable afán que me devora,
> con brillo seductor que me deslumbra.
> ¡La mar! ¡La mar! ¿por qué, desventurado,
> en ella no encontré mi sepultura? (IV, 8).

Había esperado «tener las aguas por tumba» y, en cambio, ahora

---

35 Véase L. F. Díaz Larios en la introducción a la edición de *El trovador* y *Simón Bocanegra*, Barcelona, Planeta, 1989, p. XXXIII.

su existencia,
tan animada y veloz,
se arrastra lenta y cansada,
en su mezquina prisión (IV, 1).[36]

También Hartzenbusch, conquistado por las nuevas orientaciones, fue buscando tramas aventureras y finales felices para los dramas históricos, llevando a las tablas del Príncipe, el 15 de abril de 1842, *Primero yo*, un verdadero drama policíaco ambientado en la España del siglo XVIII (la acción empieza a partir del 11 de octubre de 1757), en el que el culpable, un tal Luciano, revela su crimen durante un ataque de sonambulismo, lo cual permite la liberación de Rosalía, injustamente acusada, y las bodas de Isidoro y Mariana. El éxito fue menos que mediano: la obra tuvo tres reposiciones.

Algunos años más tarde volvió al género histórico-legendario que le había dado tanta celebridad con los *Amantes de Teruel*, estrenando el 29 de mayo de 1845, en el Príncipe, *La jura en Santa Gadea* (3 actos en verso), que se repuso 10 veces.

A instancia de doña Alberta, viuda del rey Sancho, el Cid le pide a su hermano y sucesor, el rey Alfonso, que jure no haber tenido parte en el asesinato de Sancho a manos de Bellido Dolfos. Gonzalo Ansúrez, enamorado de Jimena, amada por el Cid, acusa a éste de haber armado la mano de Bellido. El Cid le reta y sale vencedor del desafío. El rey jura en Santa Gadea, pero en seguida exilia al Cid por un año, a lo cual contesta orgullosamente el héroe alargando por su cuenta el destierro hasta cuatro años.

La historia es violada a sabiendas y el Cid del *Cantar* es sustituido por el más fabuloso del Romancero y de *Las mocedades del Cid* de Guillén de Castro. En efecto, parecen interesar más los amores del héroe y Jimena, con su enredo de celos y desafíos (de Jimena está enamorado también Álvar Fáñez) y con la consabida lucha del protagonista entre amor, deber y honor, que el episodio al que se refiere el título. Los protagonistas manifiestan esa rigidez moral que los divide netamente entre buenos y malos, pero no faltan momentos de profunda ternura, en los cuales juegan un papel de relieve ciertos motivos románticos como el sueño, la visión (el Cid evoca su encuentro con un misterioso gafo) y el tiempo como recuerdo consolador.

Al año siguiente (el 24 de marzo de 1846) llevó a las tablas del Príncipe otro drama histórico, nuevamente ambientado en la Edad Media, pero esta vez retrotrayéndose hasta el período visigótico: *La madre de Pelayo* (3 actos en verso), que sólo fue repuesto 4 veces inmediatamente después del estreno.

---

36 Sobre los motivos románticos en el *Bocanegra*, véase J. L. PATAKY-KOSOVE, The «Comedia lacrimosa» and Spanish romantic drama, London, Tamesis, 1978, p. 126.

En 702 Vitiza quiere casarse con Luz, viuda de Favila, pero ella quiere ante todo en-contrar al hijo que hace 16 años abandonó en las aguas del Tajo. Capturado como rebelde un tal Alicio, se descubre que es Pelayo, el hijo perdido. Vitiza le condena a ser vendido como esclavo, pero él logra escaparse y corre la voz de que está acercándose al palacio real disfrazado con las ropas de su madre. Por eso, un tal Merván mata a Luz, creyéndola Pe-layo, y ésta, agonizante, preanuncia que Pelayo será el salvador de España.

Harto refinado para conseguir un buen éxito (se repuso una sola vez) fue **También los muertos se vengan**, que en la edición lleva como primer título el de **Segunda Parte de la Corte del Buen Retiro**, con el cual Patricio de la Escosura, en aras de la nueva moda, otorgaba un final feliz a esa *Corte del Buen Retiro* que, como exigían los tiempos de su estreno, terminaba con la trágica, injusta muer-te de Villamediana. En el nuevo drama, que se coloca en el aniversario de esta muerte, asistimos en cambio al castigo de Olivares, por fin echado de palacio.

I. *Malcontentos y poetas. Reunidos en casa de la duquesa de Montalbano, el duque de Osuna, el conde de Orgaz, Quevedo, Calderón, Moreto, Góngora y Fernando IV participan en una discusión sobre un tema amoroso, pero son interrumpidos por la lle-gada de Olivares acompañado por sus guardias.*

II. *Memorias del corazón. En los aposentos de la reina, violento encuentro de Osu-na y Orgaz con Olivares, a quien la reina echa fuera.*

III. *Fatídico aniversario. En el palacio de la duquesa, la reina, tapada, se finge la duquesa y recibe los requiebros amorosos del rey.*

IV. *Cuesta abajo. En su despacho, Olivares se desmaya ante la aparición del fantas-ma de Villamediana. Recibe la visita de la duquesa y la oculta al llegar el rey, que a su vez se esconde al llegar la reina, hasta que todo se descubre y el rey se aleja irritado. De-sazón de Olivares.*

V. *Venganza y expiación. En tanto que se representa la zarzuela de Calderón Fie-ras afemina amor, tiene lugar un encuentro entre Haro y Olivares y luego entre éste y el rey, el cual por fin comprende que Olivares le ha ocultado la verdadera trágica si-tuación del país. Querría ajusticiarle, pero la reina consigue que sólo se le aleje: deses-peración de Olivares, que habría preferido la muerte.*

El drama reconstruye, como y más que el anterior, el ambiente cortesano del Siglo de Oro, con sus justas poéticas, con su pasión por el teatro, con sus in-trigas y su cotilleo. Muy acertado el acto final, que se desarrolla todo en un ám-bito metateatral. Por otro lado, el metateatro aparece también en el acto IV, donde el rey, después de tanto escondite, comenta:

> No hay lance de Calderón
> que se iguale a esta aventura! (IV, 9).

Más ligado a la tradición aparece Gil y Zárate. Su **Don Álvaro de Luna**, a pe-sar de estrenarse el 28 de enero de 1840 en el Príncipe (siguieron 10 reposiciones en el mes de febrero), podría muy bien colocarse entre los dramas reconstructivos de 1837, conforme al patrón de *La corte del Buen Retiro*. Ambientado en 1453, narra la conocida historia de la caída del célebre valido, entrelazándola con hechos novelescos de amor y de celos.

En el intento de presentar una reconstrucción fiel de la época, el autor introduce a personajes ilustres como Juan de Mena o Santillana, representa un torneo con su contorno de damas de la nobleza («¡Qué es ver en altos balcones / colgados de rica grana / tanta beldad que se afana / por robar los corazones!» [I, 6]) y hasta emplea un lenguaje vagamente arcaizante, que adquiere un valor funcional, como lo demuestran los siguientes dodecasílabos puestos en boca de Santillana:

> Oíd, infanzones, guerreros de pro,
> los que en noble lucha, con hechos gloriosos
> que ensalza la fama, los lauros honrosos
> habéis merecido que Marte plantó (II, 10).

Pero el vínculo más estrecho con las obras de la época anterior se nota en un sentido agobiante del tiempo, que aparece en la forma ya definitivamente asentada del plazo y acompañado, en el protagonista, por un sentimiento de austero desengaño. Todo el acto V se desarrolla sobre el pasar de la hora que separa a don Álvaro de la muerte, entre el repicar del reloj de la torre que da las dos en la primera escena y las tres en la última. En las escenas intermedias los personajes cruzan el tablado corriendo, en lucha afanosa contra el tiempo inexorable, que resultará al fin vencedor.

> se halla muy distante de merecer los exagerados encomios con que los parciales del autor han encarecido su mérito. [...] Preciso es decirlo: ni aun se halla remotamente caracterizada por el poeta aquella sociedad tan grave y docmática [sic] por una parte, y tan frívola y caballeresca por otra (*Eco del Comercio*, 7-II-1840).

A otro valido llevó a la escena al año siguiente en **Un monarca y su privado**, estrenado el 26 de abril de 1841 en el teatro del Príncipe, y repuesto en los tres días siguientes.

El conde-duque de Olivares ayuda al rey a conseguir a Serafina, que, ligada en mutuo amor con el animoso Fernando, le rechaza. Pero se descubre que la joven es el fruto de un estupro sufrido por la mujer de Olivares y que el autor del estupro fue el propio conde-duque. Fernando se casa, pues, con Serafina, y Olivares, destituido, vive feliz en el seno de su familia.

Muy en consonancia con las nuevas orientaciones se revela el personaje de Fernando, que ostenta seguridad y desenfado, y que, entre otras cosas, se dirige al rey, que ha entrado en la casa de su novia, con un discurso recargado de orgullo burgués y de espíritu liberal:

> mas, señor, en este sitio
> a tal punto os relajáis,
> que perdiendo la corona
> al pasar aquel umbral,
> hora soy el soberano,
> vos el vasallo no más (III, 8).

Esta composición no pertenece esclusivamente a ninguno de los géneros en que se suele dividir la poesía dramática, y en ella se ha procurado continuarlos todos, pasándose alternativamente de escenas propias de la comedia de costumbres a otras semejantes a las de nuestro teatro antiguo, o bien con el carácter de las del drama moderno (*Gaceta de Madrid*, 26-IV-1841).

Sin embargo, los mayores aplausos los obtuvo Gil y Zárate con **Guzmán el Bueno**, tal vez más por el asunto, tan arraigado en la cultura española, sobre todo en el teatro, que por la forma de tratarlo. En efecto, llevado a las tablas del Príncipe el 26 de febrero de 1842, rozó las 30 reposiciones en cuatro años.

Recorre las líneas tradicionales del suceso, con un tono que oscila entre la solemnidad de la tragedia y las tonalidades más recogidas del drama, dando más relieve a los sentimientos individuales (con cierta insistencia en lo patético: se introducen la madre y la novia del chico, que luchan por salvarle) que a los aspectos político-patrióticos.

Un final alegre habría chocado demasiado con la tradición, pero Gil consigue igualmente consolar a los espectadores cerrando la obra con las palabras alentadoras del propio Guzmán:

> No ha sido inútil
> de mi más pura sangre el sacrificio.
> Con ella en esos campos un ejemplo
> del honor castellano dejo escrito,

añadiendo consideraciones que se dirigían también al presente de la nación:

> sepa España
> que otros tantos Guzmanes son sus hijos.

Más en consonancia con la época, los 5 actos en verso, también de Gil y Zárate de **El Gran Capitán** (Príncipe, 14 de noviembre de 1843, 4 reposiciones) presentan a un protagonista caballeroso y valeroso, que trata con mucho desenfado la administración del dinero (a un alcalde de corte que le pide un informe financiero responde señalando gastos genéricos por cañones, vendas, etc., añadiendo también el coste del tañer de las campanas para celebrar las victorias). A su lado, también todos perfectos, intachables, de forma que es muy presumible su conducta.

Nemours ama a Elvira, hija del Gran Capitán, que le concede su mano. Obligados a batirse el uno contra el otro, se separan de mal grado. Después de varios altibajos, vencen los españoles y Nemours es llevado al campo español, herido de muerte: expira en los brazos de su amada Elvira.

No hay el final feliz de costumbre y la conclusión es melodramática, pero casi obligada, porque el autor tenía, en un momento dado, que liberarse de ese Nemours, bueno y simpático sí, pero al fin extranjero y enemigo.

si se echa de menos falta de brío y atrevimiento en las figuras, en cambio ninguna escasea de verdad y esmerado dibujo. [...] La elevación moral, la bizarría y espíritu caballeresco de la época han encontrado en el señor Gil un intérprete elocuente y fiel (GIL, *El Laberinto*, 1-XII-1843).

Uno de los mayores éxitos de Gil y Zárate fue sin duda una obra que no sabemos si definir drama o comedia, aunque posee rasgos más propios de ésta: se trata de ***Cecilia la cieguecita*** (3 actos en verso), que obtuvo 36 representaciones y fue estrenada el 7 de febrero de 1843 en el Teatro del Príncipe. El público quedó impresionado evidentemente por la figura de la joven ciega que, a pesar de su desgracia, sabe obrar con la debida maña y salir felizmente de los apuros: una versión particularmente original de la joven despejada tan en boga.

Madrid, 1840. Juan, en trance de casarse con su pupila Clotilde, recibe en casa a la ciega Cecilia y a su hermano Enrique. Éste consigue que Clotilde lo reciba en su habitación, pero Cecilia lo impide y despierta a todos. Enrique y Clotilde escapan y Juan se casa con Cecilia.

Un gran éxito consiguió ***Cerdán, justicia de Aragón*** (3 actos en verso) de Miguel Agustín Príncipe, que, representado por primera vez en el Teatro del Circo el 20 de julio de 1841, fue repuesto 11 veces.

Cerdán, con su inflexible sentido de la justicia, se enfrenta con el rey Pedro el Cruel, que le depone de su cargo. Pero él recorre al Consejo de los Quince, que lo confirma en su puesto. Su hija Elvira, a punto de casarse con el infante Juan, prefiere recluirse en un convento porque su matrimonio supondría la renuncia de Cerdán al cargo de justicia, que no puede pertenecer a quien esté emparentado con la casa real.

Nuevamente salía a escena Pedro el Cruel, pero esta vez en una visión más liberal y democrática, para ser derrotado propiamente en la administración de la justicia, que era el papel más tradicionalmente suyo. La obra terminaba con una sentencia destinada a arrancar los aplausos:

sólo en ella [la ley]
puede ser libre y venturoso un pueblo.

Seguramente, en esta «idea filosófica», como se ha dicho, que recorría toda la obra, residía el secreto del éxito.

Habrá en fin, para rematar el cuadro, que mencionar la vuelta al teatro de los padres del drama histórico, Martínez de la Rosa y el Duque de Rivas.

El primero estrena *El español en Venecia o La cabeza encantada* el 27 de enero de 1843, en el Príncipe, consiguiendo luego otras 11 reposiciones en los dos años inmediatos. La evidente, y seguramente intencionada, imitación de la comedia antigua (con sus correspondientes galán, gracioso, damas tapadas, criados y una gran cantidad de equívocos) se anima gracias a un particular dinamismo escénico (hay persecuciones en góndola, celos infundados, desafíos, etc.), un diálogo vivacísimo y una concepción del amor que, desde la galantería inicial, adquiere, en el final, los acentos de una pasión romántica.

> *En Venecia, Luis, acompañado por su criado Salpicón, se encuentra varias veces con su amada Inés, a la que ha abandonado en Nápoles y a la que no reconoce sino al final. En la casa de una tal Matilde, donde Inés se hospeda, Luis habla con una cabeza de bronce que responde puntualmente a todas las preguntas. Se desmaya e Inés le confiesa su amor. Se casará con ella y Salpicón con la criada.*

Del Duque de Rivas se representó el 2 de marzo de 1841, en el Príncipe, *Solaces de un prisionero*, donde se presenta a Carlos V y a Francisco I corriendo aventuras nocturnas en Madrid durante el cautiverio del rey francés: obra algo ingenua que sólo conoció una media docena de reposiciones.

El 25 de noviembre del mismo año, y en el mismo teatro, salió a las tablas otro drama histórico de Rivas, titulado *La morisca de Alajuar*, que recuperaba tonos e ingredientes del drama sentimental, con una doble anagnórisis final y momentos de tensión ante una condena a muerte suspendida a última hora.

> *Fernando y María, moriscos, se encuentran enredados en la revuelta organizada por sus deudos, y después de varias peripecias son condenados a muerte. Se salvan porque un conde y un marqués reconocen en ellos a sus respectivos hijos.*

El patetismo ya trillado de ciertas situaciones y de cierto lenguaje («Cumpliéronse mis días... / pues alcancé a ser tuya, nada espero», comenta María cuando cree que va a morir [III, 3]) no bastó para mantener en cartel la obra, que sólo se repuso al día siguiente.

4. LA COMEDIA DE LOS AÑOS CUARENTA

Además de *El pelo de la dehesa*, Bretón estrenó en el año 1840 otra pieza muy acertada, que encontró bastante favor, ya que se repuso una decena de veces: *El cuarto de hora* (Príncipe, 10 de diciembre).

En ella el comediógrafo trasponía a tonalidades cómicas el tema del apremio temporal, al cual ya se aludía en el propio título.

El tímido mayordomo Ortiz y el presuntuoso Marchena aspiran a la mano de Carolina, que coquetea con los dos. La criada Petra y la tía Liboria a su vez se jactan de ser objeto de galanteo: Ortiz toma al fin la decisión de declararse con un dibujo alegórico y luego con palabras. Carolina le acepta, con gran rabia de Marchena y desilusión de Petra y Liboria.

El título deriva de la afirmación de Marchena de que toda mujer tiene «su cuarto de hora» en el que está dispuesta a rendirse a quien la corteja. Partiendo de ahí, la indicación temporal sale a relucir continuamente para indicar no sólo rendición sino también ilusión («¡Ay, infeliz, / que ya llegado creía / el cuarto de hora!» [IV, 1]), fracaso («¡Ay! ¡también mi cuarto de hora / llegó, y con sal y pimienta!» [V, 8]), fatalidad («¿quién se libra, hija mía, / de un cuarto de hora fatal?» [V, últ.]), y así sucesivamente hasta convertirse en una especie de *leit-motiv* que recorre toda la pieza.

A su lado, otras referencias temporales salpican la comedia; desde cierta indiferencia de parte de Carolina, que ante la insistencia de la tía para que tome una rápida decisión de casarse contesta fríamente:

> ¿teme usted que se me pase
> el tiempo? (II,1),

a la conciencia de la tía Liboria, «que peina ya la mitad de un siglo» y sin embargo se rebela contra la marginación erótica y cuando la sobrina le hace notar la desproporción entre su edad y la del supuesto galán Marchena («Ajuste usted la cuenta: / de veintiocho a cincuenta...») no duda en contestar: «Catorce» (III, 6) y tampoco puede soportar «¡Tantos años de viudez!» (IV, 7).

Por no hablar de los juegos entre *hoy* y *ayer*, entre la relatividad del sentimiento del tiempo que los unos consideran lento y otros apresurado, para concluir en fin en ese dibujo alegórico donde Ortiz se ha representado a sí mismo declarándose a Carolina mientras un reloj marca la nueve y cuarto, que es justamente la hora en que se lo está enseñando.

Con este malabarismo temporal y la sonrisa que le acompaña, Bretón enviaba nuevamente, desde las tablas, un mensaje romántico.

En ese mismo año 1840, el 19 de octubre, en el Cruz, Santos López Pelegrín (Abenamar) presentó la comedia vagamente histórica en 4 actos y en verso titulada ***Cásate por interés y me lo dirás después***, que se repuso unas seis veces.

Isabel, abandonada por Diego, del cual ha tenido un hijo y que ahora se desposa con Luisa, puede por fin casarse con él gracias a la muerte providencial de su esposa.

La intriga se complica con una serie de amores entrelazados conforme a la tradición cómica, pero el autor sabe en ciertos momentos reavivarlos con felices toques psicológicos. Un tal Juan, que ama a Luisa, la induce a casarse con Diego, porque, como afirma la mujer,

> hay amantes caprichosos,
> que tan sólo son dichosos
> a la sombra del marido (I, 3).

El 2 de mayo de 1842 Bretón estrenó en el Príncipe otra comedia en la que volvía a explotar el tema tan repetido de la burla del romanticismo: se trataba de *El editor responsable* (3 actos en verso), que se representó 7 veces seguidas, subrayando un éxito inmediato muy positivo, aunque no duradero.

La romántica Josefina, galanteada por el editor reponsable del Terremoto, Gaspar, prefiere al periodista Dupré, que la encanta utilizando recursos románticos. Cuando se desengaña, quiere volver a Gaspar, pero éste escoge a su ayudante Ana.

Menudean las sátiras del romanticismo, por supuesto francés, que ya suenan algo flojas, pero que no dejarían de despertar la risa de los oyentes, como en el siguiente episodio en el que Gaspar promete «un suicidio de grande espectáculo» que describe así:

> Te mato primero,
> mato luego a tu galán,
> y después me mato yo.
> ¡Espantosa trinidad!

La romántica Josefina no puede menos de exclamar:

> Basta, ¡oh! basta. Eso es tener
> corazón; eso es amar.
> ¡Oh numen de *Víctor Hugo*
> y de *Alejandro Dumas!* (I, 10).

Por fin, le invita a comer:

> y la víctima
> sea por hoy... un faisán.

El fecundo Gil y Zárate no descuidó la nota cómica y el 28 de septiembre de 1842 llevó a las tablas del Príncipe *Un amigo en candelero*, comedia en 5 actos y en verso, de éxito inmediato, como parecen demostrar las 7 representaciones seguidas. Se trata de una comedia histórica, ambientada en Madrid, «a fines del año de 1719».

El amigo en cuestión es Gonzalo, alto funcionario del cardenal Alberoni y amante de una condesa. Protege a sus amigos menos importantes (Aquilino y los hermanos Gabriel y Clara, de la cual estuvo un tiempo enamorado) salvándolos de las persecuciones de Alberoni, contra el cual él mismo conjura. La caída de Alberoni, provocada por Gonzalo, le alcanza, pero los amigos se declaran dispuestos a ayudarle. Entre tanto, la condesa se gana la admiración general al aceptar las bodas entre Clara y Gonzalo, por la felicidad de éste.

Es un mundillo de seres perfectos que se defienden mutuamente de la violencia de los políticos. La trama procede a través de una infinidad de peripecias, a cual más ingenua e inverosímil.

> Pasó el romanticismo como pasa todo; vino la escuela mixta, bastarda amalgama de dos extremos, y pensamiento de un imposible; y con *Un amigo en candelero* nos ha dado el Sr. Gil la más admirable muestra de lo fácil que le es a su genio el plegarse a las exigencias literarias de los tiempos y de los públicos [...] No puede darse comedia más pobre de efectos (*Gaceta de Madrid*, 6-X-1842).

A principios de los años cuarenta asistimos también al resurgimiento de la comedia de magia, por obra de dos autores muy conocidos en el mundo teatral del tiempo: Hartzenbusch y Bretón.

La nueva temporada del género empezó más exactamente a fines de 1839, cuando, el 25 de octubre, se estrenó en el Príncipe **La redoma encantada**, compuesta por Hartzenbusch, que consiguió un éxito inmediato muy brillante, visto que se repuso casi sin interrupción a lo largo de todo el mes de noviembre.

De una redoma en la que estaba encerrado sale el marqués de Villena, que acompaña a Garabito, convertido en Archimaga, en una serie de cómicas aventuras. Participan también en un concilio de magos, en el cual se decreta que la magia ha terminado en España y los magos deciden dedicarse a otros oficios más rentables, como casamenteros, escribanos, asentistas.

La única magia auténtica es, como en la célebre *Pata*, la del amor, que «es el bien mayor / que en esta oscura morada / le dio al hombre el Hacedor» (II, 5).

> Larga tarea fuera la mía si intentase referir lo más notable que en la parte literaria contiene la pieza: otro tanto sucede con la artística, en la que el Sr. Lucini se ha mostrado tan rico en conocimientos, tan inteligente, tan verdadero, que injusto fuera no concederle los elogios (*Gaceta de Madrid*, 10-XI-1839).

Alentado por el éxito, Hartzenbusch compuso en seguida **Los polvos de la madre Celestina**, que le granjeó todavía más aplausos, siendo repuesta más de 50 veces después del estreno (Príncipe, 11 de enero de 1841).

Celestina, que no ha muerto todavía, le proporciona al poeta García Verdolaga unos polvos mágicos con los cuales puede hechizar a su rival don Junípero y conseguir la mano de su amada Teresa. Le ayuda también la Locura, que crea las situaciones más cómicas a expensas de Junípero. El cual, por fin, se casará con Celestina que, al primer beso de su esposo, rejuvenece, pero pierde sus facultades mágicas, y no le queda más que la de «hechizar a su marido».

La obra contenía, para mayor diversión de los oyentes, una relevante cantidad de referencias y parodias literarias, entre las cuales descuellan las de *La vida es sueño* y *Lucrecia Borgia*.

La última labor de Hartzenbusch en este campo, **Las Batuecas**, contiene un explícito fondo moralístico que no debió de gustar mucho a un público que más bien prefería divertirse sin demasiados compromisos. De hecho, la pieza, que se estrenó en el Príncipe el 25 de octubre de 1843, conoció solamente unas 6 reposiciones.

Los magos Virtelio, Sofronio y Fortunio (símbolos transparentes de virtud, sabiduría y fortuna) ayudan los dos primeros a una pareja de enamorados y el tercero a un burro que se ha convertido en un ser humano. La suerte favorece al ex burro, en tanto que los que han elegido virtud y sabiduría conocen sólo amargura y desengaños. Pero todo termina felizmente con las bodas de los enamorados, en tanto que el burro vuelve a su estado primitivo.

> el público ha visto con desagrado, a nuestro parecer justo, la comedia de magia titulada *Las Batuecas*. [...] Las pocas gracias que contiene el diálogo son descoloridas en demasía, y de ningún modo compensan lo desordenado de la fábula, la inverosimilitud de los caracteres y situaciones, y la flojedad y desaliño [...] En cambio las decoraciones y adornos escénicos son de un gusto y esplendidez verdaderamente notables, y hacen gran honor al talento artístico del Sr. Lucini (GIL, *El Laberinto*, 1-XI-1843).

Bretón intentó el registro mágico una sola vez, estrenando en el Príncipe, el 3 de noviembre de 1841, con buen éxito inmediato (poco menos de 20 funciones casi seguidas) **La pluma prodigiosa**.

El joven Gonzalo, desesperado por no poderse casar con Elvira, recibe de una gitana una pluma-talismán que le permite realizar los deseos que escriba en el aire. Como Gonzalo escribe tres deseos locos (ser poeta, ser inmortal y volverse mujer), se le niegan. Después de varias aventuras, se casa con Elvira.

Es curioso que la obsesión por un fondo histórico sugiere a Hartzenbusch la ubicación de *La redoma* en 1710, de *Los polvos* en el siglo XVII y de *Las Batuecas* en 1488, en tanto que Bretón sitúa a sus personajes en el siglo XVI: quizás la lejanía en el tiempo favoreciera el clima de escapismo propio de este género.

VII. HACIA EL REALISMO

Una tradición crítica bastante fundada indica como inicio del teatro realista, en su aspecto más destacado de la alta comedia, el estreno de *El hombre de mundo* de Ventura de la Vega. Efectivamente, se trata de una obra cuya función y cuya intención de ruptura saltan a la vista y por tanto se le puede muy bien atribuir ese valor paradigmático.

Naturalmente, como siempre ocurre en estos casos de clasificación por movimientos literarios, se pueden encontrar fácilmente antecedentes, así como es también posible, sobre la base de afirmaciones de los mismos autores del teatro realista, argüir que se trate de una evolución interna al propio romanticismo: Adelardo López de Ayala se consideraba un romántico.

Por otro lado, aquí no interesa tanto una definición del teatro realista, o más específicamente de la alta comedia, como poner de relieve el asomar de ciertos aspectos que serán corrientes en las obras de Ayala, justamente, Tamayo y Echegaray, es decir, de los que mejor interpretaron la dramaturgia española de la segunda mitad del xIX.

Dejando a un lado las anticipaciones que se pueden entrever en los mismos comediógrafos y dramaturgos románticos, empezando por el propio Bretón, podemos afirmar que el primer paso evidente en esta dirección lo dio Tomás Rodríguez Rubí, otro profesional de la escena del cual se ha analizado esa exitosa *La rueda de la fortuna* que, por los motivos sociales que desarrolla, ya podría figurar en una lista de antecedentes.

Rubí se dio a conocer con **Toros y cañas**, una comedia muy enredada en 3 actos y en verso, que se estrenó en el Príncipe el 5 de noviembre de 1840.

Un barón, un conde, un vizconde y un capitán aspiran alternativamente a la mano de las dos hermanas Clara y Carolina. En tanto que la primera ama al conde, con quien se casará, la segunda está disponible para el conde, el capitán don Marcial y el vizconde,

219

hasta que se casa con el último. Paralela es la trama del barón que toma clases de toreo del torero Currillo y que al final renunciará tanto a las bodas como a los toros.

Comedia sin mayor trascendencia pero muy divertida, con sus juegos de amores complicados pero festivos, con su torero andaluz que se porta según el estereotipo del andalucismo, y sobre todo con esa figura inusual de la chica que juguetea tranquila y alegremente con el amor, debió de gustar bastante si se repuso 10 veces.

Después de un muy exitoso acto único (más de 40 representaciones) protagonizado por una muchacha endiablada, que de cierta forma es precursora de Juana, la de las «travesuras» (*El diablo cojuelo*: Teatro del Príncipe, 10 de abril de 1842), compuso Rubí un drama histórico, *Dos validos y castillos en el aire*, que según W. F. Smith señala el inicio de su participación en la alta comedia[1]. Fue otro éxito rotundo, ya que se repuso unas 35 veces.

Trata de la lucha entre Peñaranda, jefe del partido español, y el padre Nithard, filoaustríaco y odiado por el pueblo. No hay duda de que el triunfo le va a sonreír al primero, el cual desde el primer momento se atrae la simpatía del público con su calma y honesta sabiduría, contrapuesta a la falsedad e inferioridad, moral e intelectual, de su enemigo. El clima relativamente nuevo consiste sobre todo en el interés por el aspecto humano de los personajes históricos, que actúan de una manera más corriente; por eso la lucha entre los dos validos se desata más a golpes de ingenio que de encuentros físicos, como se conviene a un mundo intelectualizado cual será el de la alta comedia.

Peñaranda, apoyado por el pueblo y odiado por los nobles, se alía con Juan de Austria contra el padre Everardo Nithard, que azuza a la reina contra él y desprecia al pueblo. Peñaranda consigue al fin atraer a la reina a su partido y, en un coloquio final, derrota a su adversario, que no ha sabido construir más que «castillos en el aire».

Huelga subrayar el patriotismo, hasta se diría el chovinismo, de la pieza, el cual aparece reforzado por cierto clima anticlerical que encuentra su momento más teatral cuando Nithard, después de rechazar a la plebe que había invadido el palacio gracias a la estratagema de presentarse llevando una cruz, comenta irónico:

> Sabed que tengo, villanos,
> a vuestro Dios en las manos,
> a vuestra reina a los pies (II).

> [El padre Nithard] hace seis años hubiera conseguido alborotar, máxime si concluía el reverendo sus días en las tablas por alguna puñalada a lo Froilán

---

[1] W. F. Smith, «Contributions of Rodríguez Rubí in the development of the alta comedia», *Hispanic Review*, X (1942), p. 55.

> Díaz: pero ya pasaron aquellos tiempos, y con ellos semejantes dramas (*Gaceta de Madrid*, 7-XI-1842).

Los motivos del teatro realista aparecen ya muy evidentes en la comedia en 3 actos en verso **Detrás de la cruz, el diablo**, estrenada en el Cruz el 17 de noviembre de 1842, y repuesta 10 veces hasta 1847.

Pablo, descuidado e indiferente con su esposa María, hospeda al libertino Tadeo, que atenta contra la virtud de la mujer. Finalmente Pablo reacciona, desafía a Tadeo, que huye, y echa de casa también a la intrigante tía Petra y a otro huésped igualmente enamorado de María.

La trama parece anunciar *El hombre de mundo*, así como el interés por la vida conyugal y la relación de la pareja con la sociedad son aspectos propios de la alta comedia. El título proviene de una frase que María pronuncia cuando el marido le dice que confía en su virtud; ella le avisa entonces de que

suele estar
detrás de la cruz el diablo (I, 17).

> La comedia de Rubí deja un vacío que el expectador no puede explicarse y consiste, por ejemplo, en que un libertino que trata de seducir a la mujer de su amigo se cure de repente con una bofetada [...] No obstante, tiene rasgos muy buenos que fueron oídos con agrado (*Gaceta de Madrid*, 26-XI-1842).

Dos años después (el 9 de junio de 1844, en el Teatro del Circo) presentaba una refundición, o mejor dicho un plagio, del gorostizano *Don Dieguito*, en una comedia en 4 actos y en verso titulada **Al César lo que es del César**.

Para abrir los ojos a su hijo Enrique, caído en las redes de Rosa y de su tía Gertrudis, don Pedro pide la mano de la novia de su hijo, y ésta y su tía, enteradas del buen caudal del pretendiente fingido, aceptan con entusiasmo. Desengañado, Enrique se aleja con el padre, dejando desilusionadas a las estafadoras.

Dentro del esquema moratiniano-gorostizano, asoman motivos antiguos pero en consonancia con la nueva época; sobre todo, el del atractivo ejercido por el dinero: «esa gente», amonesta don Pedro,

esa gente no tiene
más ídolo que el dinero (II, 8).

Pocos meses antes, el 16 de marzo, Rubí había estrenado en el Príncipe otro drama (4 actos en verso), que tuvo nada menos que 26 reposiciones en cinco años. Se titulaba **Bandera negra** y repetía los esquemas, tradicionales ya, del drama histórico de la época, con su protagonista hábil y testarudo que no se arredra ante las dificultades y sale al fin vencedor.

En 1661, en casa del ministro de Felipe IV Luis de Haro, la hija de éste, Esperanza, recibe la visita de un tal Félix, sobrino del cardenal de Toledo, que le declara su amor pero que, rechazado por la chica, promete guerra, afirmando que entre los dos se ha alzado una bandera negra. Félix denuncia una conjuración contra el cardenal, por la cual es encarcelado don Luis. Se enfurece Esperanza contra Félix, pero cuando éste consigue para su padre la gracia del rey, se aplaca y acepta su mano: ya no hay bandera negra entre los dos.

> *Bandera negra* es un espectáculo del que salen satisfechos por igual el corazón, la imaginación y el entendimiento de los espectadores (GIL, *El Laberinto*, 1-IV-1844).

Si *Bandera negra* encajaba naturalmente dentro del teatro tardorromántico, el «drama trágico» en 4 actos y en verso titulado **Borrascas del corazón**, y estrenado tres años más tarde (Príncipe, 27 de septiembre de 1847), está mucho más orientado hacia la sensibilidad teatral de las épocas siguientes: en muchos pormenores, hasta se diría en el título, aparece en efecto bastante cercano a ciertos dramas de Echegaray.

El amor de Leonor y Juan es turbado por la decisión del rey de casar a la chica con Luis Fajardo, ligado en mutuo pero silencioso amor con Blanca, la madre de Leonor, que por eso se atormenta y deprime. El caballeroso Luis consigue del rey la autorización al matrimonio de Juan y Leonor. Sospechoso, el padre de ésta reta a Luis, pero cuando se les presenta la escena espeluznante de Blanca muerta abrazada a una cruz, renuncia a su hostilidad.

El amor imposible de los románticos es ahora un amor adúltero que los enamorados rechazan virtuosamente y que, en su lucha con el deber, lleva hasta la locura y la muerte. Porque, eso sí, la pasión puede ser refrenada, pero no se apaga nunca, como subraya Luis:

> el imposible que adoro
> va siempre, siempre conmigo.
> Y ahora os pregunto yo:
> ¿sabéis vos cuánto es horrible
> adorar un imposible
> como nadie lo adoró? (II, 4).

El final es muy efectista: Leonor levanta un tapiz detrás del cual sorprendentemente se descubre ante los ojos de los espectadores el cadáver de Blanca abrazada a la cruz: un final que realmente no desentonaría en un drama de Echegaray.

Aprovecha la ocasión don Luis para sentenciar:

> suframos, pues, y acatemos
> del cielo la eterna ley.

Aquí el autor siente el deber de añadir un pegote patriótico y Luis agrega:

> suframos... y por el rey
> y por la patria lidiemos.

Para terminar en fin con una reminiscencia del *Tenorio*: Blanca, dice,

> allá en la celeste altura,
> será el ángel de ventura
> que alcance mi salvación (IV, 8).

La obra, cuyo contenido podría pertenecer a cualquier época, está curiosamente situada en 1614, aunque nada parece autorizar una ambientación histórica tan exacta.

Rubí compuso una infinidad de obras de todas clases, en armonía con su ingenio multiforme. Entre tanta producción vale la pena destacar una simpática comedia de magia «sin magia», que estrenó el 3 de abril de 1843 en el Teatro de la Cruz y que no debió de conseguir un gran éxito, visto que sólo se repuso 4 veces en el mismo mes: **La bruja de Lanjarón o Una boda en el infierno**, 3 actos en verso.

A la duquesa viuda de Lanjarón le ha sido impuesto por testamento casarse con Lope de Silva, que ha amado y deshonrado a Rosalía, la cual ahora se hospeda, con su ex amante, en el propio castillo de Lanjarón. La duquesa se hace pasar por bruja y encierra a todos en una caverna, haciéndoles creer que se encuentran en el infierno, hasta que Lope decide casarse con Rosalía, a la que juzga un alma en pena como él.

Comedia de puro pasatiempo, pero no exenta de la manifestación de sentimientos auténticos y profundos, emplea una escenografía de gusto romántico al servicio de la magia fingida: un salón gótico, una caverna, apariciones de demonios y fantasmas. Se pretende atribuirle una colocación histórica situando la obra en el año 1598.

Si la adhesión de Rubí al teatro realista es, al menos en la década de que nos estamos ocupando, parcial y ocasional, en cambio, como decíamos, se juzga que **El hombre de mundo** de Ventura de la Vega es el verdadero prototipo del género. La obra (4 actos en verso), después de un estreno en el teatrito privado de la condesa de Montijo, donde tuvo como intérpretes a aristócratas y literatos (entre los últimos Escosura y el propio Vega),[2] pasó poco después a las tablas del Teatro del Príncipe (el 2 de octubre de 1845), donde se quedó hasta el día 12, para ser luego repuesta otras 35 veces.

Don Luis acoge en su casa a un antiguo compañero de libertinaje, don Juan, que en seguida se pone a galantear a su mujer, Clara, hasta que la inflexibilidad de ésta le obliga a marcharse. Paralelamente, florece el amor puro e ingenuo de Emilia y Antoñito, que deciden casarse en el momento en que Luis y Clara disfrutan nuevamente de la tranquilidad de su hogar.

La obra de Vega se situaba ideológicamente en el clima de la Restauración que empezaba justamente entonces con la nueva Constitución, más monárquica y conservadora respecto al Estatuto de 1837.

Era, al mismo tiempo, la recuperación de la comedia neoclásica,[3] con el riguroso respeto de las reglas y la versificación tradicional, y la reivindicación definitiva y abierta de esos valores tradicionales que el romanticismo había hollado o al menos puesto en tela de juicio. Era, sobre todo, la exaltación de la institución familiar y, por consiguiente, la condena del libertinaje, que se manifestaban atacando indirectamente a ese *Tenorio* que no podía sino escandalizar a los buenos burgueses, a pesar del arrepentimiento final y de la salvación (aunque también ésta podía parecer escandalosa) del libertino.[4]

Contraponiéndose, pues, a la obra maestra de Zorrilla, Vega llevaba a la escena a dos personaje que ya en el mismo nombre remedaban a los dos protagonistas del *Tenorio* y que, cuando se encuentran en la casa de Luis, no pueden evitar recordar, en un renovado *Catálogo*, sus mezquinas aventuras, que estriban esencialmente en el adulterio, con la consecuente irrisión de los maridos burlados: dos versos se hicieron tan famosos que todo el mundo los iba repitiendo:

> Todo Madrid lo sabía:
> todo Madrid... menos él (I, 8).

Pero si Juan sigue apegado a las viejas costumbres libertinas, Luis en cambio se ha casado y exalta el matrimonio frente al escepticismo del amigo. Lo

---

[2] Véase F. C. SAINZ DE ROBLES, *El teatro español, historia y antología*, VII, Madrid, Aguilar, 1943, p. 265. Añade el crítico que Vega era «actor formidable que hubiera podido triunfar en los mejores teatros públicos de Madrid».

[3] Para ALBORG, *op. cit.*, p. 651, «*El hombre de mundo* continúa de la más exacta manera la tradición de la comedia moratiniana».

[4] Sobre la relación con el *Tenorio*, véase J. DOWLING, «El Anti-Don Juan de Ventura de la Vega», *Actas del VI Congreso de la AIH*, Toronto, 1980, pp. 215-218. Véase también E. CALDERA, «L'antiromanticismo di Ventura de la Vega», *Saggi in onore di G. Allegra*, Perugia, Università, 1995, pp. 41-50, y M. P. YÁÑEZ, «Lo que va de ayer (1844) a hoy (1845): el donjuanismo en *El hombre de mundo* de Ventura de la Vega», *Actas del coloquio «Del romanticismo al realismo»*, Barcelona, Publicacions Universitat de Barcelona, 1998, pp. 155-166.

que es más interesante, en este aspecto, es el rechazo del amor romántico y su sustitución por un sentimiento tranquilo y razonado, como fundamento indispensable para una buena vida matrimonial. Cuando se casó, confiesa Luis, «ni el dinero me movía, / ni amor ofuscaba el alma»; el sentimiento que le dominaba, dice,

> Ni es tampoco aquel delirio,
> aquella fiebre de amante,
> abrasadora, incesante,
> que más que gozo es martirio.

En suma, no es el amor predicado por los románticos (y que, como hemos visto, será justamente el «martirio» de algunos personajes de *Borrascas del corazón*: Rubí había aprendido la lección); en cambio,

> Es fuego que da calor
> al alma, sin abrasar,
> es conjunto singular
> de la amistad y el amor.

Es una suerte de sentimiento social, al cual no puede faltar cierto vínculo con el patriotismo:

> ya por el público bien
> te afanas, en ti rebosa,
> con el amor de tu esposa
> el de tu patria también (I, 7).

Acabado el clima platonizante y desengañado del romanticismo, empieza otra época, de marca vagamente ilustrada, en la que se pretende reconducirlo todo al dominio de la razón. Y contra la desilusión que caracterizaba a los primeros héroes románticos, lo que ahora impera es en cambio el optimismo, que divisa en las soluciones racionales la superación de todos los problemas.

Es un optimismo destinado a durar poco tiempo en la escena española, ya que los dramaturgos que seguirán en la senda abierta por Vega —desde Tamayo a López de Ayala a Echegaray— se dejarán llevar más bien por una visión desengañada de las relaciones en el interior de la familia, que franqueará el camino hacia nuevos dramas y nuevas formas de angustia existencial.

Sin embargo, en el momento del triunfo de *El hombre de mundo* el público descubrió una reconfortante visión de la vida que correspondía a sus ideales. Se inauguraba también una diversa interpretación del teatro, que dejaba a un lado las sorpresas, los golpes efectistas, el dinamismo de la acción para sustituirlos por la discusión pacata y el contraste ideológico. Se producía, en una palabra, una vuelta a un teatro orientado más hacia el oír que hacia el ver: en otros términos, un teatro de *élite*.

En la segunda mitad de la década se asoman a la escena española nuevos dramaturgos destinados a recibir laureles en las épocas siguientes, que empero ya consiguen despertar la atención y hasta el entusiasmo desde sus primeras pruebas.

A mediados del 44, el 17 de junio, en el Príncipe, se da a conocer una joven escritora, Gertrudis Gómez de Avellaneda, que estrena con mucho éxito ese *Alfonso Munio*, que reelaborará luego y publicará nuevamente con el título de *Munio Alfonso*. La autora, siguiendo un camino recorrido también, aunque raramente, por algunos escritores románticos, se presentaba animosamente con una tragedia, que, de la tragedia, mantenía el final luctuoso, los tonos retóricos y solemnes, la versificación en endecasílabos asonantados, el gusto por las descripciones ricamente matizadas, y que sin embargo se revelaba hija de su tiempo en el análisis atento de los sentimientos y en la presentación de situaciones dramáticas en el interior de una familia.

Blanca, infanta de Navarra, está a punto de casarse con el infante de Castilla, Sancho, que en cambio está enamorado de Fronilde, hija de Alfonso Munio, gobernador de Toledo. Al volver éste triunfante de la guerra, la emperatriz Berenguela quiere premiarle proponiéndole las bodas de su hija con Pedro Gutiérrez. Fronilde no se atreve a oponerse al padre, pero consigue que Blanca, la cual es indiferente a las bodas con Sancho, interceda en su favor. En una noche de tormenta Sancho entra en casa de Fronilde pasando por un balcón. Los dos jóvenes son sorprendidos por Alfonso, que, sintiéndose deshonrado, mata a su hija. A petición del propio Alfonso, se convoca un concilio que debe juzgarle por el asesinato de Fronilde: él promete que se desquitará batiéndose por su patria.

La obra tenía cierta flojedad al final, donde la reacción de Alfonso aparece desproporcionada sobre todo en relación con el carácter del personaje, que en las escenas anteriores resulta cariñoso y comprensivo con su hija. Además, tan inverosímil es la convocatoria de todo un concilio para juzgar un delito común como simplista la solución con la promesa de Alfonso de rescatarse en batalla.

Más positiva es la preocupación paternal del protagonista, que, notando cierto titubeo en Fronilde cuando le manifiesta la intención de casarla, se propone no obligarla, ya que, afirma, tanto la fama como la misma patria cuentan para él menos

> que en boca de Fronilde el grato nombre
> de padre. ¡Padre, sí, padre me llama
> el ángel tierno que la tierra admira! (II, 3).

Lo que sostiene a la obra también hacia el final es una hábil explotación de los juegos de luces, que encuentra su momento más acertado en la escena del delito que se desarrolla durante una noche de tempestad, cuando Alfonso, después de matar a su hija, exclama:

¡Horrible tempestad! ¡Mándame un rayo! (III, 4).

En cambio, raya en lo ridículo el final patriótico en el que Alfonso Munio
se adelanta al proscenio con exaltación» proclamando profético:

> ¡Gloria tendrás, Castilla! tus leones
> sombra darán, si tienden sus melenas,
> a lejanas comarcas (IV, 5).

Sin embargo, lo peor de todo es la conclusión ingenuamente melodramática en la que a la pregunta de Sancho: «¿qué me resta / a mí en el mundo?
¿qué?», contesta su madre, Berenguela, *«saliendo apresurada»:*

> ¡Tu madre, ingrato!

Conmovido, Sancho, *«echándose en sus brazos»*, exclama:

> ¡Madre de mi corazón!

Concluye la escena y la tragedia el Arzobispo, añadiendo:

> ¡Y una diadema!

---

repetidos y numerosos aplausos que durante la representación sonaron en todas las localidades del coliseo (*Revista de Teatros*, 15-VI-1844).

desde la primera escena hasta la última va tomando nueva vida, y aumenta el
interés de situación en situación, de verso en verso. [...] Multitud de coronas y
ramilletes de flores cayeron a los pies de nuestra ilustre colaboradora (FLORES, *El
Laberinto*, 16-VI-1844).

tiene la gloria de que su triunfo sea el primero que en España ha logrado el sexo a que pertenece. [...] Nada revela por otra parte que sea aquélla la obra de
una mujer: elevación, energía, estro poético, filosofía profunda (*Gaceta de Madrid*, 22-VI-1844).

Las ingenuidades de *Alfonso Munio* desaparecen en *Saúl*, obra más madura
que la Avellaneda estrenó el 19 de octubre de 1849 en el Teatro Español, recientemente inaugurado. El tema de Saúl había sido desarrollado ya por Alfieri,
pero la Avellaneda lo afrontó metiéndose por un camino totalmente personal.

*I. Saúl, orgulloso de su victoria sobre los filisteos, ofrece al templo los despojos que
ha conquistado contra la explícita prohibición de Samuel, enemistándose así con los sacerdotes guiados por Achimelech. Samuel le maldice y le profetiza una pronta caída.
Entre tanto, su hija Micol se enamora de David y de sus dulces cantos.*

II. En el campamento judío reina el terror por los desafíos que lanza Goliat y que nadie se atreve a aceptar. Saúl promete su hija y su sucesión al que le venza. Se ofrece David y sale vencedor. Saúl empieza a sentir celos de él.

III. Un campesino trasmite a Saúl una profecía de Samuel que nuevamente despierta sus celos y sus sospechas contra David, que acaba de casarse con Micol. Saúl manda a Abner que le asesine, pero el sicario cuenta que David se ha escapado con la ayuda de los sacerdotes. Entre tanto, los filisteos avanzan.

IV. David entra ocultamente en el campamento, donde se encuentra con Micol y con el otro hijo de Saúl, Jonathas; en señal de amistad, truecan los cascos. Saúl interroga a la Pitonisa, que le predice desventuras. De una roca sale el fantasma de Samuel y Saúl se desmaya. Al ver luego avanzar a Jonathas con el casco de David, le mata. Cuando llega David victorioso, comprende su error y se clava la espada. Moribundo, tira la corona, que Achimelech recoge para ponerla en la cabeza de David.

Esta vez la autora ha logrado componer una tragedia poderosa, rica de sucesos a menudo inesperados y aptos por tanto para mantener siempre despierto el interés del auditorio.

Como en la tragedia anterior, pero con más intensidad y eficacia, se utilizan los juegos escénicos de luz y tinieblas: la tragedia empieza al alba de un día de tormenta que lo oscurece todo, mientras rayos y truenos acompañan premonitoriamente los gestos sacrílegos de Saúl, que viola la intimidad del templo y se improvisa ministro del sacrificio que los sacerdotes se han negado a llevar a cabo.

Lo más acertado es el fuerte sentido religioso que domina la pieza y que comparten todos, gracias al cual se va creando una atmósfera cargada de incertidumbre entre lo real y lo sobrenatural, la visión y el delirio, como en algunos dramas de Zorrilla. Pululan las profecías y se advierte siempre próxima la amenaza de un plazo, de manera que la trama se desarrolla bajo la aprensión constante por algo espantoso que debe o puede ocurrir de repente. Como en los primeros dramas románticos, es verdad, pero con un fondo hierático entonces desconocido.

Hay además figuras macilentas como las de Samuel y Achimelech, y aparece el fantasma de Samuel (quizás por influjo de *El zapatero y el rey*), que contribuyen a producir un clima sugerentemente opresivo que dura a lo largo de casi todos los episodios y concluye solamente con el trágico suicidio del protagonista.

Otro nuevo y joven autor, Eulogio Florentino Sanz, lleva adelante ese proceso de humanización de los personajes ilustres de la historia que ya había empezado, aunque de forma algo superficial, Rodríguez Rubí. El día 1 de febrero de 1848 estrenó en el Príncipe el drama que todavía es considerado su obra maestra: **Don Francisco de Quevedo**, que encontró en seguida el favor del público y se quedó en cartel hasta el día 14, para ser luego repuesto otras 10 veces.

En Madrid, 1643. Quevedo mata al sicario al que Olivares había encargado el asesinato de la infanta Margarita, y, por un equívoco, se pone la capa del muerto. En ella encuentra la esquela con que el Conde-Duque ordenaba el delito y la devuelve a cambio de otra que Olivares posee en la que Villamediana, antes de morir, disculpaba a la reina. Pero Quevedo posee también documentos que prueban varias culpas de Olivares; no pudiendo entregarlos de otra forma al rey, se los pega en la espalda. El rey despide a Olivares, y Quevedo, enamorado de la infanta Margarita, se separa de ella con una gran congoja.

Empezaba con este drama el proceso de mitificación de la figura de Quevedo que llevará a *El caballero de las espuelas de oro* de Casona y a las novelas de Pérez Reverte. El Quevedo de Sanz es ante todo el típico héroe de los dramas de los años cuarenta: activo, mañoso, independiente, se opone a los poderosos malvados, los derrota y hasta los humilla. En el acto II no sólo anula el intento de Olivares de humillar a la reina obligándola a tomar su mano, sino que le ofrece su brazo y al mismo tiempo exige al valido que forme parte del acompañamiento llevando un candelabro. En el III, cuando Olivares intenta prenderle, se lo impide haciéndole chantaje con la esquela encontrada en la capa del sicario, de manera que, en lugar de llevarle a la cárcel, el valido se ve obligado a acompañarle con todos los honores y a brindarle una «guardia de honor» a su enemiga la infanta Margarita. En el IV en fin, gracias a la estratagema de las pruebas colgadas en la espalda del rey, logra burlar la vigilancia de Olivares y consigue su derrota definitiva.

Pero, al lado del triunfo cortesano, Quevedo experimenta el fracaso sentimental, teniendo que alejarse de la infanta. Es aquí donde emerge en toda su evidencia esa humanización de los grandes tan característica del teatro realista, que por otro lado se notaba en el curso de todo el drama, en el que Quevedo, al que los demás juzgan un burlón, se revela como un ser sumido en el desengaño más profundo que frunce sus labios con una risa amarga y ostenta un corazón hinchado de dolor y ternura.

Al año siguiente, el 7 de diciembre, en el mismo teatro, que empero ya se había mudado el nombre en «Español», se presentó una novedad de Bretón titulada *¿Quién es ella?* que en cierta manera podría interpretarse como la continuación del drama de Sanz y que por tanto merece ser reseñada en este apartado.

En Madrid, 1645. La Condesa, enamorada de su secretario Gonzalo (protegido por Quevedo, que ha recuperado su antigua autoridad), se venga de la frialdad de éste llevando a la corte a su novia Isabel, para que el rey se encapriche de ella. Desesperado, Gonzalo mata a un pariente de la Condesa que la defendía. Condenado a muerte y luego al destierro, por último se le libera gracias a la intercesión de Quevedo y de la propia Condesa, al fin arrepentida. Se casará con Isabel, en tanto que el rey logra dominarse.

El título se debe a ciertos epigramas que Quevedo escribía contra las mujeres donde repetía el estribillo «¿Quién es ella?» y que, después del arrepentimiento de la Condesa, compone en favor de ellas.

Tal vez el mejor acierto de la comedia fue justamente el himno final en favor de las mujeres puesto en la boca del poeta, notoriamente misógino, quien no duda en exaltar a la mujer como «el animal más lindo / que Dios crió en este mundo» y en atribuir al hombre la causa de los defectos femeninos:

> Siervas en todo lugar
> porque lo has dispuesto así,
> ¿no ves, hombre baladí,
> que ellas no pueden pecar
> sino contigo y por ti? (V, 5).

Pieza de enredo, con cierto gusto por la reconstrucción ambiental, por otro lado no muy extensa, puede interesar como otro aporte a la teatralización de la figura de Quevedo.

Hay que añadir que ya en 1845 el mismo Bretón había manifestado su conversión a la alta comedia, estrenando en el Cruz, el 27 de enero, los tres actos de *Don Frutos en Belchite*, que se presentaba como la segunda parte, o más bien se diría, la palinodia del *Pelo de la dehesa*.

> *Don Frutos, convertido, gracias a los muchos viajes, en un apuesto caballero, vive en Belchite, donde ha contraído un compromiso matrimonial con una ruda Simona, de la cual mal aguanta las groserías, que en cambio le hacen añorar más agudamente a Elisa, de quien sigue enamorado. Por una casualidad, la propia Elisa, que, abandonadas sus ínfulas de aristócrata, ha venido a Belchite para vender una propiedad con el fin de remediar a los gastos producidos por las calaveradas de su marido, tiene un incidente con el coche que se vuelca justamente cerca del sitio donde vive Frutos. Éste la socorre y la acoge en su casa, y entre los dos brota nuevamente el amor. Una carta providencial que anuncia la muerte del marido de Elisa y una estratagema con que don Frutos se libera del compromiso permiten las bodas de los dos.*

Desaparecidos los contrastes que habían caracterizado la comedia anterior, y superada por tanto la incomunicabilidad que los separaba, los dos protagonistas ahora se encuentran, por así decirlo, a mitad del camino y hablan el mismo lenguaje. Han alcanzado el tan apetecido *justo medio* y ya no son el rústico y la noble, sino dos miembros de una alta y refinada burguesía, lo cual permite, por supuesto, ese final alegre que los tiempos exigían. Sin embargo, con los contrastes, ha desaparecido también la intensa comicidad que los oponía y la pieza no se distingue sustancialmente de las muchas que salieron a la escena en los años cuarenta.

El público no se dejó seducir por la nueva versión que en efecto se repuso sólo 4 veces después del estreno y 2 en el mes siguiente, en tanto que *El pelo de la dehesa* no interrumpía su marcha triunfal, reponiéndose continuamente hasta el final de la década.

Cierra oportunamente este apartado ***Don Trifón o Todo por el dinero***, exitosa comedia en 4 actos en verso de Gil y Zárate, estrenada en el Príncipe el 15 de abril de 1844 y repuesta 16 veces. El viejo tema del contraste entre el amor y el interés se amplía aquí en una más compleja oposición entre idealismo y materialismo y se manifiesta en el trasfondo de ese mundo capitalista y bursátil que será el blanco del teatro realista.

Carlos, noble empobrecido y poeta idealista, ama a Leonor, hija del capitalista don Trifón, que no cree en nada más que en el dinero. Carlos escribe a nombre de él un opúsculo contra el Gobierno por el cual Trifón es encarcelado. Defendido por Carlos, es absuelto y es elegido diputado, pero una quiebra en la Bolsa le deja arruinado. Pretende recuperar su dinero casando a Leonor con el rico Livorio, pero su hermana Petra consigue espantar al nuevo pretendiente y casar a los dos muchachos, asegurándoles su protección y su ayuda económica.

La pieza era la exaltación, moderada e inspirada por el buen sentido, del amor y la poesía contra el interés por el dinero y el deseo de gloria política, y concluía con la afirmación del amor a la familia como bien supremo. Las últimas palabras de Petra, que es la usual tía rica de buen sentido, son una invitación a la vida pacífica:

> A ti, Trifón, te aconsejo
> no juegues más a la Bolsa,
> no publiques más folletos,
> renuncia de diputado
> el cargo.

Trifón, que se ha vuelto cuerdo, asegura:

> Te lo prometo.
> Mi familia y nada más.

Que es, en otro registro, la misma conclusión de *El hombre de mundo*. Así como la exaltación del idealismo personificado en Carlos (pero no separado de cierto sentido práctico que le induce a escribir el folleto y a defender y salvar a Trifón) en contraposición con el árido apego al dinero parece anticipar a López de Ayala (*Consuelo*) y a varias piezas de Echegaray.

es una pieza enteramente clásica, bien escrita, y tiene escenas de mucho efecto (FLORES, *El Laberinto*, 1-V-1844).

VIII. EL TEATRO Y SU MUNDO

1. VIEJO, CADUCO Y SUBALTERNO

Tal aparecía a Larra el mundo del teatro a fines de 1836, cuando justamente escribía:

> El teatro envejece diariamente y caduca no en España sólo, donde la existencia parásita que arrastra hace años le hace infinitamente subalterno, sino en la Europa entera.[1]

Ésta no era empero más que una de las numerosas quejas de Larra, que siempre tomó tan a pecho todas las cuestiones relativas al teatro, en el cual veía «el termómetro de la civilización de las naciones»[2] y, al mismo tiempo, «una diversión indispensable, que dirige la opinión pública de las masas que la frecuentan».[3]

La última cita pertenece a un importante artículo, compuesto a finales de 1832 y titulado significativamente «Reflexiones acerca del modo de hacer resucitar el teatro español», en el cual, al lado de la amarga constatación del estado de postración en que el escritor veía el teatro, se encendía una pálida luz de esperanza debida a la renovación que todo el mundo esperaba de la regencia

---

[1] «Felipe II», en *El Español* del 20 de diciembre de 1836.

[2] «Teatros», en *Revista Española* del 1 de noviembre de 1832.

[3] «Reflexiones sobre el modo de hacer resucitar el teatro español», en *El pobrecito hablador* del 20 de diciembre de 1832. Larra, subraya J. ÁLVAREZ BARRIENTOS («Sobre la teoría del actor en Manuel Bretón de los Herreros», *Estudios de Literatura española de los siglos XIX y XX. Homenaje a J. M.ª Díez Taboada*, Madrid, CSIC, 1998, p.153), compartía con Mesonero y otros muchos escritores del momento la «idea, netamente ilustrada», de que «El teatro y el actor dan brillo a la nación, representan su nivel de civilización, y además son vistos como industria, como fuente de ingresos».

de Cristina que acababa de instaurarse y que se había atraído las simpatías de los liberales con el reciente decreto de amnistía:

> ha empezado a brillar una aurora más feliz —así justificaba Larra su relativo optimismo— que promete, por fin, la realización de mil esperanzas juntas, tantas veces desvanecidas.

En el artículo, con su usual lucidez, Larra indicaba los cuatro componentes del fenómeno teatral, todos estrictamente ligados entre sí: teatro, autores, actores y público; y de todos subrayaba el estado de decadencia en que versaban. Los autores, mal pagados, privados a menudo del derecho de propiedad de sus obras, víctimas de empresarios rapaces y de editores piratas;[4] los actores, descuidados e ignorantes; el público, inculto y falto de gusto; las empresas, ahogadas por el sinnúmero de cargos y de abusos.

Para obviar a tantos inconvenientes, pedía ayudas del Gobierno, pero sobre todo, conforme a ciertas premisas esenciales de su pensamiento, exigía *instrucción, educación* del público y de los actores y entreveía en el reciente establecimiento de la escuela de declamación el inicio de la ansiada reforma.

Las esperanzas de Larra evidentemente no se realizaron si, a principios de 1836, empezaba otro artículo con una constatación desilusionada:

> Visto el estado de decadencia en que se hallan de algún tiempo a esta parte los teatros de esta capital [...].[5]

Dos meses después volvía a repetir:

> A no curarse tan poco nuestra época como se cura de teatros [...].[6]

Pasan otros dos meses y subraya el abandono del teatro de parte del público. Se fue al teatro, dice con su habitual ironía,

> a cara descubierta, porque imaginamos que para no ser vistos de nadie, bastaba con ir al teatro.[7]

---

[4] Los derechos de autor fueron largo tiempo precarios y poco atendidos, a pesar de existir una tarifa fijada, según la clase de obras, por el *Reglamento general para la dirección y reforma de teatros*, de 1807, que sólo en parte fue sustituido por nuevos reglamentos que se dictaron en los primeros años de la regencia de Cristina. Existía una fuerte desproporción entre las ganancias de los autores y las de los actores: J. L. PICOCHE calcula: «Un auteur dramatique de premier plan devait en 1848 faire jouer à peu près dix drames dans l'année pour gagner une somme sensiblement égale au traitement d'un premier acteur» (en J. E. HARTZENBUSCH, *Los amantes de Teruel*, Paris, Centre de Recherches Hispaniques, 1970, I, p. 52. Véase también el entero párrafo dedicado a «Les droits d'auteur», pp. 48-55).

[5] «Teatros», en *El Español* del 19 de febrero de 1836.

[6] «Teatros y algo más», en *El Español* del 18 de mayo de 1836.

[7] «Teatros», en *El Español* del 3 de mayo de 1836.

Podríamos pensar que una visión tan desencantada haya que atribuirla al conocido pesimismo de «Fígaro», pero quejas parecidas se encuentran a menudo entre sus contemporáneos (célebres son algunos artículos de Mesonero Romanos, como *Los cómicos en cuaresma* y *El teatro por fuera*) y también en los años siguientes.

Valgan tan sólo dos ejemplos, además de los que se aducirán en otros apartados. El desinterés del público reaparece en 1841 en un artículo de Miguel de los Santos Álvarez, para el cual la parte «menos educada» del público, la que podría sacar alguna ventaja de un teatro culto, sólo acude cuando se dan obras «de gran espectáculo» y «cuando es de majia es cuando una comedia se representa todas las noches durante meses enteros»;[8] en tanto que, el año anterior, Coello y Quesada empieza su artículo con palabras tan desconsoladas como las de Larra:

El teatro va decayendo por instantes.[9]

2. Los teatros

Uno de los mayores obstáculos «a la prosperidad de todo empresario» estaba representado, según Larra, por «la estrechez local de los teatros», que, como se desprende de las descripciones de los contemporáneos, eran pobres, lóbregos, escasos de decoraciones, de vestuario, etc.

Lo que sobre todo afectaba a los comentaristas que se ocupaban del asunto era lo incómodo del ambiente: los espectadores estaban sentados en asientos malos y feos, pasando frío en el invierno y calor insoportable en el verano, perseguidos por malos olores, suciedad, insectos y ratones.

La costumbre de mantener alumbrado el teatro durante toda la representación era también una fuente de desasosiego, por las manchas de aceite, los fragmentos de vidrio y el humo asfixiante que producía la araña central:

a nadie le gusta —comentaba un periodista todavía en 1848— ir a teatro a estropearse la capa, el frac o cualquiera otra prenda, y ésta es la razón más poderosa que tiene *Don Circunstancias* para no volver al teatro del Príncipe, donde hace pocos días se le echó a perder un sombrero nuevo con el goteo de la lucerna.[10]

No era mucho mejor la situación en el escenario, donde se usaban frecuentemente decoraciones viejas o nuevamente pintadas, a menudo impropias,

---

[8] «Teatros», en *El Pensamiento* de 1841, n.º 3. No faltan por otro lado visiones más optimistas, como la de Pastor Díaz, que en 1837 escribía: «Los teatros se llenan de bote en bote siempre que se anuncie una nueva pieza dramática original». Véase N. Pastor Díaz, «Del movimiento literario en España. En 1837», en *Obras Completas*, BAE CCXXVII, p. 102b.

[9] «Consideraciones generales sobre el teatro y el influjo en él ejercido por el romanticismo», en *Semanario Pintoresco* del 25 de junio de 1840.

[10] *Don Circunstancias*, 5 de noviembre de 1848.

iluminadas por un alumbrado bastante primitivo. Sin embargo, hay que decir que el advenimiento del drama romántico impuso varias mejoras, por las exigencias de representar espacios inusuales, como internos góticos o vastas escenas de la naturaleza. Fue con *La conjuración de Venecia* cuando se experimentó una manera nueva de montar los espectáculos, que se repitió con el *Don Álvaro* y otras piezas, gracias sobre todo a la excelente colaboración de escenógrafos provectos, como Blanchard, Villaamil, Gandaglia, Lucini. Pero no siempre se montaron las obras con tanto esmero, como se desprende de varios reparos que aparecen en algunas reseñas.

A lo que parece, la revolución romántica no influyó en cambio en las mejoras de las salas: en 1837, reseñando la representación de *Don Fernando el emplazado* en el Príncipe, Salas y Quiroga relevaba justamente esta diferencia entre la sala y el escenario:

> La empresa se esmeró en la parte que en la función le cabía; sólo en el mezquino alumbrado y suciedad del local no notamos diferencia.[11]

En cuanto a la distribución de las localidades, vale la pena referir una página de la descripción que A. Calderone nos proporciona, relativa a la estructura del teatro del Príncipe, renovada en 1806:

> La platea, reservada al público masculino, estaba dividida en dos zonas: la más cercana al proscenio comprendía varias filas de asientos; la otra, llamada *patio*, se reducía a un espacio vacío donde el público asistía al espectáculo de pie. Según el orden de importancia, y a partir del proscenio hacia atrás, los asientos se diferenciaban en *lunetas principales, lunetas de patio* y *asientos de patio*. [...] En las partes laterales del edificio estaban situadas las *gradas*, a nivel del escenario, y a continuación hacia lo alto, los tres órdenes de palcos: *bajos* (o *primeros* o *de primer suelo*), *principales* (o *segundos* o *de segundo suelo*) y *terceros* (o *de tercer suelo*) [...] El palco central de los *principales* estaba reservado para los reyes; dos colaterales en el mismo piso para el Ayuntamiento y uno de los palcos *bajos* para la presidencia. [...] Al fondo de la sala, justo enfrente del escenario, donde acababan las gradas del patio, se encontraba la *cazuela*; desde siempre, como es sabido, reservada exclusivamente al público femenino. [...] Hacia arriba, por encima del palco real, estaba situada la *tertulia*, dividida en dos anchos palcos, uno para las mujeres y otro para los hombres.[12]

Los teatros donde se representaban obras «de verso» eran esencialmente dos: el del Príncipe y el de la Cruz. Eran establecimientos públicos y, al referirse a ellos, Larra siempre habla de «los dos coliseos», dándonos a entender que eran los únicos que contaban. Alguna vez habló también de «los tres coliseos», añadiendo el teatro de la Ópera, que estaba dedicado exclusivamente al teatro musical.

[11] *No me olvides*, n.º 32, p. 5.
[12] *Historia del teatro en España* (ed. Díez Borque), II, Madrid, Taurus, 1988, pp. 583-585.

Muchas óperas se dieron sin embargo también en los otros dos teatros, preferentemente en el de la Cruz, que, a pesar de estar en condiciones generales peores, tenía una mejor maquinaria y un mayor número de asientos.

El teatro de verso, en cambio, se representaba en el Príncipe y en el de la Cruz. El primero monopolizó casi por completo, como se ha podido desprender de las indicaciones que acompañan en este trabajo el análisis de las piezas, la dramaturgia romántica, mientras que el teatro de la Cruz prefería repertorios más ligeros y populares, como los melodramas.

El Príncipe fue el local que más llamó la atención de las autoridades, tanto que se le reformó de manera efectiva en 1849, dotándolo de nuevos recursos (entre ellos, la iluminación de gas) y bautizándole con el nuevo nombre que conserva todavía de «Teatro Español».

Sin embargo, existían salas más pequeñas,[13] privadas, algunas de gran prestigio, como la del Liceo, amén de un número no controlable de teatros caseros.

Los «dos coliseos» eran propiedad de la municipalidad, que, a partir de 1823, cuando contrató a Grimaldi, confiaba a menudo su gestión a empresas privadas.

No se puede cerrar este apartado sin una referencia al Café del Príncipe, que se encontraba al lado del teatro homónimo y que, a partir de 1830-1831, fue elegido por los literatos madrileños para sus tertulias, en las cuales participaba todo lo mejor de la cultura de la capital: por eso fue rebautizado por los concurrentes con el nombre glorioso de «El Parnasillo». Su importancia atañe a todos los fenómenos culturales, pero se refiere sobre todo al mundo del teatro, y no sólo por la cercanía con el famoso coliseo, sino también por la intensa concurrencia de autores teatrales y por la presencia «al frente de la mesa que pudiéramos llamar *presidencial*» del «dictador teatral, Grimaldi», el cual «tendía el paño y disertaba con gran inteligencia sobre el arte dramático y la poesía».[14]

Grimaldi también nos exige que se le dedique un párrafo, por la importancia que tuvo en el desarrollo del teatro romántico, antes como autor de *La pata de cabra* y luego como empresario teatral que cuidó la representación de los primeros dramas románticos y asistió y animó a los más importantes autores y actores de la época.[15]

---

[13] Hay que recordar el Teatro Variedades, el de Buenavista, el del Instituto, el del Museo, el del Circo, el de la Sartén, el de las Tres Musas.

[14] MESONERO ROMANOS, *Memorias*, cit., p. 432. Véase todo el capítulo dedicado expresamente a «El Parnasillo», pp. 407-413.

[15] Sobre Grimaldi, véase GIES, *Theater and Politics*, cit.; F. M. DUFFY, «Juan de Grimaldi and the Madrid Stage (1823-1837)», *Hispanic Review*, X (1942), pp. 147-156. Su papel en la renovación del teatro, con el montaje de los primeros dramas románticos, lo pone de relieve J. ESCOBAR en «Un episodio biográfico de Larra, crítico teatral, en la temporada de 1834», *Nueva Revista de Filología Hispánica*, XXV (1976), pp. 44-72.

3. LOS ACTORES

La evolución del arte del actor entre los últimos decenios del siglo XVIII y los primeros del XIX es la historia de un gradual acercamiento entre el actor y el personaje que, desde el original distanciamiento del teatro barroco y neoclásico, desemboca en fin en una total fusión en la edad romántica.

La tradición barroca, que sobrevive en la época neoclásica, imponía o permitía que el actor ostentase su habilidad ahuecando la voz, usando tonos declamatorios, exagerando la mímica y la gesticulación: en una palabra, que llamase la atención del espectador más sobre su actuación que sobre la realidad escénica del personaje que interpretaba. El actor prevalecía sobre el personaje.

Con la introducción del principio de «naturalidad», que ya defendieran algunos teóricos de la segunda mitad del XVIII,[16] y que se hizo efectivo gracias a la actuación de Máiquez, que lo había aprendido en París en la escuela de Talma, se impone «la adecuación de la interpretación a los papeles que se representan, no la repetición de un modelo, tradicional y antiguo, gesticulante y exagerado».[17]

El concepto de naturalidad era, en el campo de la actuación escénica, el equivalente del principio universal de la verosimilitud proclamado por las poéticas clasicistas, y por tanto colocaba a actor y personaje en el mismo plano: el primero imitaba los rasgos que le parecían más propios del segundo, interpretando su capacidad profesional como la que le permitía reproducir en las tablas la intención del autor, siendo «capaz de dar vida a las palabras muertas de la obra literaria».[18] Lo cual, por otro lado, no suponía participación; más bien se aplicaba el principio enunciado por Diderot que exigía del actor cierta frialdad e insensibilidad que le facilitasen el indispensable distanciamiento crítico.[19]

Que en cambio es rechazado por el romanticismo, el cual, sustituyendo a la verosimilitud y a la naturalidad el principio de la verdad, postula, en el ámbito teatral, una identificación entre actor y personaje, ya que el primero tiene que sentir y por consiguiente actuar como si fuere el mismo personaje que intepreta:

> La declamación teatral — afirmaba Vicente Joaquín Bastús en su *Curso de declamación*— espresa los afectos del personaje que el actor representa: esto debe hacerse con toda la exactitud.[20]

---

[16] J. ÁLVAREZ BARRIENTOS cita el testimonio de Francisco Mariano Nifo, que ya en 1763 usa el término «acción natural» y propone que el actor «haga de tal modo verdadera la mentira que se haga creer realidad lo que es fábula»: véase «Problemas de método: la naturalidad y el actor en la España del siglo XVIII», *Quaderni di Letterature iberiche e iberoamericane*, 25 (1996), p. 12.

[17] *Ibídem*.

[18] *Ibídem*, p. 20.

[19] Véase *ibidem*, p. 9.

[20] Véase *Curso de declamación o Arte dramático*, Barcelona, Oliveres, 1848, p. 77.

Y agregaba:

> todos los movimientos de los brazos, manos, cabeza, etc., sean hijos del alma.[21]

No se trataba ya de imitación, sino de ensimismamiento, en el cual el célebre actor Julián Romea, en su *Manual de declamación*, veía la auténtica grandeza de la actividad teatral, que no dudaba en tildar de misión:

> sólo así —afirmaba— se comprende la grande, la noble misión del teatro; porque si sólo a fingir se redujere, ¿qué le quedaría al arte?[22]

La *verdad* del personaje, pues, en la cual se anulaba la personalidad del actor, en lugar de la verosimilitud de la actuación escénica que siempre suponía una dicotomía. Una verdad que nuevamente Romea consideraba explícitamente como la esencia del arte:

> todas las reglas del arte pueden formularse con esta sola palabra: «LA VERDAD».[23]

Es un concepto que reaparece a menudo en los tratados de la época y que encuentra una definición lapidaria en la *Teoría del arte cómico* de Andrés Prieto, que en 1835 escribe:

> La verdad y la belleza son dos leyes esenciales para las bellas artes.[24]

Hay que tener cuidado, sin embargo, en valorar el concepto romántico de verdad, ya que a menudo el término aparece acompañado por una determinación que le atribuye significados particulares: así, Durán había hablado de «verdad poética» y análogamente Fernán Caballero proponía «poetizar la verdad». Ahora bien, en el ámbito teatral, nos impresiona un trozo de los *Recuerdos* de Zorrilla, que, en polémica con Julián Romea a propósito de *Traidor, inconfeso y mártir*, que el actor insistía por protagonizar, le amonestaba:

> Tú crees que la verdad de la naturaleza cabe seca, real y desnuda en el campo del arte, más claro, en la escena: yo creo que en la escena no cabe más que la verdad artística. Desde el momento en que hay que convenir en que la luz de la batería es la del sol; en que la decoración es el palacio o la prisión del rey D. Sebastián; en que el jubón, el traje y hasta la camisa del actor, son los del personaje que representa, no puede haber en medio de todas estas verdades convencionales del arte, y dentro del

---

[21] *Ibídem*, p. 149.
[22] J. ROMEA, *Manual de declamación*, Madrid, Abienzo, 1859, pp. 69-70. Aunque relativamente tardío, el manual recogía las experiencias románticas de Romea, que constituirían la esencia de su enseñanza en el Conservatorio.
[23] *Ibídem*, p. 67.
[24] Cf. A. CALDERONE, *op. cit.*, p. 576.

vestido de la creación poética, un hombre real, una verdad positiva de la naturaleza, sino otra verdad convencional y artística; un personaje dramático, detrás y dentro del cual desaparezca la fisonomía, el nombre, el recuerdo, la personalidad, en fin, del actor.

Y todo eso no le parecía asequible con Julián Romea, cuya personalidad podía (como, según nos cuenta, al fin ocurrió) prevalecer sobre la del personaje. Inútilmente Zorrilla avisó a Romea: «Eso quiero: que representes, no que te presentes»; el otro por fin consiguió el papel, pero, añade Zorrilla, «salió a escena [...] pero salió Julián; presentó y no representó su personaje».[25]

Conceptos muy parecidos expresaba otro insigne representante del teatro romántico, aunque sea en su versión preferentemente cómica, Manuel Bretón de los Herreros, quien en 1852 afirmaba:

> No se olvide que entre el traslado artístico y la realidad hay siempre algo de convencional; y téngase muy presente que aun contra la misma verdad, cuya imagen debe el teatro representarnos, se pecará gravemente e infaliblemente si el actor se propone seguirle a todo trance y sin ninguna restricción.[26]

Quizás nadie como Zorrilla y Bretón supo describir con tanta exactitud y tanto color la diferencia fundamental entre la verdad de la naturaleza y la artística, con la consecuente separación, en la primera, entre actor y personaje, y su identificación, en la segunda.

Pero lo que hay que poner de relieve es sobre todo el principio de que la verdad artística, la verdad convencional, tiene que dominarlo todo: es la primacía de lo imaginario, de lo soñado, que románticamente se reivindica contra la realidad «seca y desnuda» que todo romántico aborrece y que sólo determina un deseo irreprimible de escapismo en el mundo de la ficción. Se trata de esa verdad que Rivas pintaba en una obra que no salió a las tablas sino muy tarde, a pesar de haberse compuesto en la época romántica:[27] *El desengaño en un sueño*, donde el protagonista descubre su verdad existencial gracias a un sueño que tiene la apariencia de la realidad, a diferencia del lejano modelo de Segismundo, que la había descubierto a través de una realidad que tenía la apariencia de un sueño. Era el rechazo kantiano de una realidad preconstituida en nombre de una verdad construida por el hombre.

Con estas premisas, claro está que todos los esfuerzos, y por consiguiente todas las críticas se dirigen a pedir o a mantener el mundo de la ilusión, rechazando cualquier roce con la «verdad de la naturaleza».

Entre los elogios que se dirigen tan a menudo a la actriz Matilde Díez destaca el de ser *verdadera*: «la Sra. Díez como siempre —afirma una reseña de

[25] J. ZORRILLA, *Obras Completas*, cit., II, pp. 1819-1820.

[26] M. BRETÓN DE LOS HERREROS, *Progresos y estado actual del arte de la declamación en los teatros de España*, Madrid, Mellado, 1852, p. 59.

[27] Se compuso en 1842 y se representó en 1875.

Bárbara Blomberg—,[28] es decir, verdadera, inimitable». Y año y medio después, en una reseña del *Astrólogo de Valladolid*,[29] se comenta igualmente su actuación:

> nunca habíamos encontrado tanta dulzura en sus palabras, ni tanta verdad en su dolor.

Larra, como siempre, analiza con agudeza la representación de *La conjuración de Venecia*, en la cual «actores de que nunca nos habíamos prometido nada, han desempeñado sus papeles de una manera admirable», y subraya la *verdad* de la interpretación de los dos protagonistas:

> la señora Rodríguez ha interpretado con perfección su papel: ésa es la Laura sensible, amante, que ha pintado el poeta. ¡Qué calor y qué verdad en aquellas palabras: *Es mi esposo. [...]!*

Asimismo:

> Latorre desempeñó con verdad el Rugiero.[30]

Nuevamente de Latorre, actuando en *Contigo pan y cebolla*, refiere un recensor:

> ha sabido dar su verdadero color a todas las medias tintas de que su papel se compone.[31]

Casi con las mismas palabras Larra alaba al actor que en la comedia de Bretón *Un tercero en discordia* hacía de «barba», por haber dado «el color verdadero a su carácter».[32] Lo mismo ocurre con otra pieza bretoniana, *No ganamos para sustos*, en la cual Lombía, nos dice una reseña, «ha estado inmejorable», dando «tal verdad al carácter que el público sin poder aguardar prorrumpió en aplausos que multiplicó después hasta lo infinito».[33]

La idea de la verdad predomina todavía a finales de la edad romántica, si en 1849 una reseña de *Traidor, inconfeso y mártir* alaba al actor Barroso,

> que se ha distinguido notablemente [...] en su difícil papel de Alcalde de casa y corte, habiéndolo desempeñado con mucha inteligencia y verdad.[34]

---

[28] *Gaceta de Madrid* del 22 de noviembre de 1837.
[29] *Gaceta de Madrid* del 13 de febrero de 1839.
[30] *Revista Española* del 25 de abril de 1834.
[31] *Boletín de Comercio* del 9 de julio de 1833.
[32] *Revista Española* del 29 de diciembre de 1833.
[33] *El Eco del Comercio* del 16 de mayo de 1839.
[34] *Don Circunstancias* del 9 de marzo de 1849.

Y en otra reseña contemporánea se afirma que la verdad de la declamación ha podido borrar el efecto negativo de una impropia atribución del papel:

[La Sra. Lamadrid] ha estado tan inspirada, ha sentido tanto y espresado con tal verdad su papel, que también puede perdonársele el haber salido a hacernos tragar la patata de que una joven aunque no sea niña pueda pasar por niña.[35]

En aras de la verdad, un principio defendido a todo trance es el de la separación rigurosa entre escena y patio, cuya violación determina necesariamente la caída de la ilusión. De ahí nace la crítica de los *apartes* o de los saludos al público de parte de los actores, que encontramos ya en época temprana en Bretón de los Herreros,[36] o de «hacer cortesías al público al recibir los aplausos» que Larra desaprobaba («Hemos dicho ya que los actores no deben acordarse de que existe público»)[37] o finalmente de los saludos a la reina en una «noche de besamanos» que también censuraba Larra, y que le ofrecieron la oportunidad de un trozo ameno en el cual volvía sobre la relación actor-personaje:

nos ha hecho un efecto singular —decía comentando la representación de *El agente de policía*, una de tantas piezas de Scribe— ver al ministro Fouchet, ya difunto, y a todos los franceses del Consulado, es decir, de la República, saludando a nuestra augusta Reina: verdad es que los franceses son gente muy cumplimentera y que tiene fama de bien criada [...].

Y concluía amonestando:

una vez alzada la cortina, sepan [los actores] que ya no existe entre ellos y el público, entre sus apellidos y el estado político de las cosas del país maldita la relación.[38]

Es el principio de la cuarta pared, interpretada como un muro que separa a actores y público y que, enunciado por primera vez por Diderot,[39] se fue repitiendo a menudo, siendo un elemento importante en favor de la ilusión escénica, es decir, de la verdad de la ficción.

En nombre de ese amor a la verdad artística, no es raro, pues, encontrar reseñas que censuran a actores que no han sabido entrar dentro del personaje, como ocurre con Luna, que interpretó el papel del Condestable en *Don Álvaro de Luna* «como si estuviera haciendo el del barbero en la piececita *Retascón*,

---

[35] *Don Circunstancias* del 15 de abril de 1849 (reseña de *El sí de las niñas*).

[36] En artículos aparecidos en el *Correo Literario* de 1831; citado por ÁLVAREZ BARRIENTOS, «Sobre la teoría del actor», cit., p. 157.

[37] En la reseña de *Un tercero en discordia*, cit.

[38] «Teatros», en *El Español* del 3 de mayo de 1836.

[39] «El verdadero inventor de la cuarta pared» le define R. ABIRACHED, *La crisis del personaje en el teatro moderno* (trad. esp.), Madrid, Publicaciones de la Asociación de los Directores de Escena de España, 1994, p. 105.

barbero y comadrón»,[40] o con Julián Romea, que abusa de ciertas demostracio-
nes de horror y de rabia, en tanto que su hermano ostenta «cierto desencade-
namiento de brazos y piernas», o, en fin, con las actrices españolas en general,
a las cuales se reprocha un exceso de «desparpajo y soltura», «que sólo puede
servirles para papeles de sainete».[41]

Asimismo Larra, con alguna socarronería, aconseja al actor Lombía que se
enamore realmente para poder sostener de manera adecuada el papel del enamorado.[42]

Y nuevamente «Fígaro» critica la repartición de los papeles en *El trovador*,
desde el del protagonista atribuido a Carlos Latorre, a quien no conviene «ningún papel tierno o amoroso», al de Leonor interpretado por la señora Rodríguez, a la cual más convendría el de la gitana.[43]

Hay errores en la conducta de los actores que afectan sobre todo a su función dentro del contexto escénico, a su relación con los demás que actúan si-
multáneamente en la escena, y que nuevamente redundan en menoscabo de la
verdad. Recordaba Prieto:

> El actor, en el teatro, debe ver en sus interlocutores verdaderos personajes. Tra-
> te de convencerlos y su representación será perfectamente verdadera. La perfección
> del talento del cómico se refiere a la verdad.[44]

En esta perspectiva se coloca la reseña de una reposición de *El sí de las niñas*,[45] en que se aconseja a la señora Pinto que «procure poner su voz en armonía con las voces de los demás actores, pues siempre habla una octava más alto que ellos». Se trataba evidentemente de la manera antigua de tantos actores
de llamar la atención sobre su persona, que se notaba también en el énfasis con
que la actriz subrayaba las gracias que dice doña Irene, cuando, en cambio, «el
mérito de una gracia está en decirla con naturalidad»; además, agregaba el ar-
ticulista, eso no corresponde con el personaje, el cual «cuanto dice no es con el
intento de hacer reír».

A la vieja manera de actuar, caracterizada por un exceso de gesticulación, parece referirse también cierta crítica de Larra que aconsejaba al actor
Noren «que no arquease tanto los brazos ni agobiase el cuerpo» y que evita-
se también «su andar acompasado, balanceándose y abriendo demasiado
las piernas».[46]

Se trata de un artículo compuesto en 1832, cuando la revolución romántica no había cundido todavía. En el mismo año, también Durán expresaba su

---

[40] *El Eco del Comercio* del 7 de febrero de 1840.
[41] Larra, en *El Español* del 3 de mayo de 1836 («Teatros»).
[42] «De las traducciones», en *El Español* del 11 de marzo de 1836.
[43] «*El Trovador*», en *El Español* del 4 de marzo de 1836.
[44] Citado por Calderone, *op. cit.*, p. 576.
[45] *Boletín de Comercio* del 9 de febrero de 1834.
[46] «Los celos infundados», en *Revista Española* del 1 de febrero de 1833.

descontento con las «contorsiones» y los gritos de los actores que de esta forma pretendían satisfacer el «gusto depravado del público»; pero notaba, en armonía con las afirmaciones expuestas hacía cuatro años en su *Discurso*, que esto ocurría solamente cuando se representaban piezas extranjeras. Eran defectos que definía «ajenos», es decir, importados, ya que nacían «de la manía melodramática, que exagerando las pasiones los conduce a una afectación insoportable, que algunos confunden con el bello y sublime romanticismo». El cual, en cambio, para Durán, se encontraba en las piezas del repertorio nacional y por tanto influía positivamente también en la declamación:

> Por el contrario —sostenía el erudito— cuando estos mismos actores representan las comedias de nuestro antiguo teatro no parece sino que han nacido para ello: naturalidad, gracia, espressión, buen oído, de todo se hallan dotados en eminente grado.[47]

Observaciones parecidas encontramos en la reseña de *Un tercero en discordia*,[48] en que Larra expresa su desaprobación por esos actores que «gritan demasiado, sobre todo cuando creen que lo que dicen debe llamar la atención».

En cambio, desde la aurora del teatro romántico, se exalta la ausencia de afectación y la sencilla naturalidad de la actuación. Comentaba Larra el estreno de *La conjuración de Venecia*:

> Hemos notado agradables novedades en esta representación: lo actores se han sentado o levantado, se han movido o agrupado siempre como convenía a cada escena, venciendo mil antiguas preocupaciones de bastidores, harto conocidas de los concurrentes a los teatros españoles.[49]

Los mismos principios reaparecen cabalmente al final de la temporada dramatúrgica romántica, cuando se aprueba la naturalidad del comportamiento de Latorre en la primera escena del *Tenorio*:

> El actor está sentado, habla, escribe, da la carta a su criado, razona con el hostelero y le significa sus órdenes con el mismo aire, tono y ademán que parece que había de hacer todas aquellas cosas él mismo.[50]

También la propiedad de la indumentaria tiene su parte en la realización «verdadera» del personaje.

---

47 «Correspondencia. Literatura dramática. *Amar desconfiando o La soltera suspicaz*», en *Correo Literario* del 9 de julio de 1832.
48 Citado.
49 *Revista Española* del 25 de abril de 1834.
50 *El Laberinto* del 16 de abril de 1844.

Una de las cosas en que los actores deben instruirse con esmero —afirma la *Revista Española* del 3 de noviembre de 1834— es la de vestirse con propiedad, y en ser buenas copias de lo que exige la cultura social.

Oportunamente, pues, una reseña de *Don Fernando el emplazado*[51] pone de relieve que los actores «se vistieron con gran propiedad y magnificencia», en tanto que Larra, en cambio, critica a Lombía por el traje que se puso al interpretar el personaje de un maestro de baile en *Los guantes amarillos* (otro *vaudeville* de Scribe). Con su usual gracia picante, comenta:

> ¿Dónde ha visto el señor Lombía maestro de baile que se vista de luto riguroso a las ocho de la mañana, sin habérsele muerto padre ni madre, y de frac y pantalón colán, como si fuese a asistir a un baile de corte? ¿Dónde ha visto pantalón colán con carreras de botones de metal, a manera de botín manchego?[52]

De las críticas, a veces feroces, no se salva casi nadie, excepto Carlos Latorre o Julián Romea, que en general, aunque no siempre, salen airosos, o sobre todo Matilde Díez, ante la cual todo crítico parece arrodillarse sumido en una profunda admiración. Se la consideraba superior a todos los demás; en *Muérete ¡y verás!* anota *El Eco del Comercio*:

> sobresalió entre todos la sublime Matilde Díez, dando a un papel muy espuesto a adolecer de monotonía un vigor y unos efectos admirables.[53]

De manera todavía más enfática, el mismo periódico, al reseñar *Don Fernando el emplazado*, después de alabar a toda la compañía, agrega:

> Pero la Matilde brillaba en medio de todos cual la luna entre las estrellas o como gruesa perla entre menudo aljófar.[54]

Se trataba de una fama duradera, ya que todavía en 1849 se le dedicaban alabanzas de la misma clase:

> ¿qué puedo yo decir de la señora Díez? —se preguntaba un periodista—. ¿Cómo podré dar a mis lectores una idea de su inteligencia y de su acento siempre inspirado y simpático?[55]

Los varios reparos que hemos visto en las diversas reseñas dejaban a veces sobreentendida, a veces explícita, la persuasión de que hacía falta una mejor

---

[51] *Gaceta de Madrid* del 7 de diciembre de 1837.
[52] «De las traducciones», cit.
[53] *El Eco del Comercio* del 3 de mayo de 1837.
[54] *El Eco del Comercio* del 3 de diciembre de 1837.
[55] *Don Circunstancias* del 9 de marzo de 1849.

preparación profesional. De forma muy explícita lo afirma Larra en los umbrales del romanticismo, subrayando la tradicional ignorancia de los cómicos españoles:

> Hasta ahora se ha creído que bastaba con tener memoria o apuntador para ser cómico, y aun cómicos hemos conocido que por no saber leer se hacían leer por otros sus papeles para aprenderlos. ¡Dígannos si gentes de esta especie son las que pueden verter en la escena las bellezas que no saben ni leer, ni apreciar [...]! Nadie necesita hacer estudios más prolijos [...]: nadie necesita tener mejor educación que un actor.

Por tanto el reciente establecimiento de una escuela de arte dramático le «hace concebir esperanzas lisonjeras» para la mejora del nivel cultural de los actores.[56]

La escuela se había instituido en efecto el 15 de julio de 1830 como un sector secundario del Real Conservatorio de Música y había empezado a funcionar el 2 de abril de 1831, año y medio antes de que Larra escribiera las «reflexiones» que se han citado.

Sin embargo, unos tres años después, a principios de 1836, cuando ya habían salido a escena los dramas románticos más comprometidos, «Fígaro» había pasado desde las «esperanzas lisonjeras» al usual escepticismo, que confiaba a un artículo en el cual expresaba todo su desengaño.[57] Por lo que atañe a la escuela, escribía en un trozo que vale la pena referir íntegramente:

> Cuando se estableció el Conservatorio de Música, cierto escrúpulo de conciencia, cierto pudor saludable hizo comprender que sería vergonzoso fundar en la capital del reino una escuela donde se formasen cantores para el teatro, y donde no se pensase siquiera en el pobre verso. Movidos los que lo dirigieron de este pudor, se dignaron conceder la hospitalidad a la declamación española en un nicho de su establecimiento; se crearon dos cátedras de declamación; se asignaron a cada una hasta seis mil reales o cosa semejante, por vía de honorarios; se nombraron dos catedráticos, individuos de las compañías de Madrid;[58] se les dio *don* en los oficios de nombramiento,[59] y muchachos en los bancos de la escuela, y se les dijo: «Enseñad ahí cuanto sepáis; ya tenéis casa, uniforme, *don* y seis mil reales; ya está el teatro protegido; ya verán ustedes los actores que salen.»

La conclusión que Larra saca de todo esto es amargamente lacónica. Comenta:

---

[56] «Reflexiones acerca del modo de hacer resucitar el teatro español», cit.
[57] «Teatros», en *El Español* del 29 de febrero de 1836.
[58] Los actores Carlos Latorre y José García Luna.
[59] Se trata de un acontecimiento de cierta importancia, ya que hasta entonces *don* y *doña* siempre se habían negado a actores y actrices, los cuales seguían llevando las huellas de esa condición de «infames» que se les atribuía en los siglos anteriores. La concesión del *don* a Latorre y Luna fue, pues, el inicio de un proceso de rehabilitación que se concluyó definitivamente en aquellos años.

Y ya lo hemos visto por cierto.

Seguramente las palabras desengañadas de «Fígaro» no hay que atribuir-
las solamente a su tan conocido pesimismo ni a una situación temporal, ya
que varios años después, el 1 de mayo de 1844, Antonio Flores escribía en *El
Laberinto*:

> El Conservatorio de música de María Cristina ha obsequiado a su augusta
> protectora con una función de verso y canto, que no queremos analizar, por no me-
> noscabar la merecida reputación de los dignos profesores que están al frente de ese
> establecimiento y que faltos tal vez de recursos para la enseñanza no serán la causa de
> los pocos adelantos que advertimos en los alumnos que tomaron parte en la función.

Por otro lado, no faltó quien, como Bretón, defendía la primacía de la vocación natural, negando la utilidad de una escuela de declamación:

> En una palabra, fuera de la instrucción literaria y artística, de que no se puede
> prescindir, y de ciertas máximas generales, pero secundarias, no hay modo de trans-
> mitir la teoria de la declamación.[60]

A pesar de las críticas y merced, en cambio, a tantos elogios, la condición de
los actores iba mejorando continuamente, hasta despertar reacciones contra
sus pretensiones excesivas, de que se hacía intérprete, en 1849, el periódico satírico *Don Circunstancias*:

> acostumbrados a gollerías los señores actores, no sólo no se contentan a estas fe-
> chas con ganar el doble de Concepción Rodríguez, y el triple o cuádruple de Isidoro
> Máiquez, sino que exigen además dos meses de licencia, quieren que se les mime y
> todavía no están contentos.[61]

Pero desde hacía tiempo, y a pesar de diversos reglamentos que imponían
derechos y sobre todo deberes (como la puntual presencia en los ensayos, la
prohibición de fumar o charlar durante las representaciones, etc.), los jefes de
compañías tenían que habérselas con la pereza y la indisciplina de los actores, y
particularmente de las primeras actrices, exigentes en sus pretensiones (el coche
que debía llevarlas al teatro, etc.), pero escasamente dispuestas a un trabajo serio.

4. LA PUESTA EN ESCENA

Las reseñas que se publicaron en los periódicos madrileños a raíz del estreno
de *La conjuración de Venecia* parecen subrayar el advenimiento de una manera

---

[60] *Progresos*, cit., p. 59.
[61] *Don Circunstancias*, del 10 de abril de 1849.

nueva de hacer teatro, sobre todo por lo que atañe a la puesta en escena, tanto en el aspecto propiamente escenográfico como en la vertiente de los actores.

«Madrid no ha visto nada igual», comentaba *El Correo de las Damas* del 25 de abril de 1834, que pasaba en seguida a alabar «el lujo, propiedad y perfección difíciles de mejorar», e insistía sobre pormenores relativos a varios elementos escénicos:

> Las decoraciones son lindísimas, los trajes propios, los muebles a propósito.

El mismo día, en la *Revista Española*, Larra ante todo tejía sus elogios por un personaje al que quizás se cite por primera vez en una reseña, el director de escena (seguramente aludía a Grimaldi), comentando:

> Hallábase sin duda el drama perfectamente ensayado, y amaestrados los actores secundarios, sobre todo, por algún inteligente que creemos reconocer.

De ahí descendía también la alabanza de la naturalidad en la conducta de los actores, que ya hemos puesto de relieve, y de la «fidelidad y buen gusto» de los trajes, para llegar a una conclusión no muy diferente de la de *El Correo de las Damas*:

> dígasenos cuándo hemos visto en nuestros teatros ponerse en escena con tal pompa y tal exactitud histórica un drama.

Lo novedoso de la puesta en escena en lo que insisten los dos recensores, unido a varios comentarios igualmente positivos que seguirán a propósito del *Don Álvaro* y otros dramas históricos, parece demostrar que con la salida a las tablas de los dramas románticos se había producido efectivamente un cambio radical en la representación.

Lo cierto es que la estructura interna de los dramas históricos, así como la pasión romántica por la verdad, favorecieron de manera relevante un planteamiento escénico más atento a las exigencias de la propiedad tanto en el decorado como en la declamación.

Sin embargo no se debe olvidar que varias causas concurrieron en este proceso de renovación. En primer lugar, causas internas a la propia historia del teatro, que tienen sus antecedentes dieciochescos en la decisión del Conde de Aranda de sustituir los paños y cortinas de la tradición barroca por decoraciones pintadas[62] y, por lo que se refiere a los actores, en las múltiples reflexiones acerca de su función que se publican a menudo a lo largo del siglo.[63]

---

[62] Tal decisión se remonta a 1767: véase Arias de Cossío, cit., pp. 30-31.

[63] Hay que referirse sobre todo a Antonio Rezano, *Desengaño de los engaños en que viven los que ven y executan las comedias*, Madrid, Aznar, 1768, y Joseph de Resma, *El arte del Teatro*, Madrid, Ibarra, 1783. Remito, por otro lado, al ya citado artículo de Álvarez Barrientos, «Problemas de método...», y al mío titulado «Vero e verosimile dal teatro neoclassico al teatro romantico», *La festa teatrale ispanica*, Napoli, Istituto Universitario Orientale, 1995, pp. 345-353.

Y hay que añadir que algunos géneros teatrales, como los melodramas y sobre todo las comedias de magia, proporcionaron, a partir del siglo XVIII, un largo y fecundo ejercicio esceno-técnico, particularmente por lo que atañe a los complicados juegos de la tramoya y de los cambios de escena. Importante es, en este campo, la presencia de pintores escenógrafos de valor, como Blanchard, que hace justamente sus primeras pruebas con el teatro de magia, consiguiendo excelentes resultados ya antes de que se produjera la gran temporada romántica.

En efecto, cuatro años antes del estreno de *La conjuración*, el 18 de enero de 1830, *El Correo literario y mercantil* exaltaba la primera representación del *Diablo verde* con palabras muy parecidas a las de las reseñas que acabamos de leer y expresaba su viva apreciación por los pintores Blanchard y Gandaglia:

> Los verdaderos diablos de esta obra portentosa han sido los señores Blanchard y Gandaglia, que en cuanto a decoraciones pueden vanagloriarse de haber presentado un espectáculo, a cuya pompa y lucimiento no iguala ninguno de los que hasta ahora se han visto en nuestros teatros.

Otro elemento que ciertamente influyó en la evolución del espectáculo teatral fue sin duda el progreso cultural de los espectadores, que dio lugar a aquel «fenómeno de sociología cultural» que Leonardo Romero señala en «la transformación del *vulgo* de los teatros antiguos en el *público* de los nuevos teatros isabelinos».[64]

Finalmente, hay que poner de relieve la aparición de una nueva sensibilidad respecto al fenómeno teatral que con la regencia de Cristina alcanza también los grados más altos de la sociedad y se concretiza en algunas deliberaciones de la propia regente, entre las cuales destacan la institución de una Comisión de Teatros y la creación del célebre Conservatorio.

El ambiente cultural de los años treinta es por consiguiente uno de los más idóneos para favorecer un particular desarrollo de las técnicas teatrales. Por su parte, el teatro romántico, sobre todo en su vertiente más espectacular —la de los dramas históricos—, supo aprovechar la singular oportunidad para montar espectáculos completos, en los que los trece componentes de que discurre Kowzan[65] encontrasen todos su realización más adecuada.

La novedad que influyó poderosamente en estas realizaciones, y que distingue al drama romántico de todos sus antecedentes, es la intensa relación que intercorre entre texto y escena, o mejor dicho entre lo verbal y lo no-verbal, así como entre la acción y el trasfondo escenográfico.[66] Es lo que lo diferencia tanto

---

[64] *Op. cit.*, pp. 256-257.

[65] Actor, tono, mímica, gesto, movimiento, maquillaje, peinado, traje, accesorios, decorado, iluminación, música, sonido.

[66] CALDERONE cita, como ejemplo perfecto de esta correlación, la escena del *Alfredo* en que «acompañada por rayos, truenos, ruido de tempestad y llamas de un volcán, se levanta la voz aterrada de Berta: "¡Cómo brama la tempestad! parece que batallan todos los elementos [...] que el universo entero se conmueve como mi corazón"», *op. cit.*, p. 590.

de la comedia de magia, donde la maquinaria prevalece sobre la persona del actor, que actúa esencialmente en función de la tramoya, como de la tragedia clasicista, donde el actor habla esencialmente dirigiéndose al público y por lo tanto no necesita nada más que un respaldo escenográfico genérico. Más cercano, en esta perspectiva, aparece en cambio el melodrama, cuyos ambientes horroríficos o lóbregos (la mazmorra, la habitación miserable) revelan al menos la intención de un vínculo más estrecho entre decorado y acción, aunque a menudo tal intención no resulte adecuadamente sufragada por un texto con bastante dignidad literaria o expresiva.

En el drama romántico, en cambio, la estrecha relación que vincula todos los elementos que ocupan el escenario, desde los animados a los inanimados, produce casi espontáneamente esa semantización que ya se ha tenido la oportunidad de poner de relieve en los análisis de algunos dramas, por la cual el elemento escenográfico, la luz o el sonido adquieren un valor significante parecido al de las palabras pronunciadas por el personaje. Basta pensar en el panteón de *La conjuración* o en el patio delante del convento de Hornachuelos en el *Don Álvaro*, o en los sonidos de *El trovador* y de *Los amantes de Teruel*, o en el fuego de *El trovador* y de *La corte del Buen Retiro*. Además, en el uso tan frecuente de la oscuridad como símbolo de opresión, de ambigüedad, de transgresión.

Hay, pues, latente en todo drama romántico, una implícita indicación de valores sígnicos que expertos directores de escena pueden sacar a luz para montar un espectáculo ricamente sensorial y al mismo tiempo fuertemente alusivo.

Desde luego, resulta bastante difícil tratar de reconstruir un espectáculo teatral de hace más de siglo y medio, ante todo por el esfuerzo de fantasía que esto supone al imaginar un escenario escasamente alumbrado por velas de sebo o lámparas de aceite (que se cubrían con una mamparita de hierro cuando se quería simular la oscuridad) y estructurado, al menos hasta principios de los cuarenta, con bastidores a los lados, bambalinas en el techo y telones al fondo. El cambio de las escenas, tan frecuente en el teatro romántico, se efectuaba por medio de una serie paralela de telones de fondo que, tras limitar al principio el espacio escénico (decoración corta), se corrían lateralmente abriendo gradualmente espacios cada vez más amplios hasta disponer de todo el tablado.[67] Algunas veces, un *rompimiento*, es decir, un telón intermedio abierto en la parte central, dejaba correr la vista sobre ambientes situados hacia el fondo; otras, en el caso de no poder aprovecharse de las decoraciones cortas y tener que introducir una *mutación* en el curso del acto, se dejaba caer un telón supletorio, llamado *alcahuete*, algo más atrás que el telón de boca, y tras el cual los obreros efectuaban el cambio; en ocasiones, sin embargo, el cambio se realizaba también a la vista del público.

Tampoco resulta fácil imaginar los problemas que podían crear los maquinistas, que maniobraban a fuerza de brazos (o que, como en el caso de los

---

[67] En la composición de sus textos, los autores tenían en cuenta ese juego de telones, como atestigua Rivas, quien, en la acotación de la primera escena del acto V de *Don Álvaro*, anota: «*Debe ser decoración corta, para que detrás estén las otras por su orden.*»

llamados *arrojes*, se colgaban de las maromas y se deslizaban hacia abajo para levantar con su peso los telones), siguiendo las órdenes que el tramoyista les impartía con silbidos, los cuales seguramente no colaboraban a mantener la ilusión del público.

Sin embargo, a pesar de todas la deficiencias de nuestra fantasía, es posible hoy día hacerse al menos una idea de la manera con que se interpretaron en la escena ciertos dramas que, en la mayoría de los casos, sometemos a una simple lectura.

En parte, esto ocurre gracias a las acotaciones —en algún caso, como en el *Don Álvaro*, particularmente abundantes y pormenorizadas—, pero sobre todo por medio de los «apuntes» que se encuentran todavía en número bastante elevado en la Biblioteca Histórica de Madrid, en la cual han confluido los archivos del teatro del Príncipe. Gracias a las investigaciones de M. Ribao Pereira,[68] sabemos que de los tres cuadernillos llamados «apuntes» y que contienen el texto de cada acto, el tercero (llamado justamente «tercer apunte») incluye todas las indicaciones útiles para la puesta en escena, desde las que se refieren a la entrada y salida de los personajes, al movimiento de los telones, a la colocación de objetos necesarios, etc.; hasta aparecen signos convencionales para indicar el énfasis de una réplica, el tipo de movimiento de un actor o la clase de mutación que hay que efectuar (con la relativa indicación del momento en que hay que silbar).

Por estos apuntes estamos, pues, en condiciones de reconstruir con cierta aproximación el planteamiento escénico de la pieza y, por supuesto, la labor del director de escena. Éste, hasta principios de los años cuarenta, en que se convirtió en una figura autónoma, era el mismo jefe de compañía, a menudo ayudado por el autor (Zorrilla, de manera particular, como sabemos por sus *Recuerdos del tiempo viejo*, colaboraba activamente a las puestas en escena de sus obras), por el empresario (Grimaldi fue un excelente director), el escenógrafo y el tramoyista.

Por supuesto (lo confirman los apuntes), el director de escena no se permitía esas libertades interpretativas que caracterizan a menudo su actividad en la época actual. Su labor consistía esencialmente en la trascodificación escénica del texto y de las indicaciones implícitas en las palabras de los personajes o explícitas en las acotaciones. De manera que el espectáculo resultante era una visualización bastante fiel de la obra escrita.

Sus intervenciones por tanto se dirigían por un lado a sugerir ciertas entonaciones en la declamación de los actores o a agilizar las réplicas, suprimiendo los trozos que le parecían excesivos; por el otro, a disponer la colocación de los objetos y el movimiento de las máquinas y de los persónajes, además de concordar con el pintor las características de los telones.

Mucho cuidado había que tener, a la hora de escenificar un drama romántico, en el movimiento de los actores, sobre todo por lo que se refiere a las

---

[68] Véase *Textos y representación del drama histórico en el Romanticismo español*, Pamplona, Eunsa, 1999, particularmente el cap. 3, pp. 29-40.

relaciones espaciales mutuas, es decir a la proxémica, cuya tarea esencial es la de sugerir comunicación o incomunicación, con sus añadidos de simpatía, hostilidad, agresividad, etc. Lo cual, en un drama tan atento al problema de la comunicación y a las relaciones interpersonales, constituía un elemento de importancia fundamental.

Sobre todo, el drama romántico innovaba en cuanto al tratamiento de las masas, aquí en constante movimiento, contra la estaticidad que las caracterizaba tanto en la tragedia clasicista como en el drama sentimental, donde prevalecía el interés por el *tableau*. Y si anteriormente los personajes tendían a agruparse en círculo en el centro del escenario,[69] ahora prevalecía la contraposición de grupos que se enfrentan y se observan mutuamente con un sugerente juego metateatral: piénsese en la primera aparición de don Álvaro cruzando lentamente el escenario frente a los parroquianos del aguaducho convertidos repentinamente en callados espectadores o en los grupos separados y colocados a los dos lados del escenario en *Felipe II*, donde los espías se encuentran en una posición de tipo teatral respecto a los grupos opuestos.

Intensa fue también la impresión creada por el escenario vacío, fuente de expectación y suspensión, o cruzado por un solo personaje, como en la segunda aparición de don Álvaro, que desde el foro avanza meditabundo hacia el proscenio, obligando al público a cambiar continuamente su punto de vista, de conformidad con sus movimientos.

La aparición del protagonista era un momento cumbre de la puesta en escena romántica. Su aparición siempre tiene algo de raro y misterioso, de vez en cuando preparada por los discursos de los demás personajes, en una perfecta integración entre palabras y movimiento escénico: Rugiero, largamente esperado por los conjurados, que acaba de dar esquinazo a los espías; Macías, que se presenta de improviso con la visera calada; don Álvaro, curiosamente ataviado, que pasa distraído y melancólico; Manrique, que aparece embozado; Marsilla dormido en la cama morisca; don Pedro en medio de la tormenta; don Juan Tenorio con antifaz, sumido en la redacción de la carta y rodeado por el bullicio del carnaval; y se podría continuar...

A menudo, nos informan los apuntes, su entrada se produce por el foro, cuya eficacia es una conquista de la puesta en escena romántica por el tiempo que ocupa y el efecto que produce el gradual acercamiento del personaje a los espectadores, sobre todo si está solo y campea en el escenario, como ocurre con el ya citado don Álvaro.

En cuanto a los ambientes en que se desarrolla el drama romántico, se puede apreciar una gran variedad entre exteriores e interiores; no podía ser de otra manera, estando el romanticismo orientado a abarcar todo el universo humano. Bastaría pensar en las 14 mutaciones del *Don Álvaro*, caso-límite sí, pero

---

[69] «... habiendo algunos personajes en escena, no formaban grupos distintos, sino la *media luna*, con los cuernos hacia el auditorio tocando en los *cubillos* [es decir, en los palcos situados en la embocadura]» (E. FUNES, *La declamación española*, Sevilla, Díaz, 1895, p. 486).

imitado por numerosas piezas. Sin embargo, hay algunos ambientes más característicos y privilegiados, como son, entre los exteriores, la ermita, las ruinas iluminadas por la luna, los bosques o las plazas de las ciudades; entre los interiores, el salón gótico, el panteón, la celda. En la decoración de los telones que representaban exteriores fue donde se esmeraron los mejores escenógrafos. Debió de ser memorable el telón que representaba Venecia en *La conjuración*, pintado por Blanchard y anunciado por la empresa como uno de los mayores atractivos de la pieza; sabemos también que al éxito de *El zapatero* contribuyó, entre otras cosas, la adopción de un telón de fondo cilíndrico, llamado ciclorama, en el que aparecían una tras otra las diversas imágenes que requería la situación.

Se pretendía ensanchar o alargar la escena lo más posible, y a tal fin se usaron no sólo los rompimientos a los cuales ya se ha hecho alusión, sino también los llamados *forillos*, lienzos que, gracias a ciertas aberturas practicadas en el telón de fondo, dejaban ver ulteriores espacios, o ventanas que se fingían abiertas sobre espacios exteriores, es decir, que enmarcaban otros lienzos oportunamente pintados con paisajes en perspectiva.

Mucha importancia adquirirían las puertas por su particular valor sígnico de medio de relación entre lo exterior y lo interior, con efectos a veces relevantes, como en el *Macías*, el cual inicia con la abertura de una puerta situada en el foro, que introduce en un escenario por un momento vacío a dos personajes clave, Fernán Pérez y Nuño Hernández: «Venid conmigo, el hidalgo, / en esta cámara entremos» (la palabra integra el movimiento escenográfico).

El decorado variaba naturalmente al pasar de las escenas exteriores a las interiores, así como cambiaba la estructura del escenario, que, en el caso de interiores, prefería sustituir los bastidores por lienzos laterales pintados, hasta que, según nos informa Zorrilla, con *El zapatero y el rey* se levantan por primera vez verdaderas paredes.[70]

Las escenas románticas son habitualmente realistas, por serlo también los textos que suponen una realidad contingente, pero hay casos muy contados en los que se tiende a visualizar mundos fantásticos generalmente entendidos como proyección de visiones interiores: son los casos del *Alfredo* y de *El zapatero y el rey*.

En el primero la situación es presentada de forma realista, aunque se apela a la capacidad de interpretación e ilusión de los espectadores para que aparezca como una alucinación de algunos personajes. Se trata de la escena final del acto III, en la que aparece de improviso la Sombra de Jorge, que separa violentamente a los amantes gritando: «¡Deteneos, sacrílegos!», en tanto que *los demás manifiestan no ver nada*. La Sombra de Jorge no podía ser sino el mismo actor que interpretaba el papel de Jorge y la característica de la visión que afecta solamente a Alfredo y Berta debía resultar exclusivamente del grito que emiten los dos, frente al ademán de extrañeidad manifestado por los asistentes. Lo

70 Véase *Recuerdos*, cit., p. 1762.

irreal del episodio se consigue, pues, de manera bastante elemental a través de la conducta de los personajes, difícilmente descodificable por parte de los espectadores.

Más interesante, por realizarse con medios propiamente escenográficos, es la escena novena del acto III de la segunda parte de *El zapatero* de Zorrilla, sobre la cual nos hemos detenido ya anteriormente: según las acotaciones, don Pedro, a la luz *«rojiza y siniestra»* de la lámpara que le ha proporcionado el Astrólogo, ve aparecer *«la sombra de don Enrique»* que, *«materializando su idea recóndita, aparece en lo alto del torreón, bajando poco a poco hasta quedarse enfrente de él»*.

La Sombra, nos cuenta Zorrilla, debía consistir en un verdadero fantoche, fabricado por el propio actor Pedro Mate, que interpretaba el personaje de Enrique: «una sombra de fino alambre y bien engomada gasa, moldeada sobre su mismo cuerpo».

> Aquella sombra —prosigue Zorrilla— era una maravilla de trabajo y de parecido; era un Pedro Mate, un infante Don Enrique flotante y transparente como una aparición de vapor ceniciento;

y sin embargo, durante los ensayos resultó evidente la dificultad de llevarla a la escena por ser demasiado ligera y desequilibrada, con lo cual se corría el riesgo de convertir «la aparición temerosa en un ridículo maniquí».

A las tres de la madrugada anterior a la noche del estreno, Zorrilla y algunos de sus colaboradores estaban dándole vueltas todavía al problema y buscando una solución, cuando una casualidad —el derrame del aceite de un quinqué— le dio al pintor Esquivel la inspiración de untar con aceite un lienzo, detrás del cual aparecería, «cenicienta, callada e inmóvil, la sombra transparente de Don Enrique». Se dejó de lado por tanto la primera intención del poeta y el maniquí en movimiento fue sustituido por una más eficaz apariencia estática. Así, se la llevó a la representación, dejando sorprendido al mismo actor Carlos Latorre que interpretaba el papel de don Pedro, el cual quedó tan entusiasmado por el descubrimiento que representó la escena con tal verismo que el éxito fue asombroso: «El público y el huracán entraron en el teatro», como ya se ha recordado, y los amigos que habían manifestado su escepticismo «aullaban de placer de haber sido vencidos».

Valía la pena citar el episodio no sólo por sacar a colación un tipo de escenografía inusual, sino también por dejar entrever un escorzo de la vida teatral de aquel entonces, cuando, comenta Zorrilla a conclusión del relato,

> tal era la fraternidad que entonces reinaba entre autores y actores; tal era el cariño y entusiasmo del público por los de entonces, y tan poco consistentes sus ojerizas y enemistades, que el menor éxito las vencía, y el soplo vital de la lealtad las disipaba.[71]

----

[71] Véase *ibídem*, pp. 1759-1762.

Diferente es el caso de la segunda parte del *Tenorio*, que, a pesar de un clima de constante ambigüedad, pretende representar un mundo irreal o al menos oscilante entre contingencia y trascendencia. Desde el punto de vista del montaje, claro está que aprovecha los recursos más típicos de la comedia de magia, que le permiten escenificar apariciones y desapariciones y hasta consiguen llevar a cabo el paso a través de la pared de la estatua de don Gonzalo, lo cual se realizaba gracias a una plataforma giratoria, llamada *bofetón*, que con una gran velocidad de movimiento superaba la capacidad de reacción del ojo humano, logrando así la ilusión deseada.[72]

Se ha tratado sólo del drama en esta perspectiva de la puesta en escena. La comedia exigía seguramente menos atención y comportaba menores problemas, por tratarse de pocos personajes, generalmente, y de ambientes contemporáneos, a menudo fijos y genéricos: sala, salón, habitación, jardín. Raramente se representaban ambientes particulares, como la redacción de un periódico o la antesala de un ministro, que por otro lado no eran muy diferentes sustancialmente, sino en cuanto al mobiliario, de los demás interiores burgueses.

Una de las pocas excepciones es representada por *Muérete y ¡verás!*, en cuyo montaje se debieron aplicar las normas que valían habitualmente para los dramas, con los cuales manifestaba un evidente parentesco.

Tampoco había mucho juego escénico, o, por decirlo mejor, el juego eventual se concentraba esecialmente en la mímica o en la dicción del personaje, o incluso en su traje; lo que debía atraer la atención del público era la conducta de cada uno, era sobre todo la sal con que condimentaba sus réplicas: la acción era escasa y el movimiento no conocía el ritmo a veces frenético de los dramas. Desde el punto de vista del espectáculo, la comedia aportaba poco, primando en definitiva lo verbal y lo paraverbal sobre lo no-verbal.[73]

---

[72] Véase D. T. GIES, «*Don Juan Tenorio* y la tradición de la comedia de magia», *Hispanic Review*, 58 (1990), pp. 1-17.

[73] Para una ampliación, exacta y pormenorizada, de los aspectos que se han tratado en este apartado, remito también a la tesis doctoral, lamentablemente inédita todavía, de Ana Isabel BALLESTEROS DORADO, *Imaginación y percepción sensible del drama romántico español* (Universidad Complutense, 7 de octubre de 1996).

BIBLIOGRAFÍA ESENCIAL

I. ESTUDIOS DE CONJUNTO

a) *Generales (con referencias al teatro romántico)*

AA.VV., *Romantisme, Réalisme, Naturalisme en Espagne et en Amérique Latine* (ed. J. L. Picoche), Lille, Université, 1978.

AA.VV., *Resonancias románticas: evocaciones del romanticismo hispánico* (ed. R. Rosenberg), Madrid, Porrúa-Turanzas, 1988.

AA.VV., *Historia de España Menéndez Pidal. La época del romanticismo (1808-1871)*, XXXV, 2, Madrid, Espasa-Calpe, 1989.

AA.VV., *Historia de la literatura española. Siglo XIX (I)* (ed. G. Carnero), Madrid, Espasa-Calpe, 1996.

ALBORG, Juan Luis, *Historia de la literatura española, IV (El romanticismo)*, Madrid, Gredos, 1980.

CASALDUERO, Joaquín, *Estudios sobre el teatro español*, Madrid, Gredos, 1972[3].

DÍAZ DE ESCOBAR, Narciso y LASSO DE LA VEGA, Francisco de Paula, *Historia del teatro español*, 2 vols., Barcelona, Muntaner y Simón, 1924.

GIES, David T., *El teatro en la España del siglo XIX*, Cambridge, University Press, 1996.

GONZÁLEZ DE GARAY, M.ª Teresa, «De la tragedia al drama histórico», *Cuadernos de Investigación. Filología*, I-II (1983), pp. 199-234.

GONZÁLEZ HERRÁN, José Manuel y PENAS VARELA, Ermitas, *Cronología de la literatura española. Siglos XVIII y XIX*, Madrid, Cátedra, 1992.

LAFARGA, Francisco, *Las traducciones españolas del teatro francés (1700-1835)*, Barcelona, Publicacions Universitat, I: Impresos, 1983; II: Manuscritos, 1988.

NAVAS RUIZ, Ricardo, *El romanticismo español*, Madrid, Cátedra, 1990.

PEERS, Edgar Allison, *Historia del movimiento romántico en España*, 2 vols., Madrid, Gredos, 1973[3].

ROMERO MENDOZA, Pedro, *Siete ensayos sobre el romanticismo español*, 2 vols., Cáceres, Diputación Provincial, 1960.

ROMERO TOBAR, Leonardo, *Panorama del romanticismo español*, Madrid, Castalia, 1994.

RUIZ RAMÓN, Francisco, *Historia del teatro español*, 2 vols., Madrid, Cátedra, 1986.

YXART, José, *El arte escénico en España*, 2 vols., Barcelona, Imprenta «La Vanguardia», 1894-1896.

b) Específicos sobre el teatro romántico

AA.VV., *Teatro romantico spagnolo. Autori, personaggi, nuove analisi*, Bologna, Pàtron, 1984.

CALDERA, Ermanno, *Il dramma romantico in Spagna*, Pisa, Università, 1974.

——, *La commedia romantica in Spagna*, Pisa, Giardini, 1978.

——, «Il teatro romantico in Spagna», *Problemi del romanticismo* (ed. U. Cardinale), Milano, Shakespeare & Company, 1983, I, pp. 322-346.

——, «De la tragedia neoclásica al drama histórico romántico», *EntreSiglos*, 2 (1993), pp. 67-74.

—— y CALDERONE, Antonietta, «El teatro en el siglo XIX (1808-1844)», AA.VV., *Historia del teatro en España*, II (siglo XVIII, siglo XIX), Madrid, Taurus, 1988, pp. 377-624.

Cartelera teatral madrileña, I (1830-1839), Madrid, CSIC, 1961; *II (1840-1849)*, Madrid, CSIC, 1963.

GARELLI, Patrizia, «Conquista, conquistatori e conquistati sulla scena romantica spagnola», *Quaderni di Filologia Romanza*, IV (1984), pp. 43-64.

GIES, David T., *El teatro en la España del siglo XIX*, Cambridge, University Press, 1996.

GOENAGA, Ángel y MAGUNA, Juan P., *Teatro español del siglo XIX*, Madrid, Las Américas, 1972.

LIVERANI, Elena, *Un personaggio tra storia e letteratura. Don Carlos nel teatro spagnolo del XIX secolo*, Firenze, La Nuova Italia, 1995.

MANSOUR, Pierre, «Towards the understanding of Spanish romantic drama», *La Chispa '83*, 1983, pp. 171-178.

MENARINI, Piero y otros, *El teatro romántico español (1830-1850). Autores, obras, bibliografía*, Bologna, Atesa, 1982.

PATAKY-KOSOVE, Joan Lynne, *The comedia lacrimosa and Spanish romantic drama*, London, Tamesis Books, 1978.

RIBAO PEREIRA, Montserrat, *Textos y representación del drama histórico en el romanticismo español*, Pamplona, EUNSA, 1999.

RODRÍGUEZ SÁNCHEZ, Tomás, *Catálogo de dramaturgos españoles del siglo XIX*, Madrid, Fundación Universitaria Española, 1994.

Romanticismo 1, Atti del II Congresso sul romanticismo spagnolo e ispano-americano («Aspetti e problemi del teatro romantico»), Genova, Biblioteca di *Letterature*, 1982.

II. AUTORES

Asquerino, Eusebio

GIES, David T., «Rebeldía y drama en 1844: *Españoles sobre todo* de Eusebio Asquerino», *De místicos y mágicos, clásicos y románticos*, Homenaje a E. Caldera, Messina, Siciliano, 1983, pp. 315-332.

GARCÍA CASTAÑEDA, Salvador, «Los hermanos Asquerino y el uso y mal uso del drama histórico», *Quaderni di Filologia Romanza*, IV (1984), pp. 23-42.

Bretón de los Herreros, Manuel

El pelo de la dehesa (ed. J. Montero Padilla), Madrid, Cátedra, 1974.

Marcela o ¿a cuál de los tres? (ed. F. Serrano Puente), Logroño, Diputación, 1975.

Actas del Congreso Internacional «Bretón de los Herreros: 200 años de escenarios», Logroño, 1998.

ALLEN, Rupert, «The romantic element in ¡*Muérete y verás!*», *Hispanic Review*, XXIV (1966), pp. 213-227.

CALDERA, Ermanno, «Bretón o la negación del modelo», *Cuadernos de teatro clásico*, V (1990), pp. 141-153.

CAMPO, Agustín, «Sobre la *Marcela* de Bretón», *Berceo*, II (1947), pp. 41-55.

FLYNN, Gerard, *Manuel Bretón de los Herreros*, Boston, Twayne, 1978.

GARCÍA LORENZO, Luciano, «Bretón y el teatro romántico», *Berceo*, XXVIII (1976), pp. 69-82.

GARELLI, Patrizia, *Bretón de los Herreros e la sua formula comica*, Imola, Galeati, 1983.

IRAVEDRA, Luisa, «La figura femenina en el teatro de Bretón», *Berceo*, II (1947), pp. 17-24.

LE GENTIL, Georges, *Le poète Bretón de los Herreros et la société espagnole de 1830 à 1860*, Paris, Hachette, 1909.

Escosura, Patricio de la

INIESTA, Antonio, *Don Patricio de la Escosura*, Madrid, Fundación Universitaria Española, 1958.

PAGLIA, Giuseppe, «L'umanità *mediana* dei personaggi di *Bárbara Blomberg* di Patricio de la Escosura», *Romanticismo 1* (1982), pp. 45-48.

Espronceda, José

Teatro completo (ed. A. Labandeira), Madrid, Ed. Nacional, 1982.

MARRAST, Robert, *José de Espronceda y su tiempo*, Barcelona, Crítica, 1989.

García Gutiérrez, Antonio

El trovador. Los hijos del tío Tronera (ed. J. L. Picoche), Madrid, Alhambra, 1979.

El trovador (ed. C. Ruiz Silva), Madrid, Cátedra, 1985.

CECCHINI, Claudia, «Il manierismo romantico nel *Trovador* di García Gutiérrez», *Letterature* XVI (1993), pp. 70-97.

ESCOBAR, José, «Anti-romanticismo en García Gutiérrez», *Romanticismo 1* (1982), pp. 83-94.

IRANZO, Carmen, *Antonio García Gutiérrez*, Boston, Twayne, 1980.

JOHNSON, Jerry L., «Azucena, sinister or pathetic», *Romance Notes*, XII (1970), pp. 14-18.

MENARINI, Piero, «Hacia *El Trovador*», *Romanticismo 1* (1982), pp. 95-108.

REGENSBURGER, Carl August, *Über den «Trovador» des García Gutiérrez, die Quelle von Verdi Opera «Il Trovatore»*, Berlin, Ebering, 1911.

RUIZ SILVA, Carlos, «El teatro de Antonio García Gutiérrez», *Segismundo*, XIX (1985), pp. 151-216.

SICILIANO, Ernest A., «La verdadera Azucena de *El Trovador*», *Nueva Revista de Filología Hispánica*, XX (1971), pp. 107-114.

Gil y Zárate, Antonio

STOUDEMIRE, Sterling A., *The dramatic works of Gil y Zárate*, Chapell Hill, North Carolina University Press, 1930.

Gómez de Avellaneda, Gertrudis

COTARELO Y MORI, Emilio, *La Avellaneda y sus obras*, Madrid, Tipografía Archivos, 1930.

Gorostiza, Manuel Eduardo

MARÍA Y CAMPOS, Armando, *M. E. de G. y su tiempo, su vida, su obra*, México, Porrúa, 1959.

Hartzenbusch, Juan Eugenio

Los amantes de Teruel (ed. J. L. Picoche), Paris, Centre de Recherches Hispaniques, 2 vols., 1970.
Los amantes de Teruel (ed. S. García Castañeda), Madrid, Castalia, 1971.
Los amantes de Teruel (ed. J. L. Picoche), Madrid, Alhambra, 1980.
Los amantes de Teruel (ed. C. Iranzo), Madrid, Cátedra, 1981.

ENGLER, Kay, «Amor, muerte y destino: la psicología de Eros en *Los Amantes de Teruel*», *Hispania*, LXX (1980), pp. 1-15.
IRANZO, Carmen, *Juan Eugenio Hartzenbusch*, Boston, Twayne, 1978.

Larra, Mariano José

Teatro (ed. G. Torres Nebrera), Cáceres, Universidad de Extremadura, 1990.

KIRKPATRICK, Susan, «Liberal Romanticism and the female protagonist of *Macías*», *Romance Quarterly*, XXXV (1998), pp. 51-58.
PENAS VARELA, Emilia, *Macías y Larra. Tratamiento de un tema en el drama y en la novela*, Santiago de Compostela, Universidad, 1992.
SÁNCHEZ, Roberto G., «Between *Macías* and *Don Juan*. Spanish romantic drama and the mithology of love», *Hispanic Review*, XLIV (1976), pp. 115-130.
SERRANO ASENJO, Enrique, «La encrucijada del *Macías* de Larra, entre plazos verisímiles y tiranas pasiones», *Modern Languages Review*, CXV (2000), pp. 340-353.
TORRES NEBRERA, Gregorio, «Macías, de Lope a Larra: tratamiento teatral de un mito», *Cuadernos para Investigación de Literatura Hispánica*, XVII (1993), pp. 30-40.

Martínez de la Rosa, Francisco

La conjuración de Venecia (ed. J. Paulino), Madrid, Taurus, 1988.
La conjuración de Venecia (ed. M. J. Alonso Seoane), Madrid, Cátedra, 1993.

GERALDI, Robert, «Francisco Martínez de la Rosa: Literary atrophy or creative saga-city?», *Hispania*, XXIX (1983), pp. 11-19.
MAYBERRY, Nancy, «More on Martínez de la Rosa's literary atrophy or sagacity», *Hispania*, XCIII (1988), pp. 29-36.
MAYBERRY, Nancy y Robert, *Francisco Martínez de la Rosa*, Boston, Twayne, 1988.
MC GAHA, Michael, «The romanticism of *La conjuración de Venecia*», *Kentucky Romance Quarterly*, XX (1973), pp. 235-252.
RUBIO CREMADES, Enrique, «Martínez de la Rosa: *La conjuración de Venecia*, realidad y ficción», *Teatro politico spagnolo del primo Ottocento* (ed. E. Caldera), Roma, Bulzoni, 1991, pp. 153-166.

Pacheco, Joaquín Francisco

MENARINI, Piero, «Un drama romántico alternativo: *Alfredo* de Joaquín Francisco Pacheco», *Actas del I Coloquio de la SLES XIX*, Barcelona, Publicacions Universitat, 1988, pp. 167-176.

Rivas, Ángel Saavedra, duque de

Don Álvaro o La fuerza del sino (ed. R. Navas Ruiz), Madrid, Espasa-Calpe (Clás. Cast.), 1975.
Don Álvaro o La fuerza del sino (ed. J. Rodríguez Baltanás), Tarragona, Tarraco, 1983.
Don Álvaro o La fuerza del sino (ed. D. L. Shaw), Madrid, Castalia, 1986.
Don Álvaro o La fuerza del sino (ed. E. Caldera), Madrid, Taurus, 1986.
Don Álvaro o La fuerza del sino (ed. A. Blecua), Barcelona, Planeta, 1988.
Don Álvaro o La fuerza del sino (ed. M. A. Lama y E. Caldera), Barcelona, Crítica, 1994.

BOUSSAGOL, Gabriel, *Ángel de Saavedra, Duc de Rivas*, Toulouse, Bibl. Méridionale, 1926.
CARDWELL, Richard, «*Don Álvaro* or the force of cosmic injustice», *Studies on Romanticism*, XII (1973), pp. 222-226.
DOWLING, John, «Time in *Don Álvaro*», *Romance Notes*, XVIII (1978), pp. 355-361.
GRAY, Edward, «Satanism in *Don Álvaro*», *Romanische Forschungen*, LXXX (1968), pp. 292-302.
LOVETT, Gabriel, *The Duke of Rivas*, Boston, Twayne, 1977.
PEERS, Edgar Allison, «Ángel de Saavedra, Duque de Rivas», *Revue Hispanique*, LVIII (1923), pp. 1-600.
SHAW, Donald L., «Acerca de la estructura de *Don Álvaro*», *Romanticismo 1* (1982), pp. 61-70.

Rodríguez Rubí, Tomás

Burgos, Ana M.ª, «Vida y obra de Tomás Rodríguez Rubí», *Revista de Literatura*, XXIII (1963), pp. 65-102.
Smith, William F., «Contributions of Rodríguez Rubí to the development of the Alta Comedia», *Hispanic Review*, X (1942), pp. 53-63.

Vega, Ventura de la

Caldera, Ermanno, «L'antiromanticismo di Ventura de la Vega», *Saggi in onore di Giovanni Allegra* (ed. P. Caucci), Perugia, Università, 1995, pp. 41-50.
Dowling, John, «El anti-Don Juan de Ventura de la Vega», *Actas VI Congreso AIH*, Toronto, 1980, pp. 215-218.
Mancini, Guido, «Motivi vecchi e nuovi nel teatro di Ventura de la Vega», *Miscellanea di Studi Ispanici*, VIII (1964), pp. 147-178.
Montero Alonso, José, *Ventura de la Vega. Su vida y su tiempo*, Madrid, Ed. Nacional, 1951.
Yáñez, María Paz, «"Lo que va de ayer (1844) a hoy (1845)": el donjuanismo en *El hombre de mundo* de Ventura de la Vega», *Actas del I Coloquio de la SLES XIX*, Barcelona, Publicacions Universitat, 1998, pp. 155-166.

Zorrilla, José

Don Juan Tenorio (ed. S. García), Barcelona, Labor, 1973.
Don Juan Tenorio (ed. J. L. Varela), Madrid, Espasa-Calpe, 1975.
Don Juan Tenorio (ed. A. Peña), Madrid, Cátedra, 1984.
Don Juan Tenorio. El capitán Montoya (ed. J. L. Picoche), Madrid, Taurus, 1992.
Don Juan Tenorio (ed. R. Navas Ruiz y L. Fernández Cifuentes), Barcelona, Crítica, 1993.
Don Juan Tenorio (ed. D. T. Gies), Madrid, Castalia, 1994.
Traidor, inconfeso y mártir (ed. R. Senabre), Madrid, Cátedra, 1990.
El zapatero y el rey, 1.ª y 2.ª parte (ed. J. L. Picoche), Madrid, Castalia, 1980.

Alonso Cortés, Narciso, *Zorrilla, su vida y su obra*, Valladolid, Santarén, 1943.

Considerando la dificultad de escoger en la amplísima bibliografía sobre Zorrilla, particularmente sobre el *Tenorio* y el mito de don Juan, prefiero remitir a algunas de las publicaciones misceláneas que se editaron en la ocasión del centenario.

Actas del Congreso sobre «José Zorrilla, una nueva lectura», Valladolid, Universidad-Fundación Jorge Guillén, 1993.
Ínsula, n.º 564 (1993).
José Zorrilla, 1893-1993. Centenial readings (eds. A. Cardwell y R. Landeira), Nottingham, University Press, 1993.

Vallejo, Irene y Ojeda, Pedro, *José Zorrilla. Bibliografía con motivo de un centenario (1893-1993)*, Valladolid, Ayuntamiento, 1994.

III. EL TEATRO Y SU MUNDO

AA.VV., *Julián Romea, primer centenario (1868-1968)*, Murcia, Ayuntamiento, 1968.

ARIAS DE COSSÍO, Ana María, *Dos siglos de escenografía española*, Madrid, Mondadori, 1991.

BASTÚS, Vicente Joaquín, *Curso de declamación o Arte dramático*, Barcelona, Oliveres, 1848.

BRETÓN DE LOS HERREROS, Manuel, *Progresos y estado actual de la declamación en España*, Madrid, Mellado, 1852.

CALVO REVILLA, Luis, *Actores célebres del Teatro del Príncipe o Español, siglo XIX*, Madrid, Imprenta Municipal, 1920.

DÍAZ-PLAJA, Fernando, *La vida cotidiana en la España Romántica*, Madrid, Edaf, 1993.

DUFFEY, Frank M., «Juan de Grimaldi and the Madrid Stage (1823-1837)», *Hispanic Review*, X (1942), pp. 147-156.

ESPINA, Antonio, *Romea o el comediante*, Madrid, Espasa-Calpe, 1935.

GIES, David T., «Larra, Grimaldi and the Actors of Madrid», *Studies in the Spanish Eighteen Century [...] in Honor of John Dowling*, Newark, 1985, pp. 113-122.

——, «"Inocente estupidez": *La pata de cabra* (1829), Grimaldi and the regeneration of the Spanish Stage», *Hispanic Review*, LIV (1986), pp. 375-396.

——, *Theatre and Politics in Nineteenth Century Spain. Juan de Grimaldi as empresario and Government agent*, Cambridge, University Press, 1988.

PRIETO, Andrés, *Teoría del arte cómico y elementos de oratoria y declamación para los alumnos del Real Conservatorio de María Cristina*, 1835, ms. Biblioteca Nacional de Madrid, n.º 2.804.

REES, Margaret, «The Spanish Romantics and Theatre as a visual Art», *Staging in the Spanish Theatre*, Leeds, Trinity and All Saints' College, 1983, pp. 27-48.

REYES, Antonio de los, *Julián Romea. El actor y su contorno (1813-1868)*, Murcia, Academia Alfonso X, 1977.

ROMEA, Julián, *Ideas generales sobre el arte de teatro, para uso de los alumnos de la clase de declamación del Real Conservatorio de Madrid*, Madrid, Abienzo, 1858.

——, *Manual de dclamación*, Madrid, Abienzo, 1859.

IV. FUENTES BIBLIOGRÁFICAS DE LAS OBRAS TEATRALES CITADAS

Abate L'Épée (El) y el asesino o La huérfana de Bruselas [Grimaldi], Valencia, Gimeno, 1823.

Abén Humeya, Martínez de la Rosa, BAE CXXVIII.

Adel el Zegrí, Coll, Madrid, Repullés, 1838.

Al César lo que es del César, Rodríguez Rubí, Madrid, Yenes, 1844.

Alfonso Munio, Avellaneda, Madrid, Repullés, 1844.

Alfredo, Pacheco, *Literatura, historia y política*, Madrid, Martín-Jubera, 1864.

Amante jorobado (El), Gorostiza, ms. n.º 61953 Inst. del Teatre, Barcelona.

Amante prestado (El), Bretón, Repullés, 1844.

Amantes y celosos todos son locos, Solís, ms. n.º 61154 Inst. del Teatre, Barcelona.

Amantes de Teruel (Los), Hartzenbusch, Paris, Centre de Recherches Hispaniques, 1970.

Amar desconfiando o La soltera suspicaz, Tapia, *Poesías*, Madrid, Pérez, 1832, II.

Amigo íntimo (El), Gorostiza, Biblioteca mexicana, s.l., s.a.

Amor venga sus agravios, Senra y Palomares, BAE LXXII.

Antonio Pérez y Felipe II, Muñoz Maldonado, Madrid, Repullés, 1842.
Arte de conspirar (El), Larra, Museo Dramático, II, Barcelona, Vidal y Cía, 1864.
Astrólogo de Valladolid (El), García de Villalta, Madrid, Repullés, 1839.
Bandera negra, Rodríguez Rubí, Madrid, Yenes, 1841.
Bárbara Blomberg, Escosura, Madrid, Repullés, 1843.
Batuecas (Las), Hartzenbusch, Madrid, Repullés, 1843.
Borrascas del corazón, Rodríguez Rubí, Madrid, Yenes, 1848.
Bruja de Lanjarón (La) o Una boda en el infierno, Rodríguez Rubí, Madrid, Yenes, 1843.
Bruno el tejedor, Vega, Madrid, Repullés, 1844.
Cabeza de bronce (La) o El desertor húngaro [Anónimo], Barcelona, Piferrer, 1820.
Cada cual con su razón, Zorrilla, *Obras completas,* Valladolid, Santarén, 1943 *[OC],* II.
Calentura (La), Zorrilla, *OC,* II.
Capas (Las), Vega, Madrid, Repullés, 1833.
Carlos II el hechizado, Gil Zárate, Madrid, Repullés, 1841.
Casamiento por convicción (El), Bretón, Madrid, Escámez, 1863.
Cásate por interés y me lo dirás después, López Pelegrín, Madrid, Yenes, 1840.
Castillo de San Alberto (El), Baranda de Carrión, Madrid, Yenes, 1839.
Cecilia la cieguecita, Gil Zárate, Madrid, Repullés, 1843.
Celos infundados (Los) o El marido en la chimenea, Martínez de la Rosa, BAE CXLVIII.
Cerdán, justicia de Aragón, Príncipe, Madrid, Repullés, 1841.
Citas (Las), [Anónimo], Valencia, Muñoz y Cía, 1821.
Compositor (El) y la extranjera, del Peral, Madrid, López, 1855.
Conde don Julián (El), Príncipe, Madrid, Repullés, 1840.
Conjuración de Venecia (La), Martínez de la Rosa, Madrid, Cátedra, 1993.
Contigo pan y cebolla, Gorostiza, Madrid, Repullés, 1833.
Coquetismo y presunción, Flores Arenas, Madrid, Imprenta que fue de García, 1831.
Corte del Buen Retiro (La), Escosura, Madrid, Piñuela, 1837.
Cuarto de hora (El), Bretón, *Obras,* Madrid, Ginesta, 1884 *[OG],* II.
Desconfianza y travesura o A la zorra candilazos, Bretón, Madrid, Repullés, 1849.
Detrás de la cruz, el diablo, Rodríguez Rubí, Madrid, Repullés, 1842.
Día más feliz de la vida (El), Gil Zárate, Madrid, Repullés, 1832.
Diablo cojuelo (El), Rodríguez Rubí, Madrid, Repullés, 1842.
Don Álvaro o La fuerza del sino, Rivas, Madrid, Taurus, 1986.
Don Álvaro de Luna, Gil Zárate, Madrid, Yenes, 1840.
Don Fernando el emplazado, Bretón, *OG,* II.
Don Francisco de Quevedo, Sanz, en Sainz de Robles, *El teatro español,* Madrid, Aguilar, 1943, VI.
Don Frutos en Belchite, Bretón, *OG,* II.
Don Jaime el Conquistador, Escosura, Madrid, Hijos de Piñuela, 1838.
Don Juan Tenorio, Zorrilla, *OC,* II.
Don Trifón o Todo por el dinero, Gil Zárate, Madrid, Repullés, 1841.
Doña María de Molina, Roca de Togores, *Obras,* Madrid, Tello, 1881, II.
Doña Mencía, Hartzenbusch, Madrid, Repullés, 1838.
Dos validos y castillos en el aire, Rodríguez Rubí, Madrid, Repullés, 1842.
Dos virreyes (Los), Zorrilla, *OC,* II.
Editor responsable (El), Bretón, *OG,* III.
Elena, Bretón, *OG,* I.

Elvira de Albornoz, Díaz, Madrid, Repullés, 1836.
Encubierto de Valencia (El), García Gutiérrez, Madrid, Yenes, 1840.
Español en Venecia (El) o La cabeza encantada, Martínez de la Rosa, BAE CIL.
Españoles sobre todo, Asquerino, Madrid, Repullés, 1844.
Expiación (La), Vega, Madrid, Burgos, 1821.
Felipe, Larra, Madrid, Hijos de Piñuela, 1838.
Felipe II, Díaz, Madrid, Burgos, 1837.
Flaquezas ministeriales, Bretón, OG, II.
Fray Luis de León o El siglo y el claustro, Castro y Orozco, Madrid, Repullés, 1837.
Gastrónomo sin dinero (El) o Un día en Vista Alegre, Vega, Madrid, Repullés, 1836.
Gran Capitán (El), Gil Zárate, Madrid, Repullés, 1843.
Guzmán el Bueno, Gil Zárate, Madrid, Repullés, 1842.
Héroe por fuerza (El), Vega, Madrid, Yenes, 1841.
Hijas de Gracián Ramírez (Las), Hartzenbusch, ms. Biblioteca Histórica de Madrid, n.º
    1-119-12.
Hijos de Eduardo (Los), Bretón, Madrid, López, 1857.
Hombre de la selva negra (El), B. G., Madrid, García, 1815.
Hombre de mundo (El), Vega, en Sainz de Robles, *op. cit.*, VII.
Hombre gordo (El), Bretón, OG, I.
Hombre pacífico (El), Bretón, OG, II.
Incertidumbre y amor, Ochoa, Madrid, Repullés, 1835.
Jocó (El) o el orangutang, ms. n.º 1-122-4 Biblioteca Histórica, Madrid.
Jura en Santa Gadea (La), Hartzenbusch, Madrid, Imprenta Nacional, 1867.
Lealtad de una mujer y aventuras de una noche, Zorrilla, OC, II.
Legado (El) o El amante singular, Bretón, Sevilla, Dávila, Llera y Cía, s.a. (¿1828?).
Leñador escocés (El), C.P.M.S., Valencia, Mompié, 1830.
Macías, Larra, Badajoz, UNEX, 1990.
Madrastra (La), Tapia, *Poesías*, Madrid, Pérez, 1832, II.
Madre de Pelayo (La), Hartzenbusch, Madrid, Repullés, 1846.
Marcela o ¿a cuál de los tres?, Bretón, OG, I.
Marido de mi mujer (El), Vega, Madrid, Repullés, 1835.
Marido joven y mujer vieja, B. de M., Madrid, Burgos, 1829.
Máscara reconciliadora (La), Madrid, Repullés, 1831.
Me voy de Madrid, Bretón, OG, I.
Mi tío el jorobado, Bretón, Madrid, Yenes, 1840.
Molino de Guadalajara (El), Zorrilla, OC, II.
Morisca de Alajuar (La), Rivas, *Obras completas*, Madrid, Aguilar, 1945.
Muérete y ¡verás!, Bretón, OG, I.
No ganamos para sustos, Bretón, OG, II.
No más mostrador, Larra, BAE CXXIX.
No más muchachos o El solterón y la niña, [Anónimo], Madrid, López, 1877.
Otra casa con dos puertas, Vega, Madrid, Yenes, 1842.
Paje (El), García Gutiérrez, Madrid, Repullés, 1845.
Pata de cabra (La), Grimaldi, Roma, Bulzoni, 1986.
Pelo de la dehesa (El), Bretón, OG, II.
Pilluelo de París (El), Lombía, Madrid, Sancha, 1836.
Pluma prodigiosa (La), Bretón, Madrid, Yenes, 1841.

Pobre pretendiente (El), Carnerero, Madrid, Repullés, 1831.

Poeta (El) y la beneficiada, Bretón, OG, I.

Polvos de la madre Celestina (Los), Hartzenbusch, Madrid, Yenes, 1840.

Primero yo, Hartzenbusch, Madrid, Repullés, 1842.

Primeros amores (Los), Bretón, Madrid, Repullés, 1845.

Pro (El) y el contra, Bretón, OG, II.

Puñal del godo (El), Zorrilla, OC, II.

Qué dirán (El) y el qué se me da a mí, Bretón, OG, II.

¿Quién es ella?, Bretón, OG, IV.

Redacción de un periódico (La), Bretón, OG, I.

Redoma encantada (La), Hartzenbusch, Madrid, Yenes, 1839.

Retascón, barbero y comadrón, Vega, Madrid, Repullés, 1842.

Rey monje (El), García Gutiérrez, Madrid, López, 1857.

Rueda de la fortuna (La), Rodríguez Rubí, Madrid, Repullés,1843.

Saúl, Avellaneda, BAE CCLXXVIII.

Segunda dama duende (La), Vega, Madrid, Yenes, 1842.

Simón Bocanegra, García Gutiérrez, Madrid, Yenes, 1843.

Sociedad sin máscara, Cagigal, Barcelona, Roca, 1818.

Solaces de un prisionero, Rivas, *Obras completas*, cit.

También los muertos se vengan, Escosura, Madrid, Imprenta Nacional, 1844.

Terremoto de la Martinica (El), Tirado-Coll, Madrid, Biblioteca Dramática, 1859.

Todo es farsa en este mundo, Bretón, OG, I.

Toros y cañas, Rodríguez Rubí, Madrid, Repullés, 1840.

Traidor, inconfeso y mártir, Zorrilla, OC, II.

Travesuras de Juana (Las), Doncel-Valladares y Garriga, Madrid, Yenes, 1843.

Treinta años o La vida de un jugador, Ulanga y Alcocín, Barcelona, Torner, 1828.

Trovador (El), García Gutiérrez, Madrid, Cátedra, 1985.

Un amigo en candelero, Gil Zárate, *Obras dramáticas*, Paris, Baudry, 1850.

Un día de campo o El tutor y el amante, Bretón, OG, II.

Un monarca y su privado, Gil Zárate, Madrid, Yenes, 1841.

Un novio para la niña, Bretón, OG, I.

Un paseo a Bedlam, Bretón, Madrid, Yenes, 1839.

Un tercero en discordia, Bretón, OG, I.

¡Una vieja!, Bretón, OG, II.

Vellido Dolfos, Bretón, OG, II.

Vieja del candilejo (La), D., M.J.-R.L., G.-G.E., F., Madrid, Repullés, 1838.

Zapatero (El) y el rey, Zorrilla, OC, II.

ÍNDICE ONOMÁSTICO

ÍNDICE DE OBRAS

ESTE LIBRO
SE TERMINÓ DE IMPRIMIR
EL DÍA 23 DE MARZO DE 2001.